海まで

1

空港を出るときに「しゅっぱーつ、しんこーっ！」と元気よく声をあげたミツルは、車が山あいのインターチェンジから高速道路に入ると、こてん、と音が聞こえそうなほどあっけなく眠ってしまった。

隣に座った真理《まり》が顔を覗《のぞ》き込み、頬を軽くつついたが、目を覚ます気配はない。午前中にふるさとに着く飛行機に乗るために、七時前に東京の家を出た。飛行機の中で寝るだろうと思っていたが、一時間ちょっとのフライトだ、窓に貼《は》りついて景色を見ているうちに着いてしまった。

「単純なんだから、ほんと」

真理は苦笑して、畳んでトートバッグに入れてあったタオルケットを広げた。『きかんしゃトーマス』のキャラクターが勢ぞろいした、この夏休みのために新調したタオルケットだ。

「トーマス、好きなんだっけ？」

前を走る軽トラックを追い越しながら訊《き》くと、真理は「そうでもないけど」と言って、タオルケットをミツルの膝《ひざ》にかけた。「ミッちゃんは気にしないもんね、そういうの、ぜんぜん」

僕は助手席のカズキにちらりと目をやって、車を走行車線に戻した。ハンドルの遊びをつかみきれず、少し急な動きになった。もう一つグレードが上の車にすればよかった。だが、三日間借りるとなると、レンタカーの料金もばかにならない。

「ゆうべも遅くまで騒いでたのか？」

今度はカズキに訊いた。

「うるさくって寝られなかった」カズキは唇をとがらせる。「もう、サイテーだった」

「まあ、そう怒ってやるなよ、ミッちゃんはまだガキんちょなんだから」

「だって、あいつバカなんだもん」

「そんなこと言わないの」真理がリアシートから身を乗り出して、軽くたしなめた。

「カズくんの寝付きが悪いのって、いつもじゃない」

「ゆうべはすぐ寝られそうだったんだもん、でもミツルがうるさいから……」

「蒸し暑かったもんなあ、ゆうべ」僕はとりなして笑う。「お父さんも夜中に何度も起きちゃったよ」

真理もなだめるように「いまからちょっとでも寝れば？」と言ったが、カズキは「だってぇ……」と声をくぐもらせる。

「車で寝ると首が痛くなっちゃうんだもん」――とりあえず「うん」と答えておけばいいのに、それがなかなかできない性格だ。

やれやれ、と僕はアクセルを少し浮かせ、ルームミラーでミツルの様子を確かめた。五歳にしては大柄な体をチャイルドシートに収めたミツルは、タオルケットを早くも下に蹴《け》り落として、気持ちよさそうに眠っている。お兄ちゃんの不満など知る由《よし》もないし、たとえ起きているときに聞かされても、「眠れなかったの？　ごめーん」の軽い一言で終わりだろう。小学校に上がると、「眠れないほうが悪いんだよ」ぐらいは言い返しそうな気もする。

もう一度――やれやれ、とため息をついて、カズキに声をかけた。

「眠くなったら寝ちゃえばいいんだからな」

カズキは細い声で「わかった」と答え、シートベルトが肩にかかる位置が気になるのか、お尻《しり》をもぞつかせ、首をかしげたりすくめたりした。

「ねえ、お父さん……」声が、もっと細くなった。「今年もヘビ出ると思う？」

「出ない出ない、去年はたまたまだったんだから。おばあちゃんも珍しいってびっくりしてただろ。だから今年はだいじょうぶだ」

「……ほんとに？」

「だーいじょうぶ、心配するなって」

左手で頭を軽く小突《こづ》いてやった。「臆病《おくびょう》なんだから」とあきれる真理に、「俺だって子どもの頃はヘビやトカゲが怖くてたまらなかったよ」と言った。

二泊三日で、おばあちゃんち——僕の実家に帰省する。夏休みの一番のイベントだ。楽しく過ごしたい。子どもたちにも楽しく過ごさせてやりたい。今日から三日間は、どんなときでもカズキの味方でいよう、と決めていた。

母の顔が浮かぶ。去年、古希《こき》の祝いをした。おととしには父の七回忌の法要をすませた。東京に住む一人息子の僕と会うのは、年に二度、正月と夏休みだけだ。

真理はタオルケットをミツルの膝に掛け直しながら、「いつものチャイルドシートと違っても、ぜんぜん気にしないんだもん」と笑った。「大物なのか無神経なのか、わからないけど」

「まあ、でも、おとなしく寝てくれるのが一番だよ」

ふだんはひとときもじっとしていないミツルだが、チャイルドシートはお気に入りだ。身動きがとれないのを嫌がりかけた三歳の頃に「F1みたいでカッコいいぞ」と僕がおだてた一言が効いた。素直で、単純で、扱いやすい子どもだ。

カズキが幼かった頃は、どうしてもチャイルドシートに座ろうとしなかった。レンタカーはもちろん、我が家の車のシートでもだめ。なだめてもすかしても泣きわめくだけだった。押し問答を繰り返すうちに親のほうもいいかげんうんざりして、ガレージを出る前にドライブが中止になる、そんなことも何度となくあった。

兄弟なのに、性格がまったく違う。タオルケット一つとってもそうだ。カズキは小学五年生のいまでも、幼稚園の頃から使っていた一枚を手放せない。新しいタオルケットでは、ざらざらした布地の感触が気になって眠れないのだという。

今日も、古いタオルケットを持ってきた。ヨットとカモメの絵がすっかり色褪《いろあ》せ、端のほうの糸がほつれたタオルケットを、真理は苦笑交じりにトートバッグの底に入れた。トランクに入れたスーツケースの中には枕《まくら》もある。ほんとうは敷布団《しきぶとん》も持って来てほしかったのだろう。もっと本音を言えば帰省は一泊ですませてほしいのだろうし、できれば日帰りしたかったはずだ。そして、本音のさらに深いところでは、おばあちゃんに会いたくない、とも思っているのだろう。

カップホルダーに手を伸ばし、缶コーヒーを一口飲んだ。エアコンの冷風を浴びたコーヒーの冷たさに喉《のど》がすぼまり、ため息が胸に押し戻された。

カズキは母に嫌われている。言葉にして聞いたわけではないが、引っ込み思案でいじいじしたところが癇《かん》に障《さわ》るようだ。

最初から、ではなかった。二、三年前までは、カズキは母のなによりのお気に入りだった。初孫だ。赤ん坊の頃は、父と二人で東京に遊びに来ることも何度かあった。両手に抱えきれないほどのお土産を持ってきて、親戚《しんせき》や近所のひとに写真を見せてやるんだと言ってカメラを手放さず、別れ際《ぎわ》には涙すら浮かべる、そんな母を見ていると「目の中に入れても痛くない」という言葉をしみじみと実感したものだった。

父が亡《な》くなると、母は目に見えて年老いた。まだ頭はしっかりしているが、この数年で体のほうはだいぶガタが来た。東京からたまに電話をすると、待ってましたというふうに、足が痛い、腰が痛い、血圧が高い、歯がだめになった、と体の不調を訴える。気弱になり、話がくどくなり、愚痴っぽくもなった。

カズキのおかげで、というよりカズキを楯《たて》にして、ごまかしてきたことは、たくさんある。年老いた親を田舎に残した一人息子の負い目を、カズキが救ってくれた。カズキがいれば母は上機嫌になり、僕たちは将来の話をとりあえず先送りできた。

ふるさとの人口はこの二十年で半減した。小学校や中学校の統廃合も進み、実家から小学校に通おうとすれば、町営のマイクロバスで三十分かけて山を越えなければならない。僕の再就職先も町内で見つけるのはまず無理だし、東京に生まれ育った真理が農村の人間関係をうまくこなしていけるとも思えない。

ふるさとに帰る気はない。それを「カズキの学校のこともあるから」の一言でまとめれば、母も「そうじゃねえ……」と納得する。カズキが虫やヘビや汲《く》み取り式のトイレを怖がるたびに、母は「いまの子どもは都会でないといけんのじゃなあ」と自分に言い聞かせるようにつぶやいていたのだった。

だが、いま、母のお気に入りはミツルになった。母はミツルさえいればご機嫌で、引き替えにカズキに対してそっけなくなった。

なにか特別なきっかけがあったわけではない。最初は、帰省の帰り道に「おばあちゃん、ミツルと一気に仲良くなったなあ」「ミッちゃんの片言のおしゃべりが面白いのよ」と真理と話す程度だった。それがやがて、「カズとおばあちゃん、今回はあんまり話さなかったんじゃないか?」「ミッちゃんにべったりだったもん、おかあさん」に変わり、「おばあちゃん、どうもカズにそっけないんだよなあ」「あなたもそう感じてた?」になった。

今年の正月に帰省したときも、母はミツルばかりかわいがった。カズキが東京の話をしても、おざなりな相槌《あいづち》しか打たない。話の途中なのに用事を思いだして席を立ったり、ミツルを相手に別の話を始めたりする。母からカズキに話しかけることはほとんどなかったし、カズキが僕や真理になにかを訊かれて「よくわかんない」「どっちでもいいけど」と煮えきらない返事をするたびに、うっとうしそうに眉《まゆ》をひそめた。

あのときも二泊三日の帰省だった。二日目の夜には、もうカズキもおばあちゃんから疎《うと》んじられていることを察し、口数が極端に減っていた。ミツルが冗談を言っても笑わず、夕食も残して、おばあちゃんの膝でテレビを観《み》るミツルをよそに、一人で床に就いた。部屋を出るカズキの背中を冷ややかなまなざしで見送った母は、僕と目が合うと、悪びれた様子もなく「カズちゃんもお兄ちゃんになったんなあ、もうおばあちゃんのことやら相手にもしてくれん」と笑った。そのときの笑顔は、ぞっとするほど不気味だった――と、真理も同じことをあとで言った。

旧盆の翌週ということもあって、高速道路は空《す》いていた。このペースなら夕方の早いうちに家に着くはずだ。

ミツルが楽しみにしていた家の裏の小川での水遊びも、少しぐらいならだいじょうぶだ。去年のように沢ガニがうまく見つかれば大喜びするだろう。

カズキは、今年も川に入らないのだろうか。魚も、川虫も、カエルも、怖い。そもそも川が怖い。川幅は少し勇気を出して跳べば向こう岸に渡れる程度で、水の深さもせいぜい膝小僧までなのに、転んで溺《おぼ》れて流されたら大変だと本気で心配する。去年は、水遊びをする僕とミツルをよそに一人で川べりにたたずんで、まとわりつくヤブ蚊やブヨをせわしなく両手で追い払っていた。

次のサービスエリアは五キロ先――「トイレ、どうする?」と声をかけたが、リアシートの二人はぐっすり寝入っていた。

「カズはどうだ？　おしっこ、だいじょうぶか？」

「……わかんない」

「なんだよ、それ」

俺はカズキの味方だぞ、と自分で自分に念を押した。

「でも、トイレに行ったらおしっこ出ると思うけど、べつにいま行かなくてもだいじょうぶだし……よくわかんない……」

「じゃあ、まあ、その次のサービスエリアでいいか。途中で行きたくなったらパーキングエリアでもいいし、車も少ないから、もしアレだったら、路肩《ろかた》に停めて、そのへんでパーッとやっちゃってもいいんだしな」

「そういうのって……違反でしょ？」

ジョークも、あまり通じない。ほんとうに生真面目《きまじめ》で、臆病で、神経質で、不器用な性格だ。

「なあ、カズ」

少しだけ声を強くした。「なに？」と訊かれ、ためらいを振り切って、つづける。

「おばあちゃんの前で、あんまり『わかんない』って言うなよ。あと、『どっちでもいい』とか『べつになんでもいい』とかも、やめといたほうがいいかもな」

ほんとうは、そんなことを言いたくはない。出がけにも、口にすまいと決めていた。

だが、やはり——損をしてしまうのは、カズキ自身なのだ。

車のスピードを上げた。サービスエリアまで、あと三キロ。

「トイレ、ほんとにだいじょうぶなんだな」と念を押すと、「だめぇ」という返事はリアシートから返ってきた。ミツルが目を覚ました、いや、まだ頭は半分眠っているのに、口だけ「アイス食べたーい」と動いた。

「ミッちゃんはもうちょっと寝てろよ。サービスエリアはまだ先にもあるから」

「だめぇ、いま食べるの」

「わかったわかった、あとでな」

「だめだってばぁ、暑い暑い暑い、のどかわいて死にそーっ」

足をばたつかせ、タオルケットをまた蹴り落として、どうやら眠気はすっかり吹き飛んでしまったようだ。

「じゃあ、アイス食べるか」

「やったーっ！」

ミツルは歓声をあげた。隣の真理が驚いて目を覚ますほどの、キン、と甲高く響く声だ。

カズキはなにも言わない。「お兄ちゃんはソフトクリーム？　かき氷？」とミツルが訊いても、「どっちでもいいよ、べつに」と気のない様子で返すだけだった。

サービスエリアに着いて車を降りると、むっとした暑さとアスファルトの照り返しに、いっぺんに汗が噴き出してきた。アイスクリームの立ち食いよりも、冷房の効いたレストランで休んだほうがいいかもしれない。

だが、駐車場の脇《わき》の広場にブランコを見つけたミツルは、アイスクリームの約束も忘れて、「遊んでいい？」と言いだした。

「車が通るから危ないぞ」

「だーいじょうぶだって、お兄ちゃんといっしょだから」

勝手に決めて、カズキの手を引いた。カズキが「かったるいよお」と言っても、「いーじゃん、いーじゃん」と譲らない。

けっきょく根負けするのは、いつもカズキだ。口で嫌がるだけで手を振りほどかないから負ける。ブランコに着けばそれなりに楽しんで遊ぶはずなのに、気持ちの切り替えに時間がかかる。ミツルに手を引かれて走る後ろ姿はいかにもつまらなそうで、そのつまらなさが伝わって、こっちまでしかめつらになってしまう。

二人の背中を眺めて、真理はぽつりと言った。

「カズくんの走り方、ちょっと不格好なのよねえ」

味方だぞ——自分に言い聞かせて、僕は無理に笑う。

「背の低い子に腕をひっぱられたら、誰でもそうなるんだ。あんまり細かいこと気にするなよ」

「でも、ちょっと内股《うちまた》になってるよね」

「走り方なんて、ひとそれぞれだよ」

今年の秋の運動会も、きっと、びりっけつのカズキの姿を、前を走る子どもたちをフレームからはずしてビデオカメラに収めることになるだろう。ミツルの場合は、スタート前に隣の子をポカッと殴って泣かせさえしなければ、かけっこの一着は、まず間違いない。

二人は並んでブランコを漕《こ》ぎはじめた。

「ミツル、立ち乗りできるようになったのか」

「そう、この前からね。ばら組の中で一人だけなのよ。幼稚園の先生もびっくりしてた」

「カズキはいつ頃だったっけ」

「一年遅れかな。ゆり組の頃だけど、去年ジャンプして着地に失敗したの覚えてない？　転んでおでこと鼻すりむいちゃったでしょ。それ以来、怖いんだって、立ち乗り」

だからほら、と真理が顎《あご》をしゃくる先に、ブランコ板にぺたんと座ったカズキがいる。

「兄弟でも、ぜんぜん違うのよねえ」

「それが個性っていうんだよ。カズキはカズキだし、ミツルはミツルなんだから」

「でも、勝ち負けとは言わないけど、損と得って、やっぱりあるのよね」

「……まあな」

ため息と入れ替わりに、吹いてくる風を胸いっぱいに吸い込んだ。標高はたいしたことはないが、東京よりもずっと涼しい、緑のにおいの溶けた風だ。高速道路と一般道を走り継いで空港から三時間余りの道のりの、いまはちょうど半ばにあたる。車から眺める緑の色とにおいが濃くなって、護岸工事された川に大きなごつごつした岩が目立つようになると、そこがふるさとだ。

ミツルの漕ぐブランコは、ぐいぐいと振り幅を広げていく。気持ちよさそうに胸を張って、「ママー!」と笑う。

カズキは板に座り込んだまま、ぼんやりと、僕でも真理でもないどこかを見つめていた。

ひと寝入りしたおかげで早起きの眠気も消えたのだろう、昼食のお子さま御膳《ごぜん》をぺろりとたいらげたミツルは、車の中でも飲むか食べるかしゃべるかで口を動かしどおしだった。

カズキは逆にほとんど話さなくなった。昼食のざる蕎麦《そば》も食べきれなかった。もともと乏しかった元気が、いまはもう、メーターで言うならゼロに近い。

高速道路を降りて一般道に入るとき、僕はそっとカズキに言った。

「この先はカーブが多いから、あんまり手前を見ないようにして、ぼーっと遠くを見てろよ」

「……うん」

うなずくしぐさも返す声も、力がない。すでに酔いかけているのかもしれない。助手席に座らせれば少しはいいだろうかと思っていたのだが、やはり休憩はこまめにとっていったほうがよさそうだ。

「ねえ、カズくん、だいじょうぶ?」真理が身を乗り出して言った。「気持ち悪くなったら、すぐに言いなさいよ」

「わかってるってば」

「ドライブインがあったら、ちょっと休む?」

「えーっ?」カズキより先に、ミツルが不服そうに声をあげた。「早くおばあちゃんちに行こうよ」

「うん、でもね、ミッちゃん、お兄ちゃんが車に酔っちゃうと……」

真理の言葉をさえぎって、カズキは「いいよ、休憩しなくて」と怒った声で言った。

「早く行っちゃおうよ」——声を遠くに放るようにつづけて、力むなと言っているのに、フロントガラス越しの風景をじっと見つめる。

峠越えの曲がりくねった道をしばらく走ると、道の駅の案内板が見えた。燃料計の針はまだ真ん中あたりを差していたが、ガソリンスタンドで給油するついでという口実で車を入れた。

　ふるさとの町までは、あと二十キロ。渋滞とは無縁の国道だから、ゆっくり走っても三十分見ておけばいい。

　車を降りて、携帯電話をウエストポーチから取り出したら、ミツルがめざとく見つけて「ぼくがおばあちゃんにかける！」とせがんだ。

「じゃあ、四時頃に着くからって言ってくれ」

「そんなにかかるの？」

　まだ時計の見方もよくわからないくせに、生意気なことを言う。

　電話をミツルに渡した。

「あとでお兄ちゃんにも代わってやれよ」

「うん、わかった」

　ミツルは軽く答えたが、カズキは黙って一人で歩きだす。

「おい、カズ、トイレか？」

「そう」――立ち止まらず、振り向きもしない。

「あ、おばあちゃん？　ぼく、ミッちゃん、そーだよ、もうすぐ着くよ、ねえおばあち

ゃん、網、買っといてくれた？　カブトムシ捕るからね、ぼくね、ぜーったい捕るって
フジっちやサナエちゃんにオトコの約束してるから。そう、幼稚園のお友だち、ぼくね、
ぼくね、夕涼み会でタイコ叩《たた》いたんだよ」
ミツルのはずんだ声が耳をすり抜けていく。電話の向こうでは、おばあちゃんもきっ
と、まんまるな声をつくって上機嫌だろう。
「今夜おばあちゃんの隣で寝ていい？　いいよね？　ね？　約束だよ、ぜーったい寝る
からね。え？　だいじょうぶだよぉ、おねしょなんかしないし、パパも……」
こっちを見るミツルに、指でOKマークをつくってやった。
「だいじょうぶだいじょうぶ、パパもいいよって言ってるから」
カズキは振り向かない。立ち止まらない。半ズボンのポケットに両手を入れて、自分
の影を踏みつぶすようにして歩いていた。
電話を終えて、ミツルをトイレに連れていった。先に用足しをすませたカズキは真理
と二人でJAの直売コーナーを覗《のぞ》いていた。この地方の特産は蕎麦とコンニャクと自然
薯《じょ》。この時季には落ち鮎《あゆ》もある。春にはタケノコや山菜も出て、冬になるとイノシシの
肉も売られる。山に囲まれた、貧しくひなびたふるさとだ。
トイレから出ると、ミツルは軽食コーナーを指差した。
「おなか空いた！」

僕は「さっきお昼食べたばかりだろ」とあきれ、真理も「おばあちゃんちに着いたら、また山ほどお菓子が出てくるわよ」と言ったが、ミツルは一度言いだしたら聞かない。

「でも、おなか空いたんだもん。ね、お兄ちゃんもなにか食べたいでしょ?」

カズキは少し考えてから、「食べようか」と言った。

「だいじょうぶなの?」意外な答えに、真理はまともに驚いてしまった。「カズくんは無理しなくていいのよ」

「だいじょうぶ」

「でも……ほんとに、だいじょうぶ?」

「食べるってば」

僕は、いいよいいよ、と真理に目配せして、「お昼あんまり食べてなかったもんな」とカズキに笑いかけた。返事はなかった。カズキは軽食コーナーに向かって、一人で先に歩きだしていた。

コーラとアメリカンドッグを二つずつ買って、木立《こだち》の中のテラス席で食べることにした。

「欲しいだけにしなさいよ、あんたすぐに食べすぎておなかこわしちゃうんだから」

心配顔の真理をよそに「へーき、へーき」とアメリカンドッグにケチャップをかけたミツルは、テーブルに置いてあるマスタードの容器にも手を伸ばしかけた。

「だめだ、ミッちゃん、これは辛いから」容器を手の届かない位置に置いた。「泣いちゃっても知らないぞ。お兄ちゃんだってつけてないだろ？」

「えーっ、だいじょうぶだよお。ぼく、おすしにワラビ入っててもラクショーだもん」

「ワサビだろ？　それは」

僕はつい笑ってしまう。真理もプッと噴きだした。

「じゃあ、テストだ」

ミツルのアメリカンドッグの端に、小指の先ほどのマスタードを搾《しぼ》り出した。

あーん、とおどけて口を大きく開けて頬張ったミツルは、次の瞬間、顔をくしゃくしゃにしてコーラをがぶ飲みした。

「ほらな」と僕が笑った、そのとき――カズキがマスタードの容器を手にとって、自分のアメリカンドッグにたっぷりつけた。

「ちょっと、カズくん、だいじょうぶなの？」と真理があわてて言う。

つけすぎだった。誰が、どう見ても。

カズキも一瞬、しまった、という顔になったが、すぐに表情を消して頬張った。

「すっごーい、お兄ちゃん！」

ミツルが嬉《うれ》しそうに、うらやましそうに、拍手をした。カズキは無表情のまま、目に涙を浮かべて、さらに一口、もう一口と食べていく。

困惑する真理の視線から逃げるように、僕は煙草《たばこ》をくわえ、空を見上げた。東京で見るよりも広く、高く、青の色合いもくっきりとした空だ。

煙草を吸う息づかいに紛らせて、ため息を何度か呑《の》み込んだ。

ほんとに損な性格だよな――空を見上げたまま、思う。

だから――と思いを先に進めかけて、まあいいや、と煙草のフィルターを嚙《か》みしめる。

カズキが咳《せ》き込んだ。真理はあわててコーラのカップを渡し、「お水のほうがいい？」とセルフサービスの冷水機を振り向いて椅子《いす》から立ち上がった。

「やめとけ、そんなの」

僕は真理をにらんで言った。思っていたより強い口調になった。

「そこまで世話を焼かなくてもいいんだよ、おまえも」

「だって……」

「カズが自分で食べるって言ったんだから、ほっとけよ。水が欲しかったら自分で行けばいいんだし」

味方でありつづけるのは――やはり、難しい。

真理は憮然《ぶぜん》として席に戻り、ミツルはきょとんとした顔で両親を見比べる。カズキは黙ってアメリカンドッグを食べつづける。一口かじっては、ろくに嚙まずにコーラで喉《のど》に流し込み、息つく間もなくまたかじって、コーラを飲む。

僕はまなざしを空に戻し、煙草を深く吸い込んで、ゆっくりと吐き出した。いがらっぽさが舌に残る。ひときわ濃くなった緑のにおいが、急にわずらわしく感じられた。

2

日暮れ頃まで聞こえていた蟬時雨《せみしぐれ》が、宵の口になると虫の音に変わった。もう田んぼのカエルの声は聞こえない。山に囲まれたふるさとの町は、旧盆を過ぎると、朝晩は肌寒いほどだ。

ひさしぶりに会う母は、また少し背丈が縮んだように見えた。去年の夏にはミツルを抱っこして歩けたが、さすがに今年は座って膝《ひざ》に抱くのがやっとだった。皺《しわ》が深くなり、髪の毛はほとんど真っ白になって、食後に服《の》む薬の量や種類も増えた。

それでも母は、ミツルがそばにいればご機嫌だった。そして、やはり、カズキに対してひどくそっけなかった。

ミツルと母が二人で風呂《ふろ》に入り、カズキもトイレに立つと、真理は夕食の皿を片づける手を止めて、僕に言った。

「おかあさんも露骨だよね。ミッちゃん、ミッちゃん、ミッちゃん……カズくんに話しかけたのって、何回あった?」

僕は黙って、ぬるくなったビールをすする。

「お風呂だって、わざわざカズくんに聞こえよがしに『ミッちゃん、おばあちゃんと入ろうね』なんて言わなくたっていいじゃない」

「耳がちょっと遠くなってるから、しょうがないんだよ、テレビの音だって大きいだろ」

「まあ、お風呂のことはいいんだけど、問題は晩ごはんよね」

真理はカズキの食べ残したおかずを一皿にまとめながら、ため息をつく。

夕食の膳に並んだのは、鶏《とり》の唐揚げと海老《えび》フライとポテトサラダと鮎の甘露煮《かんろに》と枝豆とナスの味噌汁《みそしる》――箸《はし》の進まないカズキをよそに、ミツルは「おかわり！」「もっと！」を連発していた。

「ミツルの好きなおかず、リクエストさせてたんだな」

なにげなく返すと、「そうじゃないって」と言われた。

「鶏の唐揚げとポテトサラダは好きだけど、あとはべつに大好物ってわけじゃないのよ。甘露煮なんてウチで食べたことないし、ナスのお味噌汁だって、ウチだと一口ぐらいしか飲まないんだもん」

「なんだよ、あいつも調子いい奴《やつ》だなあ」

苦笑する僕を見て、真理は、なんにもわかってないんだから、という顔になった。

「今夜のおかず、ぜんぶカズくんの嫌いなものなの」

「そうだっけ？」

「……息子の好き嫌いぐらい知っといてよ」

「鶏肉だろ？　皮のブツブツが気持ち悪いって」

「それだけじゃないのよ」

　海老も、一、二年前に尻尾《しっぽ》で口の中を切って以来、嫌いになった。ポテトサラダと枝豆は舌触りがもそもそしているのがだめ。頭のついた魚は目と口が怖いから箸をつけないし、ナスもよほどやわらかく煮込まないと「紫色っぽい味がする」と敬遠する。

　なにも知らなかった。残業つづきの平日は子どもと夕食を食べることはめったにないし、家族で囲む休日の食卓には――躾《しつけ》として間違っているのかもしれないが、真理もわざわざカズキの嫌いなものは出さない。

「だからね」真理は声をひそめて、早口に言った。「おかあさん、わざとカズくんの嫌いなものを選んだんじゃないかなあ、って」

「いくらなんでも、それはないだろ」

「わたしもそう思うんだけど……でも、カズくんの好き嫌い、おかあさんなら知ってるはずなの。昔は、そういうところもちゃんと気をつかって、ぜったいにカズくんの嫌いなものは出さなかったんだから」

「偶然だよ。忘れてたんだよ、たまたま。鶏の唐揚げやポテトサラダなんて、ふつうは子どもだったら誰でも好きなんだし、鮎だって、この時季の落ち鮎は美味《うま》いんだよ、美味いから出したんだ、そういうのが一品あるほうが田舎らしくていいし、枝豆やナスだって、せっかく畑でつくったんだから」

一息に言った。理屈は通っている。なのに言葉の途中で、目が虚空《こくう》を泳いでしまう。

「偶然だといいんだけどね」

真理はまたため息をついて、「でも、なんか怖いなあ」と付け加えた。「このままいくと、えこひいきとか意地悪とかのレベルじゃなくなるわよ。いじめっていうか、へたすると虐待《ぎゃくたい》よ」

ギャクタイという濁った響きに、胸がどきんとした。おおげさなこと言うなよ、と笑い飛ばそうとしたが、声がうまく出てくれなかった。

「あまりひどいようだったら、わたし、おかあさんに言っていい？」

「そのときには俺が言うよ。ビシッと言ってやるから」

「でも……」

「ただ、晩飯のおかずのことは偶然だと思うぜ。悪いほうに悪いほうに考えちゃうと、きりがないし、ひさしぶりに俺たちに会えて、おふくろが喜んでるのは確かなんだから」

これが逆の立場――おばあちゃんが真理の母親だったら、「ちょっと待ってくださいよ、おかあさん、カズがかわいそうでしょ」と言わずにはいられない。もしかしたら、いまごろは帰り支度を始めているかもしれない。

だが、おばあちゃんは、僕の母親なのだ。山に囲まれた田舎で、一人暮らしをつづけているひとなのだ。真理の母親のように連れ合いがまだ元気で、長男一家と二世帯住宅で暮らしているひととは、寂しさや人恋しさの深さが違う。

納得しない顔のまま真理が部屋を出ていくと、入れ替わるようにカズキがトイレから戻ってきた。

「トイレにおっきな蛾《が》がいたよ、パパ」――怖がりなのだ、とにかく。

「網戸が破れてるからな、しょうがないんだよ」

「毒とかない？　だいじょうぶなの？」

「あとで殺虫剤撒《ま》いといてやるよ。それよりママ手伝って、皿とか片づけちゃえ」

「うん……」

風呂場のほうから、ミツルの笑い声が聞こえた。おばあちゃんの、まるく甲高い声も。

「カズも入っちゃうか？」

「いいよ、狭いし」

「そうか……まあ、そうだよな」ビールを、もう一口。「ミッちゃんが出たら、すぐに入れよ。風呂上がりにスイカ切ってやるから」

　母が畑でつくったスイカだ。台所の外の流し台で冷やしてある。トイレは汲《く》み取り式で、風呂のお湯も保温できない古い家だが、水道の水は――外の蛇口から出る水は特に、びっくりするほど冷たくて、美味い。

「台所に行くとき、ついでに外の水、少し多めに流しといてくれよ。それで一気に冷えるから」

「でも、暗いし、ヘビが出るかもしれないし……」

「だいじょうぶだよ。おばあちゃんなんて毎晩外で歯を磨いてるんだぞ。朝だって、外の水道で顔を洗ったら一発で目が覚めるって言ってるだろ？　怖くないから行ってこいって」

　なっ、と笑ってやると、カズキは目を伏せて「わかった」とだけ答え、皿や茶碗《ちゃわん》を載せたお盆を持って、真理が洗い物をしている台所に向かった。

　僕は手足を伸ばして、座卓の脇《わき》に寝ころがった。背中をぺたりと畳につけると体の重みが抜けて、ふーう、とため息交じりの声が漏れる。東京では、和室のないマンション住まいだ。若い頃は思いもしなかったことだが、四十代がすぐそこまで近づいた最近は、畳の部屋がときどきむしょうに恋しくなる。

　風呂場では、ミツルの歌が始まった。どうやらおばあちゃんにも覚えろと言っているようで、同じフレーズをゆっくり何度も繰り返す。

寝返りを打って、体を縁側のほうに向けた。ガラス戸の向こう側に明かりはなく、居間がそっくりガラスに映り込んでいる。

庭のすぐ先は田んぼ。何町歩とか、そういう単位はよくわからないが、かなり広い。父が亡《な》くなってからは近所のひとに世話を頼んでいる。竹林のある裏山の手入れも、キャベツや白菜の畑も、すべてひと任せになった。家のまわりの小さな畑だけは母が一人で世話をして、たまにジャガイモやナスやキュウリを東京にも送ってくるが、それもいつまでつづけられるかわからない。近所のひとたちだって、還暦を過ぎた年寄りばかりだ。夕方、「来年のこともお願いせんといけんのじゃけん」と母に言われ、家に着いて一服する間もなく手土産を持って挨拶《あいさつ》に回った。「母がいつもお世話になっております」と頭を下げるのは、お礼とお詫《わ》び――たぶん両方なのだろう。

台布巾《ぶきん》を持ってきたカズキに、背中を向けて寝ころんだまま声をかけた。

「スイカ、どうだった？　冷えてただろ？」

「うん、まあ……」

「ミッちゃんはまだ小さいからな、おばあちゃんもかわいいいんだよ」

カズキは黙って、台布巾で座卓を拭《ふ》きはじめた。

「カズだって幼稚園の頃は、おばあちゃんにかわいがってもらってただろ。ビデオあるだろ？　仲良しだったんだもんな。だから、今度はミッちゃんの番なんだ」

「……べつに、そんなの、いいけど」

「晩ごはんのおかず、おばあちゃんもうっかりしてたんだ、カズの嫌いなもの忘れてたんだよなあ」

「いいって言ってんじゃん」

「明日はカズの好きなものたくさんつくるからって、おばあちゃんも言ってたぞ。なにがいい？」

「なんでもいい」

「遠慮しなくていいって。なんでもいいから言ってみろよ」

　カズキは布巾を畳んで、立ち上がる。

「早く東京に帰りたいだけ」

　言い捨てて、部屋を出ていった。


　ビールをウイスキーに変えて、水割りをちびちび飲んでいたら、真っ赤にゆだったミツルが素っ裸で居間に駆け込んできた。

「死ぬほど暑ーいっ。パパ、スイカスイカスイカ！　もう冷えてるでしょ、切って切って！」

「もうちょっと待てよ、お兄ちゃんがお風呂まだなんだから」

「お兄ちゃんのぶんは取っとけばいいじゃん、スイカスイカスイカーッ！」

「わがまま言うなって」

苦笑して取り合わずにいたが、遅れて部屋に入ってきた母は、風呂の中で約束していたのだろうか、さも当然のように「スイカ、早うミッちゃんに切っちゃれえ」と言った。

「カズキが風呂からあがったら切るよ」

「そげなこと言うたら遅うなってしまうが」

「五、六分で出てくるって」

「スイカ、もう冷えとるんじゃろ？　カズちゃんのぶんは残しとけばええんじゃけん、早うミッちゃんに出しちゃれえ」

援軍を得たミツルも「だよね？　そーだよね？」とおばあちゃんにまとわりつく。

「スイカスイカスイカーッ！　パパ、早くしてよお」

「だめだ。約束しただろ、スイカはお兄ちゃんといっしょに食べるんだ」

「食べとる途中でカズちゃんも風呂からあがるじゃろ」

「ちょっと黙っててくれよ」

「あ、パパ、おばあちゃんのこといじめたーっ！」

「ミッちゃん、うるさいって。そんなことより早く服着ちゃえよ、風邪ひいちゃうぞ」

「じゃあ、その間にスイカ持ってきてよ。ね？　おばあちゃん」

母は「そうじゃなあ」とうなずいた。「そしたら、おばあちゃんが切っちゃるけん」

「勝手なことするなよ」思わず気色ばんで母をにらみつけた。「さっきから言ってるだろ、カズキが風呂からあがったらみんなで食べようって約束したんだから」

母は一瞬ひるんだが、ここに味方がいるんだから、というふうにミツルの肩に手をかけて「食べとるうちにカズちゃんも来るじゃろ」と言った。

「……そうじゃないんだよ、カズキも楽しみにしてるんだし、スイカを切るところからいっしょじゃないとだめなんだ」

真理も台所から居間に顔を出して「ミッちゃん、わがまま言わないって約束したでしょ」と声をかけた。

さすがにミツルもあきらめ顔になってパンツを穿《は》きはじめたが、母は猫なで声をつくって「スイカ、おばあちゃんが持ってきてあげるけんね」と言う。

「だから、そういうのやめてくれって……」

「ええが、ミッちゃんが欲しい言うとるんじゃけん」

「カズが風呂からあがってから、って約束なんだから」

母はかまわず台所に向かう。戸口に立つ真理も、困惑して脇にどくしかなかった。

「やめろよ、ほんと」

「うちがつくったスイカなんじゃけん」

振り向かずに言って、勝手口から外に出る。

「おかあさん、暗いし、足元が危ないから……」

あわてて追いかける真理を、僕は「もういい、ほっとけ」と制して、グラスに残ったウイスキーを呷《あお》った。パジャマのボタンをはめていたミツルと目が合うと、カッとして「わがままなことばっかり言うなよ、おまえも」と吐き捨てた。ミツルを「おまえ」呼ばわりしたのは初めてだったかもしれない。

ミツルは泣きだしそうな顔になって真理のもとに駆けていき、脚に抱きついた。

「子どもに八つ当たりするの、やめてよ」

真理の声もとがる。

舌打ちしてそっぽを向き、煙草《たばこ》をくわえたら、勝手口の外で金物がひっくりかえる音が聞こえた。

驚いて腰を浮かせたら、母がドアを開けて、憮然《ぶぜん》とした様子で「じょうろ、誰があげなところに置いたん」と言った。「けつまずいて、スイカ、落として割ってしもうたがな」

いつもは流し台の横の棚に置いてあるじょうろが、足元にあったのだという。僕と真理は顔を見合わせ、どちらからともなく目をそらした。

「おかあさん、すみません、わたしが……」

真理の言葉をさえぎって、ミツルが屈託のない——なさすぎる声で言った。

「お兄ちゃんだよね？　晩ごはんの前にじょうろ使ってたのって」

3

明け方の肌寒さに目が覚めた。布団《ふとん》を肩まで掛けて寝直そうとしたが、埃《ほこり》なのか黴《かび》なのか、湿り気を帯びたにおいが布団に染《し》みていて、鼻がむずがゆい。客用の布団を出すのは正月に僕たちが帰省したとき以来だ、と母は言っていた。一度干しておこうと思ったが雨が降ったり用事があったりで間に合わなかった、とも弁解めいた口調で。

何度か寝返りを打ったすえに、もういいか、と起きることにした。枕元《まくらもと》の腕時計で確かめると、そろそろ六時になるところだった。東京より一千キロ近く西にあるぶん、夜明けが遅い。朝陽が障子を透かすには、まだしばらく時間がかかるだろう。

布団の上にあぐらをかいて、家族の寝顔をぼんやりと見つめた。僕の隣がカズキ、その隣がミツル、真理。ミツルは掛け布団を寝床の外に蹴《け》り出して、ウルトラマンかなにかの変身ポーズのような姿勢で眠っている。カズキは、体を横向きにして背中を丸め、布団を肩から巻き込んで眠る。僕が子どもの頃の『ウルトラマン』に繭《まゆ》をつくってしまう怪獣がいたことを思いだした。

ゆうべも最後まで、カズキはかわいそうだった。風呂《ふろ》からあがると真理にじょうろの後片付けのことで叱《しか》られ、ちゃんと棚の上に置いたと嘘《うそ》をついたので、もっと叱られた。真理もつらかったはずだ。だが、あそこで母がもし転んで骨でも折っていたら、僕たちの暮らしはどうなってしまうかわからないのだ。

母は叱られるカズキをかばいもせず、とりなしもしなかった。ミツルは、母がスイカの代わりに冷蔵庫から出してきたアイスクリームを美味《おい》しそうに食べていた。もともとスイカが大好きなわけではない。「スイカが割れて、ラッキーだったじゃーん」——素直すぎることを言って、僕と真理をはらはらさせた。

アイスクリームはカズキのぶんもあったが、けっきょく食べなかった。カズキはアイスクリームよりスイカのほうが好きだ。「おばあちゃんのつくったスイカ、世界でいちばん美味しいもん」と言って寝る前に食べすぎて、夜中におなかが痛くなったこともある。ほんの三、四年前だ。いまでもカズキは、母のつくるタネの多いスイカを世界でいちばんだと言ってくれるのだろうか。

煙草と灰皿を持って、そっと縁側に出た。外は白いもやに包まれていた。今日は晴れなのか曇りなのか、もやが消えるまではわからない。庭の地面や植木は夜露に濡《ぬ》れて、草いきれが頬にまとわりつく。緑のにおいが一日でいちばん濃くなるのは、朝の、この時間だ。

裏山で鳥が鳴いている。甲高い声はヒヨドリ、音程差のくっきりとした太い声でブッポーと鳴くのはキジバトだろうか、違ったっけ、父は植物や鳥のことに詳しかったが、説明をまともに聞いたことは一度もなかった。いま、この歳《とし》になって、花の名前や鳥の鳴き声をなにも知らない自分が、少し恥ずかしくて、悔しい。

畑に、母がいた。しゃがみ込んで雑草を抜いている。縁側の僕には気づいていないようだ。

服を着替えて手伝うか、せめて近くに行って「おはよう」と声ぐらいかけようかと思ったが、なんとなく億劫《おっくう》で、縁側に座ったまま煙草を吸った。

母の背中は、トマトやナスの葉に半ば隠されて、とても小さく見える。もやのせいもあるのだろう、白い長袖《ながそで》シャツや紺色のモンペの色合いと輪郭がぼんやりして、このまま ふっと消えてしまっても不思議ではないような、そんな気もする。

七十を過ぎたばあさんか……と小さくつぶやく僕も、四十前のおじさんの声をしている。

母は三十二歳で僕を産んだ。結婚はそう遅いほうではなかったが、なかなか子どもができなかったのだ。農家の長男の嫁として、子どもができないことで、つらい目にも遭ってきたらしい。僕が大学生の頃に亡くなった祖父母――舅《しゅうと》と姑《しゅうとめ》のことは、いまでも母はあまり話そうとしない。

東京の大学を受験すると決めたとき、我が家で賛成してくれたのは母だけだった。「跡取りの長男を外に出すもんじゃない」と渋る祖父母を僕に代わって説得したのも、母だ。「大学ぐらいは都会でがんばるんもええわい」と言っていた父とは就職先を決めるときに怒鳴り合いの喧嘩《けんか》をしたが、母はそのときにも僕の味方についてくれた。

煙草を半分ほど吸った頃、母が立ち上がって腰を伸ばした。やれやれ疲れたなあ、というふうに息をついて、なにげなくこっちを振り向いて、僕に気づいた。

僕はくわえ煙草でサンダルをつっかけて庭に下りた。畑のそばまで来て「なにか手伝おうか」と声をかけると、母は抜いた雑草を竹ザルに入れながら、そっけなく言った。「裸足《はだし》でサンダルやら履いて、なんができる。ハミに嚙《か》まれたらいけんけえ、入ってきちゃいけんで」

ハミ――ふるさとの方言で、マムシのことだ。思わず足元を見て、あとずさった。夏場に草むらを歩くときはゴム長靴を履かなければ危ない。子どもの頃にはあたりまえだったことを、うっかり忘れていた。ふるさとの暮らしは、そこまで遠くなってしまった。

「子どもらは、もう起きたんか？」

「いや、まだ寝てる。昨日の朝が早かったから、今朝はゆっくり寝させるよ」

「ミッちゃんは、あのあとすぐに寝たんか」

「うん、まあ……」

最初の約束どおりおばあちゃんの部屋で寝たミツルは、夜中になって急に「ママ、ママ」と泣きだした。ふと目が覚めて知らない部屋にいることに気づき、不安になったのだろう。母がどんなにあやしても泣きやまず、真理がこっちの部屋に引き取ったのだった。

「案外と甘えん坊なんじゃなあ、ミッちゃんも」

母の声には、あきれた様子と、寂しさと、わずかに悔しさも溶けているようだった。

「まだ五つなんだから、しょうがないよ。今夜はもうだいじょうぶだと思うし……カズキもいっしょだったら泣いたりしないと思うけどな」

母は竹ザルに入れた雑草を畑の脇《わき》にまとめて捨てながら、「布団、三組も敷いたら狭うなる」と言った。

「カズキとミツルは一つの布団でいいよ」

「そげなん狭い狭い、横で見とるほうが窮屈な思いして寝られんわ」

「……カズキもおばあちゃんの部屋で寝たがってるんだけどな」

母は黙って、逆さにしたザルの底を裏から叩《たた》いて土を払い落とす。僕は煙草の煙を大きく吸って、吐いて、低く喉《のど》を鳴らした。

「なあ、お母ちゃん」――子どもたちのいるときには「おばあちゃん」で通している母を、わざと、そう呼んだ。

「なんな」

「カズキ、ええ子じゃ思うけどの」

「そりゃあ、ええ子に決まっとるが。そげなん言われんでも、ようわかっとるよ」

「ほんまに？」

「嘘をつくようなことじゃありゃあせんじゃろ」

確かに、母の顔や声はごく自然なものだった。「急に田舎の言葉つかうけん、びっくりしたが」と笑う顔も。

「でも、なんか、ようわからんけど……お母ちゃん、昔みたいにカズキカズキ言わんようなったじゃろ」

「カズちゃんも大きゅうなったけんなあ」

「まだ五年生じゃ。田舎に帰っておばあちゃんと遊ぶのが楽しみなんよ、子どもなんじゃけん」

「遊んどるが」

僕は煙草を足元に捨て、サンダルのつま先で火を消した。

「お母ちゃん、カズキのこと、嫌いなんか？」

返事はなかった。もう土は落ちきったはずなのに、母は軍手をはめた手でザルの底を叩きつづける。

「わかるんよ、僕や真理にも。カズキだって、もう、わかっとるよ。じゃけん、あいつ、昨日も元気なかったろう。しょんぼりして、あんまりしゃべらんかったじゃろ」

「……べつに嫌うとりゃせんよ。孫を嫌うばあさんがどこにおるんな」

「嫌うとるじゃないか、わかるんよ、もう」

「そげなこと言われても知らんわ」

「お母ちゃん」

「ええ歳して、お母ちゃんお母ちゃん言うな、ふうが悪いけん」

母はザルを小脇に抱えて、トマトの植わった一角に入っていった。熟したトマトを枝からもぎ取ってはシャツの袖で軽く拭《ふ》いて夜露と埃を落とし、ザルに入れる。

僕はため息交じりにかがみ込み、知らないうちに蚊にくわれていたくるぶしを掻《か》いた。陽がのぼりきる前の朝は、夜露の湿り気があるせいだろうか、意外と虫が多い。

「お母ちゃん」はやめよう。方言も、東京の言葉に戻そう。僕はもう子どもではない。東京で過ごす日々は人生の半分を超えた。

「カズキはさあ……」

母の返事はなく、体もトマトの葉に隠れて見えない。僕は少し声を大きくしてつづけた。

「あいつ、ミツルに比べると性格もいじいじしてるし、なにやらせても要領が悪いんだけど、でも、気持ちの優しい子なんだ。僕も真理も、カズキのそういうところはちゃんと伸ばしてやりたいんだ。あいつ、おばあちゃんのことが好きなんだよ。赤ん坊の頃からずっとかわいがってもらってて、田舎に帰るのも、虫やヘビは怖いけど、おばあちゃんがいるから楽しみなんだ。おばあちゃんに東京の話をしたり、いっしょに蟬《せみ》を捕ったり、餅《もち》つきしたり、カルタしたり、僕の昔のアルバムを見たり……そういうの、おばあちゃんだって楽しかっただろ？」

母は黙ってトマトをもいでいく。そのたびに茎がしなり、葉が揺れる。返事は、あいかわらず、ない。

「なんで急にカズキのことを嫌いだしたんだよ。かわいそうだろ、あいつ、なにがなんだかわけがわかんなくて、どうすればいいかわかんなくて、かわいそうだと思わないのか？　ひどいじゃないか、そういうの」

しゃべっていくうちに、腹立たしさが増した。やるせない悲しさも湧《わ》いてきた。母はこんなひとではなかったのだ、昔は。優しかった。いつでも僕の味方だった。進路や結婚をめぐって祖父母や父と僕がもめるたびに「あんたの人生なんじゃけん」と言ってくれた。母のふるさとは隣の県の、海沿いの町だった。実家は小さな雑貨屋を営んでいた。山に囲まれたこの町に嫁いで、畑仕事や農村のしきたりを見よう見まねで覚えていった。

苦労は多かったはずだ。愚痴をこぼす相手すらいなかっただろう。母が「あんたの人生なんじゃけん」と口にするたびに、僕は、農家の長男の嫁としか生きられなかった母自身の人生を思い、だから母にはせいいっぱいの親孝行をしてやりたいと願って、カズキを抱く母の笑顔を見るとこっちまで嬉《うれ》しくなって……。

「はっきり言うけど」

返事は――もう、いらない。

「カズキにこれ以上そっけなくするんだったら、今年の冬休みは帰らないから。そのつもりでいて」

言い捨てて立ち去ろうとしたら、母はようやくトマトの葉の間から姿を見せた。僕の話が聞こえなかったはずはないのに、そ知らぬ顔をして、額の汗をシャツの袖で拭《ぬぐ》う。

「なあ、このシャツ、覚えとるか？」

「え？」

「あんたが高校生の頃に着とったシャツじゃ。どげんしてもボタンダウンがええんじゃ言うて、わざわざ汽車に乗って買うてきたんじゃが」

ああ、そうか、と苦笑した。高校の制服は、冬が詰襟《つめえり》、夏は白いシャツだった。ふつうの生徒は白い半袖の開襟《かいきん》シャツを着ていたが、ちょっとお洒落《しゃれ》に興味のある連中は下着のシャツが透けないコットンのボタンダウン、それも長袖のシャツを肘《ひじ》の手前までめくりあげて、田舎者なりに格好をつけていた。僕も、母が近所の洋品店で買ってきた開襟シャツには袖も通さず、県庁のある街まで出かけてVANのボタンダウンシャツを買ってきたのだった。

「捨ててなかったんだ、まだ」

「どうせ泥で汚れるんじゃし、古いいうても、まだ着れるんじゃけえ」葉をかき分けて、トマトをもう一つ、もいだ。「高かったぶん仕立てもじょうぶにできとるし、汗もよう吸うてくれる」

「二十年以上も前の服だよ」

「服は古うても、あんたが着たんは一、二年じゃろう。そげな服は、まだ押し入れにぎょうさんあるわ」

母はザルの中のトマトを一個手に取って、「食べてみるか」と僕に放ってよこした。

「農薬は使うとらんけん、洗わんでもええじゃろ」

「うん……」

トマトは、まだヘタのまわりが緑色だったが、それくらいの熟し具合がじつはいちばん美味しい。歯ごたえがあって、野菜の味がする。一口かじった。最初は埃《ほこり》っぽいようなえぐみと酸《す》っぱさに舌が縮まっても、嚙んでいくとほのかな甘みが口の中に広がる。

「美味しかろう？　今年は雨が少ないけん、野菜も実が詰まっとる」

母が笑う。皺《しわ》が増えて染《し》みの散った顔から目をそらして、トマトをもう一口かじった。もやは、だいぶ薄くなった。まだ陽射《ひざ》しと呼ぶほど強くはない朝の光が、風景を少しずつくっきりさせる。空は晴れているようだ。家のまわりの川や山で子どもたちを遊ばせるのもいいが、遠出のドライブも、あり、だろう。

母はザルを地面に置いてナスの植わった一角に入り、つややかな紫色に実ったナスを二、三個取ってきた。「味噌汁《みそしる》と、あと、塩もみにでもしようか」とひとりごちる。

「……カズキは、ナス、あんまり好きじゃないんだけどな」

「食べれんかったら残したらええんよ」

「それはそうだけど……なにか、べつのものないの？　ワカメとか、油揚げとか」

「ナスがあるんじゃけん、ナスでええが。今年はぎょうさんできたけん、一人じゃどないにも食べきれんのんよ」

一人——を持ち出されたら、なにも言い返せなくなった。近づいていた母が、すっと離れてしまったような気がした。

真理と子どもたちが起きだしたのだろう、母屋《おもや》のほうから話し声が聞こえた。明日の朝は、真理にもう少し早起きをさせたほうがいいかもしれない。真理だって、本人は決して認めないだろうが、農家の長男の嫁なのだ。

立ち去る口実を見つけて「布団、上げてくるよ」と言うと、母は少しすまなそうな顔になって、客間の押し入れを整理してくれないか、と頼んできた。

「明日の朝でええけん、下の段に布団を入れられるようにしてくれんか。布団を上の段から降ろすんが大変じゃけん」

「それで干せなかったの？」

「まあなあ、どうも、右の膝《ひざ》に水が溜《た》まって、変な具合に歩きよるうちに腰も悪うなったけん、重いもんを持つと痛いんよ」

「……だったら、ゆうべもスイカなんか持たないでよ。もし転んで足でも折ったら、ほんとに困るんだから」

心配する気持ちと後ろめたさがないまぜになると、なぜだろう、いらだちや腹立たしさに変わってしまう。

「気をつけてよ、ほんと」

家に戻りかけた僕の背中に、母は低い声で言った。

「困るんは、あんたらじゃろう？　うちは寝たきりになっても、べつにかまわんのじゃけどなあ」

すねたような、開き直ったような――もしかしたら、脅しているのかもしれない。

「わけのわかんないこと言わないでよ」

足を止め、顔を半分だけ振り向かせて言うと、母はキュウリをもぎながら「なんがわからんのな」とつまらなそうに笑う。「簡単な理屈じゃろう」

「なにが」

「親孝行やら長生きしてやら、体裁のええこと言うても、正味の話は、自分らが困りとうないんよ。違うか？　うちが元気で長生きせんと、あんたらが困るんじゃけえなあ。そうじゃろ？」

「……そんな、ひねくれないでよ」

「素直でも迷惑かけられたら困ろうが」

母はそう言って、僕がさっきまで立っていたあたりを指差した。

「吸い殻、拾うときんさい」

「ああ……ごめん」

「畑を汚すいうて、あんたもほんま、東京の者になったなあ」

僕が吸い殻を拾う隙《すき》に、母はトマトとナスとキュウリの入ったザルを両手で持ち上げた。足元がふらつく。膝の具合はほんとうに悪そうだったが、母は「動きまわっとったほうが楽なんじゃ」と言って、隣のソラマメの畑に向かって歩いていった。

その背中を見送って、食べかけのトマトをかじる。さっきより強くなった酸味に舌が縮む。

「お母ちゃん、今日、どこかにドライブする？」

これも——けっきょく、自己満足にすぎないのだろうか。

母は振り向かずに「車は狭いけん、膝が痛うなる」と答えただけだった。

母屋に戻ると、ミツルにさっそくK—1ごっこをせがまれた。キックとパンチの連続技をかわしながらカズキの様子を横目で確かめると、ゆうべのじょうろの一件が尾をひいているのか、ふだん以上に元気がない。部屋の隅で膝を抱えて座り、東京から持ってきたジュブナイルのミステリー小説を読んでいる。ページをめくるテンポは遅く、物語に夢中になっている顔つきでもない。ただ視線を向ける場所が欲しくて本を開いているだけなのだろう。

台所の外の流し台で顔を洗っていた真理が、「ちょっといい？」と僕を呼んだ。

「どうした？」

「うん……ちょっと、こっちに来てくれる？」

こわばった顔だった。「どーしたの？」と訊《き》くミツルを「あんたはいいの」といなす笑い方にも、どことなく翳《かげ》りがある。

まだ暴れたりないミツルにヒンズースクワット三十回を命じ、「桜庭《さくらば》だって武蔵《むさし》だって、これくらい幼稚園の頃からやってたんだぞ」と付け加えた。ミツルはあっさりと言いつけに従って、「いーち、にーい」と膝を屈伸させる。ほんとうに素直で単純で、扱いやすい子どもなのだ。

勝手口から外に出ると、真理は流し台から二、三歩後ろに下がったあたりを指差して、小声で言った。

「ゆうべ、おかあさんがスイカ落としたのって、このへんよね」

「ああ……」

割れたスイカは夜のうちにあらかた片づけたが、赤い果肉のかけらがまだ落ちている。

スイカは流し台の洗い桶《おけ》に張った水で冷やしてあった。母はそれを両手で抱え、少し離れたところにある井戸のポンプにひっかけてあるタオルでスイカを拭こうとして、足元のじょうろにけつまずいたのだった。

「ゆうべは暗かったからよくわからなかったんだけど、ここにじょうろが置いてあったら危ないよね。流し台の前に立ってると自分の体の陰になっちゃうのよ、ここ」

中庭の明かりは勝手口の電灯だけで、流し台の前にひとがいれば、井戸のまわりに光は届かない。

「でも、ここにじょうろを置きっぱなしにするって、不自然じゃない？」

「うん？」

「けっこう狭いでしょ。近くに植木なんかないし」

「だよな……」

庭の植木に水をやったあと、ちょっとそこに置いたまま棚に戻すのを忘れた、というような場所ではない。

真理は眉《まゆ》をひそめ、声をさらに低くして「どう思う?」とつづけた。「こんなこと考えたくないんだけど、二つ、あると思うのね」

「どういう意味?」

「カズくん、ほんとはじょうろを棚に置いてたんじゃない? スイカを落としたのを、おかあさん、カズくんのせいにしちゃったっていうか……」

僕は苦笑した。考えすぎだ、いくらなんでも。

「だって、カズがじょうろを使ってたなんて、おふくろは知らないんだぜ」

「でも、最初はカズくんとか関係なくて、とりあえず誰かのせいにして、たまたまカズくんがじょうろを使ってたから、そのまま知らん顔しちゃったっていう可能性、ない?」

「それは、まあ……」

ないわけじゃないけどな、とつづける前に、苦笑いの顔がゆがんだ。真理が「二つ」と言った、そのもう一つのことが、不意に頭に浮かんだ。

真理は「それでね……」とつづけかけたが、僕は手振りでさえぎって、スイカの落ちたあたりを見つめた。

「親がそんなこと考えたら、カズがかわいそうだろ」

最初はきょとんとしていた真理も、僕が二つめの話を先回りしたことに気づくと、ほっとしたように小さくうなずいた。しゃべるのも聞くのも嫌な話だ。

「でも、可能性は、あるんだよね」と真理は言った。

ゼロ——ではない。

「わたしね、もし、万が一だけど、カズくんが置いたんだとしても、あの子のこと叱《しか》れないかもしれない」

「だから……決めつけるなって」

「じゃあ、おかあさんが嘘《うそ》をついた、ってことでいい？　おかあさんはそこまでカズくんを嫌ってる、ひどいおばあちゃんになっちゃった、それでいい？」

言葉に詰まった。

「どっちにしても、カズくんは、もうここに来ないほうがいいと思うの。おかあさんのためにも。今度のお正月は、わたし、あの子と東京で留守番してるから、あなたはミッちゃんを連れて田舎に帰って。そのほうがいいでしょう？　お互いに」

受け容《い》れたわけではない。だが、僕はもうなにも言えない。

「悪いけど、わたしはおかあさんが嘘をついたんだと思うことにするから」

真理は「親なんだもん、子どものことは信じてやりたいし」と付け加えて、勝手口から家の中に入った。

今度も、なにも言えなかった。僕はカズキの父親で、母の息子だ。子どもを信じたいのと同じように、親のことも信じたい。二つの「信じたい」をテンビン秤《ばかり》にかけたら、どちらに傾くのか——きっと、テンビンにかけることじたい、間違っているのだろう。

流し台で顔を洗った。空気といっしょに咳《せ》き込むように蛇口から流れ落ちる水は、ぴりぴりと頬に痛いほど冷たかった。

4

朝食を終えると、歩いて十分ほどのところにあるお寺へ墓参りに出かけた。ミツルはおばあちゃんにくっついて先頭を歩き、少し遅れて線香と花を提げた僕、しんがりのカズキは真理のそばから離れようとしない。

母は近所のひとが庭や田んぼや畑にいるのを見かけるたびに、「息子が嫁と孫を連れて東京から帰ってきましたけん」と挨拶《あいさつ》した。ミツルも「こんにちは！」と愛想よく頭を下げて、近所のひとと、なによりおばあちゃんを大喜びさせる。お披露目の行進のようなものだ。

ミツルはすっかりはしゃいで、おばあちゃんの手をひいて先を急ぐ。母の歩き方は、後ろから見るとかえってよくわかる、右脚をかばって不自然に体が傾いている。あまり速く歩かないようミツルにひと声かけようと思ったが、そんなことを言うと母をかえって依怙地《いこじ》にさせてしまうかもしれない。

お寺まであと少しというところまで来て、庭で草むしりをしていた斎藤さんのおじいさんに挨拶をすると、「ちょっと休んでいきんさい」と縁側によばれた。母も疲れていたのだろう、さほど遠慮することなく庭にまわり、僕たちもあとにつづいた。

「あなたも知ってる家？」と真理が耳元で訊く。

「後輩の家だよ。中学校は入れ違いだったけど、小学校でいっしょだったんだ」

「いまも、ここに住んでるの？」

「いや……あいつ、県立の工業高校を出て、大阪だか神戸だかに出ていったはずだけどな……」

「でも、ほら」

真理は庭の物干し竿に顎《あご》をしゃくった。子どもの服が何枚も干してある。玄関先には、まだ真新しい補助輪付きの自転車もあった。麦茶とお菓子を縁側に持ってきてくれたのは、真理より少し若い女のひと——おじいさんは「嫁ですわ」と紹介した。

大手の自動車メーカーの係長だった斎藤は、この四月、町役場の職員に空きが出たのを機に大阪の家を引き払ってUターンしたのだという。「まあ、これで安心して楽隠居ですわ」とおじいさんは、心底ほっとしたように相好《そうごう》を崩す。

「ラクインキョって、なーに?」とミツルが誰にともなく訊いた。

僕も真理も、ごまかす言葉がとっさには見つからなかった。

答えたのは、母だった。

「みんなといっしょに、にぎやかに暮らしとるおじいちゃんやおばあちゃんのことなんよ。斎藤のおじいちゃんもずっと一人じゃったけんなあ、毎日にぎやかになって楽しいわなあ」

トゲがひそんでいるような、いないような。

ミツルは、ふうん、とうなずいて、嬉《うれ》しそうに言った。

「だったら、おばあちゃんもいま、ラクインキョだね」

母の笑顔に困惑が交じる。勘違いした斎藤のおじいさんが驚いた顔で僕を見て、僕はそのまなざしに気づかないふりをして横を向く。

「今日一日だけじゃ」母はミツルの頭を撫《な》でて言う。「明日の朝、ミッちゃんが東京に去《い》んでしもうたら、またおばあちゃん一人になるんじゃけん」

トゲが、ちくりと胸に刺さる。ミツルもおばあちゃんの寂しさを子どもなりに感じたのだろう、「そっかあ……」と声が沈んだ。

「なあ、ボク」と斎藤のおじいさんがミツルに声をかけた。

「なに？」

「ボクは、田舎が好きか？」

「うん！　だって蟬《せみ》とかたくさんいるし、おもしろいんだもん」

斎藤のおじいさんは「ほうかほうか」と満足げにうなずき、「ボクはワンパクそうなけん、一日や二日じゃ遊びたりんわなあ」と言った。母は「ほんまじゃねえ」と相槌《あいづち》を打って、麦茶をすする。真理がこっそり肩をすくめる。僕もため息を喉《のど》の奥でつぶす。田舎の付き合いは、だから、嫌いだ。

斎藤のおじいさんはカズキにも声をかけた。

「お兄ちゃんのほうはどんなじゃ？　田舎はおばあちゃんもおるし、楽しかろう？」

体を半分真理の陰に隠していたカズキは、消え入りそうな細い声で、だが聞き間違えようもなく言った。

「東京のほうが好き」

その場の空気が、一瞬こわばった。真理があわててカズキを肘《ひじ》でつついたが、カズキはもう口をつぐんでしまい、それ以上はなにも言わなかった。

「……まあ、子どもには都会のほうがおもしろいんかもしれんのう」

ぎごちなく笑った斎藤のおじいさんの言葉は誰にも受け止められずに、足元にぽつんと落ちた。

そこから先は話もあまりはずまず、「じゃあ、そろそろ行こうか」と僕が腰を浮かせると、母もあっさり縁側から降りた。

帰り際《ぎわ》になって、斎藤が玄関から出てきて挨拶した。立ち話で同級生や先輩後輩の消息を尋ねると、やはりほとんどの連中はふるさとに両親を残して、都会で働いていた。「ほいじゃけえ、田舎に帰っても、遊ぶ連れもあんまりおらんのですわ」と斎藤は苦笑する。関西弁はきれいに消えていた。役場の仕事のかたわら畑仕事もしている顔は赤黒く陽に灼《や》け、僕より三つか四つ年下のはずなのに、ずいぶん年寄りくさく見えた。

父が亡《な》くなったときに建てた先祖代々の墓は、きれいに手入れされていた。まわりに雑草で荒れ放題になった墓所が多いぶん、我が家の墓所の手入れの良さが際立って見える。荒れているのは、年寄りが亡くなったあと誰も住まなくなった家の墓所や、九十歳を過ぎて一人暮らしをしている老人の家の墓所ばかりだった。

母は墓に柄杓《ひしゃく》で水をかけながら、「あんたらも、うちが死んだら、せめて墓の守《も》りだけはしてくれえよ」と言った。

わかったわかった、と受け流して、俺も何十年かしたらこの墓に入るんだよなあと思うと、ため息が漏れる。

真理はときどき、自分が死んだら実家の墓に入れてくれ、と言う。そうでなかったら東京のどこかの霊園の墓所を買おう、と。冗談の口調でも、根っこは本音なのだろう。あそこはあなたにとってはふるさとかもしれないけど、わたしにはなんの関係もない町なんだから——母にその言葉を聞かせたら、どんな顔になるだろう。

斎藤さんの家を出たあと、母はカズキのことについてはなにも言わなかった。代わりに、斎藤のおじいさんのことをしゃべりどおしだった。おじいさんは嫁と折り合いが悪いのだという。今日は日曜日で斎藤が家にいるから嫁も舅《しゅうと》を立てているが、平日はすっかり邪魔者扱いで、洗濯物もいっしょには洗ってもらえないらしい。「うちらの前では見栄《みえ》を張って、楽しい楽しい言いよるけど、ほんまのところは、もうみんな知っとるんじゃけん」と母は吐き捨てるように言って、斎藤の悪口もついでに並べ立てた。大阪で勤めていたのは大手の自動車メーカーの孫会社で、家を引き払うもなにも、もともと賃貸の団地住まいだった。このまま大阪にいてもうだつが上がらないのなら、家賃が要らず米や野菜もある実家に帰ったほうがまだましだ、と考えたのだという。

「逃げて帰ってきたようなもんを、あのじいさんは、あげんふうに見栄を張って強がるんじゃけえ。まわりの者はみな、陰で笑うとる」

冷ややかに笑って、「あげなふうになるぐらいなら、一人のほうが安気でええわ」と言った。空を見上げ、額の汗をハンカチで拭《ふ》いて、話の最初から最後まで、僕を振り向かなかった。

母とミツルはいっしょに墓に線香を供え、並んで合掌した。「ミッちゃん、おばあちゃんが死んでも墓参りに来てくれえのう」とくどくどと言って、「おばあちゃんも仏さんになったら、ミッちゃんが元気でおりますように、いうて守ってあげるけんなあ」と頭を撫でる。カズキの名前は出てこない。すぐ後ろに立っているのに――それをわかっているから、口にしない。

母は合掌を終えると、よっこらせ、とつぶやいて、腰を浮かせた。足元がふらつき、墓石に手をついて体を支える。右膝がよほど痛むのだろう、しばらくそのままの姿勢で、肩で息を継いでいた。

「おばあちゃん、だいじょうぶ？」

心配そうに顔を覗《のぞ》き込むミツルに「だいじょうぶだいじょうぶ、ミッちゃんは優しいなあ」と無理に笑い返して、ぎごちなく背筋を伸ばしていく。カズキだって心配しているのだ。おばあちゃんに声をかけたり、体を支えたりしたいのだ。ほんとうはミツルに負けないくらい優しい子なのに、おばあちゃんと目が合いそうになると、逃げるようにうつむいてしまう。

「痛み止めの薬かなにかあるの？」と僕は訊《き》いた。

「そげなもん、なんも効きゃあせん」

「病院には行ってるの？」

「行っても、年くうてガタが来とるだけじゃけえ、治りゃせんのじゃ」

母はそっけなく言って「もうええ、ほっといてくれ」と足を一歩踏み出して、顔をしかめた。「痛い痛い言うて治るわけじゃないんじゃし、足がちぎれてでも、やらんといけんことは山ほどあるんじゃけえ」

真理はいたたまれない顔になって、空になった桶《おけ》を提げ、「お水汲《く》みに行こうか」とカズキを連れて寺の本堂のほうに向かった。

その後ろ姿を見送った母は、痛む膝を竹ぼうきの柄の端で軽く叩《たた》きながら、「笑うとるんじゃないんか、あの子は」と吐き捨てるように言った。「意地悪ばあさんめ、罰《ばち》が当たったんじゃあ、いうて」

「……そんなこと思うわけないだろ。ばかなこと言わないでくれよ」

「わかりゃせんで」

母はうめき声で言って、そっぽを向いた。

「ミッちゃん」僕はミツルの肩に手を置いた。「お兄ちゃんがお水汲むの手伝ってやってくれよ」

「うん、いいけど」

「ダッシュで追っかけろ。よーい、ドン！」

母はミツルを引き留めなかった。駆けだすミツルを笑いながら見送って、僕に向き直ると、すべてを覚悟しているように、ふう、と息をついた。

「今日、帰るから」

僕はきっぱりと言った。「お昼も要らないし、お寺から帰ったら、すぐに支度する」とつづけ、表情を変えない母にもう一言、「今度の正月は、一人でいて」と付け加えた。

母は黙っていた。

「このままだったら、カズキがかわいそうだし、あいつ、どうかしちゃうかもしれないんだ。それくらいわかるだろう？」

母は黙ったまま、墓に供えた花の向きを整える。

「一つだけ教えてほしいんだけど……ゆうべのじょうろのこと、あれ、ほんとうだったの？　ほんとうに、じょうろはあそこに置いてあったわけ？」

返事はない。

「……カズキに謝ってくれ。いままでのことをぜんぶ謝れとは言わないけど、せめてゆうべのことだけ、おばあちゃんの勘違いだったって、それだけでいいから」

母は、まだなにも答えない。

しばらく沈黙がつづき、もううんざりして——それでも、母を少し一人にしてやったほうがいいだろうかという気にもなって、墓所を出て本堂のほうに向かった。

何歩か進んだところで、母の声が聞こえた。

振り向くと、母は墓を見つめたまま、言った。

「墓参りに連れて行ってくれんか」

「え？」

「お父ちゃんとお母ちゃんの墓参り、何年もしとらんし、これでおしまいかもしれんし」

実家の墓のことだった。ふるさとの漁村の高台にある。町と海を見渡す眺めのいい場所だが、そこに行くまでの急な階段は、たぶん後ろから腰を支えてやらないと、いまの母は上れないだろう。

母は「連れて行ってくれんか」ともう一度言って、「ほんまに最後じゃけえ」と付け加えた。

僕は黙って腕時計を見た。すでに九時半を過ぎていたが、急げば四時間、もっと急げば三時間ぐらいで着くだろう。

「行こうか」

せっかくこっちがその気になったのに、そうなると逆に「まあ、ほいでも遠いしなあ」「昼から農協ストアに行こう思うとったんじゃけどなあ」「膝が痛うなったらいけんし」と、ぐずぐず言いだす。損な性格だ。カズキに、よく似ている。

「まあいいから、とにかく行こう」

「子どもらはつまらんじゃろ、そげな、墓参りやら」

「おばあちゃんといっしょなら、どこに行くのでも楽しいんだよ、ミツルも、カズキも」

母は「東京の者は口が上手なけん」と言って、はにかんで笑った。

5

子どもたちが母のふるさとに行くのは初めてだった。真理も、十二年前——結婚した年の正月に、実家を訪ねて挨拶《あいさつ》をして以来だった。

出がけに訊いたら、母が里帰りするのも十年ぶりだという。祖父母は僕が高校生の頃に相次いで亡くなり、実家を継いだ健作《けんさく》伯父さんも大学時代に亡くなった。その頃から母は実家と疎遠《そえん》になって、いまでは年賀状のやり取り程度の付き合いになってしまった。健作さんの妻の良枝《よしえ》伯母さんとは昔から折り合いが悪かった。結婚の挨拶に出かけたときも、母は「良枝ねえさんは客をするんが好きじゃないけえ」と土産だけことづけて、ついてこなかった。おかげで、町に着いてから入り組んだ狭い道にさんざん迷ってしまったのだった。

今日も、「家には寄らんでええけんな」と母は何度も念を押した。「お土産もないし、普段着で行くんじゃけえ」と付け加えて、「時間がかかるようじゃったら途中で帰ればええけんな」と、またぐずぐず言う。

「わかったわかった」と苦笑交じりに受け流しているうちに、なんともいえないせつなさに包まれた。母は、もう、どこにも行けない。帰る場所はどこにもない。一人きりで、嫁ぎ先の家と土地と墓を守りながら、やがてもっと年老いて、一人暮らしもできなくなって……そのときに、僕はどうすればいい？

車は曲がりくねった山道にさしかかった。なだらかなぶん裾野《すその》の広がった県境の山脈を越えなければならない。高速道路を使って迂回《うかい》するルートもあるが、時間は倍近くかかる。

助手席の真理は、ちらちらとリアシートの様子をうかがう。母を真ん中に、カズキとミツル。「だいじょうぶですか、おかあさん、足が痛くなったらすぐにおっしゃってくださいね」と声をかけていても、ほんとうに案じているのは、カズキの具合だった。車酔いの薬は服《の》ませたが、カーブのつづく道、しかも隣におばあちゃんがいる。

ミツルはあいかわらず元気だ。ゆうべ風呂《ふろ》場《ば》で歌っていた幼稚園の歌を、また最初から教え直して、おばあちゃんが歌詞を間違えるたびに「なにやってんの、違うってば」と唇をとがらせる。母も素直に「ごめんごめん、おばあちゃんボケてきとるけんなあ」と謝って、節回しのはっきりしない声で歌う。

「やっぱり違うって、そうじゃないんだってば。ねえ、お兄ちゃん、おばあちゃんの歌、ぜーんぜん違うよねえ？」

凹凸のついたセンターラインにタイヤが乗り上げて、ガタガタと車が揺れた。

カズキは少し間をおいて「知らない」と言った。「うるさいよ、ミッちゃん、ちょっと黙ってろよ」

母はなにも言わなかった。ミツルはそんな一言でしょげるような子ではなく、「じゃあ、今度はねえ……」と別の歌を口ずさんでいった。真理がちらりと僕を見る。僕は窓を少し開けた。ふるさとの町よりさらに濃密な緑のにおいが吹き込んでくる。

「ミッちゃん」——母が言った。

「ちょっとな、おばあちゃん眠うなったけん……歌は休憩してくれんか」

「えーっ？　いいじゃん、歌ってたら眠くなくなるって」

「ええけん、ちょっと寝させてくれてもよかろうが」

声が少し強くなった。真理はあわてて「ミッちゃんも少し寝てれば？」と声をかけ、僕はルームミラーで母の様子をうかがった。背筋を妙にぴんと伸ばして、まっすぐに前を見ている。三人掛けの真ん中の窮屈さのせいだけでなく、なにか必死で気を張って、弱いところを誰にも見せまいとして、肩やこめかみに力を込めているようだった。

僕は窓をさらに開けた。吹き込む風が強くなる。標高が上がったぶん風は涼しくなっていたが、潮の香りがしないと母の頬はゆるまないだろう。

歌はあきらめても、ミツルのおしゃべりは止まらない。幼稚園の話やテレビの話、それに飽きたら、しりとり……。母の相槌《あいづち》が少しずつ間遠《まどお》になってきた。もう少し楽な姿勢で座るよう声をかけても、たぶん、かえって依怙地《いこじ》になるだけだろう。

一時間ほど走ってようやく県境を越え、高原に出た。視界が開け、観光牧場やドライブインの案内板が道の両側に増えてきた。

「ちょっと休憩するか」

すかさずミツルが「ソフトクリーム食べるーっ」と応《こた》えた。

カズキの返事はない。真理が振り向いて「カズくん、少し休もうね」と声をかけても、口をほとんど開けないひらべったい声で「うん」と返すだけだった。

母も黙っていた。背筋を伸ばしたまま、息を詰めて、膝《ひざ》に載せた両手でハンカチを落ち着きなく広げたり畳んだりしている。

いちばん手近な観光牧場の駐車場に車を入れた。あんのじょう、カズキはぐったりした様子で車を降りると、口元に手をやって、その場にしゃがみ込みそうになった。「カズくん、だいじょうぶ?」と真理が駆け寄り、腕をとる。「トイレ、すぐそこだから、がんばろうね」

「トイレよりも、ほら、そこにベンチあるから。少し座らせてやったほうがいいだろ」

「そうね、カズくん、ベンチまで歩ける？　だいじょうぶ？」

真理に肩を支えられないと歩けない。かなりキツそうだ。母のふるさとまでは、あと二時間はたっぷりかかる。カーブも多いし、バスや大型トラックが来ると待避しなければならない区間もある。

まいったな、とため息をついたら、「お父さん！」とミツルが僕を呼んだ。「おばあちゃん、気持ち悪いって！」

ほとんど背負うようにして母をベンチまで連れていった。車酔いに加えて、右膝も痛いのだという。

二人並んでベンチに座ったカズキと母を見ていると、これ以上のドライブは無理かもしれないな、という気がした。しばらく休んで、お昼を食べて、帰りの山道をできるだけゆっくり走っても、時間がかかると膝にはかえってよくないだろうか……。

真理はミツルを連れて、冷たい飲み物を買いに売店に向かった。曳《ひ》き馬の看板を目ざとく見つけて「お馬さんに乗るーっ」と言いだしたミツルの声と、「なに言ってんの、おばあちゃんもお兄ちゃんも具合悪いんだからね」と叱《しか》る真理の声が、遠ざかっていく。

僕は二人を呼び止めて、「ミッちゃんを馬に乗せてやってくれ」と声をかけた。ミツルはその場でジャンプして喜び、最初は怪訝《けげん》そうだった真理も、僕の目配せを察して、小さくうなずいた。

　僕はベンチに向き直って、母に言った。

「今度はもっと大きな車を借りるから、墓参りはまたにしよう」

　母はうなずくでもかぶりを振るでもなく、膝をさすりながら言った。

「遠いのう……」

「うん、やっぱり遠いよ」

「遠いところから嫁に来たんじゃなあ、ほんまに、なんのご縁があったんか知らんけど」

「うん……」

「歩いて帰れんようなところまで遊びに行ったらいけんでいうて、ようお母ちゃんに言われとったんじゃけどなあ」

「子どもの頃？」

「ずーっと昔のことじゃ。お兄ちゃんやお姉ちゃんらが遊びに行くところにひっついていって、帰りはもう歩けんようになって、おんぶしてもろうて帰るんじゃ。そこの電信柱までじゃけえな、橋まで行ったら歩くんよ、言うてな。健作兄ちゃんやら二郎兄ちゃんやら弥生子《やえこ》姉ちゃんやら、みんなで順番におんぶしてくれるんじゃ、うちのことを」

　懐《なつ》かしそうに、遠くをぼんやりと見つめ、「もう、みーんな死んでしもうたなあ」と歌うように言う。

「しょうがないさ、末っ子なんだから」

「ほいでも、うちの家系は若死になんかなあ。健作兄ちゃんが七十一、二郎兄ちゃんが六十五、弥生子姉ちゃんも七十前じゃったもんなあ……八十、九十があたりまえになっとる時代に、早いわなあ」

しゃべるにつれて、母の体は少しずつしぼんでいくように見えた。一人暮らしだと、愚痴をこぼすことも、弱音を吐くこともできない。子どもの頃をふと思いだしたときや、新聞の訃報《ふほう》欄を読んだあと、静けさのなかで母はいつもどんな顔をしているのだろう。

「なあ、ほんまなあ……」

母の声がカズキに向いた。まなざしからは、いつもの険は消えていた。カズキは口元をもごもごと動かし、けれど声は出さずに、肩をすぼめてうつむいてしまう。

「なあ……ほんまなあ……ほんま……」

つづく言葉はため息にまぎれてしまった。まなざしもカズキからはずれ、右膝をさする手の動きが少し速くなった。

「クーラーの効いとるところにおったら、すぐに痛うなる」

つぶやく声に、涙がうっすら交じった。

「ほんまになあ、痛うて痛うて、かなわん……ちぎってしまいたいぐらいなんじゃ、ほんま……」

膝小僧を両手で包み込み、前かがみになって、息を詰めてうめく。

「帰ろう。また今度、連れて行くから、今日はもう無理せずに帰ろう」

「……今度いうて、いつになるんな」

泣きだした。「なあ、いつ連れてってくれるんな、いつ帰ってくるんな、なあ、約束できるんか？　約束してくれるんか？」――張り詰めていたものが切れた。

母は声をあげて泣いた。「痛い痛い痛い痛い、ほんまに痛い、痛い痛い痛い！」と子どものように繰り返して、膝を力任せに叩《たた》きはじめた。

「ちょっと、お母ちゃん、やめてよ」

あわてて止めようとした、そのとき――カズキが母に抱きついた。おばあちゃんの膝をかばって、一発、頭の後ろを殴られた。

母はとっさに腕を縮め、顔色を変えた。カズキは母の膝を抱きかかえたまま動かない。いや、違う、動いているところが一つだけあった。カズキは母の膝をさすっていた。そっと、小さく円を描くように、カズキの右手はおばあちゃんの膝をさすっていたのだった。

母は背筋を伸ばして、そっぽを向いた。唇を真一文字に閉じて顎《あご》をツンと持ち上げて、涙の残る目で遠くをにらみつけた。だらんとたるんで皺《しわ》だらけの喉《のど》が、ひくひくと動く。

煙たそうな瞬《まばた》きをするたびに、鼻の頭が赤くなる。

カズキはまだ起き上がらない。体をおばあちゃんに預けて、一心に膝をさすりつづける。

「やっぱり……がんばって、海まで行こうか」

僕はうつむいて言った。母のふるさとは小さな漁村だが、海岸線に沿って少し走れば海水浴場がある。民宿の一軒ぐらい見つかるだろうし、部屋が空《あ》いていなければ、そのときは、そのときだ。

母は返事の代わりに、右手をカズキの背中に置いた。ゆっくりと、拍子をとるように、背中を叩く。子どもの頃、怖い夢を見て真夜中に目を覚ました僕を寝かしつけるとき、母はよくそうしてくれた。ささやくように子守歌を歌って、僕が寝入ってしまうまで、ずっとそばにいてくれた。遠い、遠い、昔の話だ。

助手席のシートをいっぱいに後ろに下げて、母を座らせた。エアコンを切って、膝にはカズキのタオルケットを掛けた。自分のタオルケットをおばあちゃんに使ってもらえなかったミツルはご機嫌斜めだったが、子どもなりに察するところはあるのだろう、「お兄ちゃんのタオルケット、さらさらしてて気持ちいいんだよ」と言って、おばあちゃんよりもむしろ真理を喜ばせた。

おばあちゃんの後ろはミツル、真ん中に真理。僕の後ろに座るはずのカズキは、車のそばに立ったまま、なかなか乗り込もうとしない。

「どうした？」

いったん運転席に座った僕は、ドアを開けてカズキに声をかけた。

「うん……ちょっと……いい？」

また、しょんぼりした顔になっている。僕は車を降りて、「どうしたんだよ」と笑いながら、カズキを追ってトランクのほうにまわった。

「酔い止め、新しいの服んだんだろ？」

「うん、だいじょうぶだけど、それは」

「ゆっくり運転してやるから。しばらくはカーブが多いけど、途中からはまっすぐになって、あとはもう海まで一本道だから」

「うん……」

「おばあちゃん喜んでたぞ、さっき。パパもすごく嬉《うれ》しかった、さすがカズだなあって思って」

その言葉に、カズキの顔はいっそう悲しげになった。うつむいて、唇をとがらせて、いまにも泣きだしそうに眉《まゆ》が動く。

「……おばあちゃんの足、いつから痛いの？」

「うん？」

「ゆうべ、スイカ落としちゃったから？　それで膝が痛くなっちゃったの？」

そんなことないけど——と言いかけて、ピンと来た。驚いて、そういうことかと納得して、怒りはしない、悲しくもならない、思わず「ハハッ」と笑いが漏れた。

カズキは半べその声でなにか言おうとした。それをさえぎって、肩に手を載せ、ポン、と叩いてやった。

「長生きしてるからだよ。ずーっと歩いてきたんだから、足だって痛くなるし、あっちこっち痛くなるんだ」

カズキは黙って肩をすぼめた。

「体は痛いし、皺だらけになっちゃうし、寂しいし……長生きするって大変だよなあ」

「でも」とつづけた言葉は、カズキの声と重なった。苦笑して譲ってやると、カズキは「でも……」と繰り返して、それきり黙った。

もう一度、今度はもう少し強く、肩を叩いた。

「行こう、海まで」

「……うん」

「おばあちゃんの田舎だからな、おばあちゃん、子どもの頃から海ばっかり見てたんだ。ひさしぶりに見るから、泣いちゃうかもしれないな」

カズキは洟《はな》をすすって笑った。ほら早く乗っちゃえよ、と手振りでカズキを車に戻し、僕はその場にたたずんだまま空を見上げた。

入道雲に、ブラシでさっと塗ったような薄い雲が交じっていた。夏がそろそろ終わる。風が吹く。緑のにおいを胸いっぱいに吸い込んで、吐き出して、意外と孝行息子なのか、その場しのぎのことばかりつづける親不孝者なのか、自分でもよくわからないまま、もう一度深呼吸した。

「パパ、なにやってんの？　早く行こうよ！」

窓を開けて、ミツルが言った。車の屋根に止まっていた赤トンボが、その声にびっくりしたように青い空に向かって飛んでいった。

フイッチのイッチ

1

ネコかぶってたんだな、あいつ。

転校二日目で、それがわかった。正体が見えた。化けの皮がはがれたってやつだ。

「山野《やまの》朋美《ともみ》といいます。転校って初めてなんで、不安でいっぱいです。皆さん、仲良くしてください」

頰と耳を真っ赤にして、か細い声で言って、叱《しか》られて謝るみたいに頭を深々と下げる――だまされた、みんな。

第一印象は、とにかくおとなしくて、体がちっちゃくて、いや、体のサイズはだましようがないんだけど、でも、挨拶《あいさつ》だけで帰ってしまった昨日と比べると、今朝のあいつは体が一回り大きく見えてしかたない。

『朝の会』が始まるまでにはまだ時間があるのに、教室はしんと静まり返っている。机に突っ伏した芦沢《あしざわ》みどりのすすり泣きの声と、芦沢を取り囲んだ女子の何人かの「だいじょうぶ？　痛くない？」「保健室行こうか？」「ケガしてない？」というひそひそ声だけが聞こえる。もっと小さな声で山野朋美の悪口を言っている子もいるんだろうけど、それはぼくの席までは届かない。

山野朋美は芦沢の斜め前の席について、そ知らぬ顔でランドセルから教科書を出している。「冷静」という言葉の意味を初めて実感した。「ふてぶてしい」も、べつに太ってる奴《やつ》にしかつかえない言葉ってわけじゃないんだと、わかった。

ぼくの後ろの席に座る市川雄太《ゆうた》が、背中をシャーペンでつついて「すげえな」と小声で言った。「あいつ怖えーっ」

ぼくもそう思う。小学四年生の二学期にもなれば、教室の女子どうしの口ゲンカは迫力満点だし、「そんなことないよ」「なに言ってんの、男子」「ねーっ?」といつもとぼけてごまかされるけど、シカトやハブのいじめだってキツい。でも、あいつは、そんなレベルを一気に、軽々と超えていった。

「いきなり、だもんな……」と市川が言う。

「だよなあ」とぼくもうなずく。

「圭祐《けいすけ》、瞬間、見たの?」

「見た見た、ばっちり」

「そっかあ、オレ、だめだった。バシーッて音がしたじゃん、で、ソッコーで振り向いたんだけど、もう終わってたの、サンゲキ」

サンゲキ——惨劇。おおげさじゃない。あれはたしかに、四年三組始まって以来の惨劇だった。

芦沢みどりは、クラスの女子の中でいちばんいばっている。気も強いし、体も大きいし、やることもエグい。女子の世界でいじめが起きたら、必ずいじめる側には芦沢がいる。男子だけで通じるあだ名は「組長」。そういう奴。昨日、山野朋美が帰ったあと、「よそ者だもんねーっ」「新入りじゃん」と芦沢組の子分を集めてしゃべっていたことも、ぼくは知っている。おとなしくて、体がちっちゃくて、わりとかわいっぽい山野朋美の明日からの運命を想像して、心配もした、ちょっとだけ。

ついさっき、ほんの二、三分前までは、ぼくが心配していたとおりの筋書きだった。芦沢は山野朋美の机に腰かけて友だちとおしゃべりしていた。「どいてくれない？」って言えるものなら言ってみなよ——と挑発する作戦だ。正面切って山野朋美が文句をつければ一瞬にして芦沢組を敵に回すし、なにも言えなければ自動的に芦沢の子分になってしまう。

山野朋美が教室に入ってくると、芦沢は子分たちと目配せして、にやにや笑った。ひでーことするよなあ、女子って……。うんざりして、いじめの場面なんて見たくないからそっぽを向こうとした、そのときだった。

山野朋美は自分の席のそばまで来ると、ためらったりおびえたりするそぶりも見せずに、「どいて」と言った。挨拶のときとは別人のような、キン、と張り詰めた声だった。

芦沢は「はあっ？」と聞こえなかったふりをした。

すると、山野朋美は、ものも言わずにビンタを一発――。

不意をつかれた芦沢が机から転げ落ちるほどの強烈なビンタだった。まわりの連中は「ひっどーい」「暴力、ぼーりょく！」といっせいに声をあげたけど、山野朋美がちらっと目を向けると、いっせいにうつむいた。

始業チャイムが鳴る。芦沢はようやく泣きやんだ。でも、もう山野朋美にからんでいく元気や勇気はなさそうだった。真っ赤な目であいつの背中をにらむのがせいいっぱい。

山野朋美は芦沢の視線に気づいていないのか、無視しているのか、なにごともなかったかのように、シャーペンの芯《しん》を出したり引っ込めたりするだけだった。

「あいつ、ぜったい前の学校でスケバンだったんだよ」と市川が言った。

そうかもしれない。

「オンナの悪いのって、マジ悪いんだって。中学生とか、もっと年上のオトコとか、そーゆーのバックについてるから」

市川は勉強はできないくせに、そのテの話にはミョーにくわしい。

「オレらも気ぃつけようぜ、な、圭祐」

とりあえず「まあな」と答えたけど、山野朋美とぼくの関係は同級生というだけのものだし、ウチのクラスは男子と女子があまり仲が良くないから、気をつけなきゃいけないような場面が来るとは思えない。片思いとかになりそうな予感もない。ぼくは、強いオンナって、苦手だ。

『朝の会』が終わって一時間目の授業が始まるまでの短い休み時間に、山野朋美は席を立った。芦沢組の視線を背中に浴びながら教壇に向かい、教卓に貼《は》られた座席表を覗《のぞ》き込んで、顔を上げた。

目が合った。へえー、田中圭祐ってあんたなんだぁ、というふうに山野朋美は小さくうなずいた。ふうん、ふうん、なるほどねぇ、と――うなずきながら、かすかに笑った、ような気がしないでもなかった。

そんなあいつがぼくにさらに接近してきたのは、給食のあと。「ごちそうさま」をすませ、食器も片づけて、さあ昼休みはグラウンドでサッカーだ、と張り切って席を立とうとしたそのとき、後ろから「ねえ、ちょっといい?」と声をかけられた。

振り向くと、びっくりするほど近くに顔があった。

「なに?」ときくぼくの声は、少し震えてしまった。

あいつはくすっと笑い、「ねえねえ」と顔をさらに近づけてきた。

「田中くんちも離婚したんでしょ?」

うれしそうに言った。

種明かしは簡単だった。先生に昨日もらったクラス名簿を見ていたら、ぼくの保護者の名前がお母さんになっていたので、一発でわかったんだという。

「お父さんが死んだって可能性もあったんだけどさ、あたし、けっこう勘がいいの、こーゆーのは」

ひとの親を勝手に殺しかけて、得意そうに笑う。ムッとした。とーぜん。でも、「あっち行けよ、関係ねーだろ、バーカ」とは言えなかった。田中くんちも——と、山野朋美は言った。間違いない。確かに、そう言った。

「お父さんとお母さん、いつ離婚しちゃったの？」

「……けっこう昔。オレが幼稚園に入る前だから」

おまえんちは？　と返したかったけど、口がうまく動かなかった。

「じゃあ、けっこうベテランなんだ」

山野朋美はうなずきながら、ぼくの隣の遠藤由佳《ゆか》の席に腰かけた。市川たちが廊下側の窓から覗き込んで、なにやってるんだよ早くグラウンド行こうぜ、と手招きする。席を立った隙《すき》に椅子《いす》を奪われた遠藤が、ねえねえねえ見て見てひどいと思わない？　というふうに芦沢たちのほうに駆け寄っていった。

ぼくはわざとひらべったい声を出して、「オレんちのことなんか関係ないじゃん、どーでもいいじゃんよ」と言った。

「どーでもよくないよ」山野朋美は、ぴしゃりと返す。「すっごく大事なことじゃん」

「……いや、だからさあ……なんつーの？　っていうか……」

市川たちに、先行ってろよ、と手振りで伝えた。芦沢組のほうをちらりと見ると、予想どおり、あいつら、おっかない目つきでこっちをにらんでいる。

でも、山野朋美は平気な顔で「それでさあ」と話をつづけた。「離婚の原因って、聞いてるの？」

首を動かしたつもりはなかったのに、「やっぱ、そっか、そうだよね」と一人で納得して、「カヤの外なんだ、田中くんも」とため息をついた。「田中くんも」と、また言った。今度はさっきに比べると、ちょっとわざとらしかった。ぼくのことをあれこれききながら、じつは小出しに自己紹介をしているのかもしれない。

「あのさ……山野さんちも、そうなの？」

「トモちゃん、でいいけど」

そんなこと言えるわけないだろ、男子が女子に。

「山野さんちも、親、離婚してるの？」

「まあね」

「……そうなんだ」

「でも、ウチ、まだホヤホヤだから」

笑いながら言った山野朋美は、「だから」とつづけた。「山野って名前、ぜんぜん慣れてないんだよね」

ぼくはちょっと違う。両親が離婚する前はお父さんの苗字《みょうじ》の「松下」だったけど、その頃は苗字で呼ばれるようなことはなかった。物心ついた頃から、ぼくは「田中圭祐」。物心ついた頃から、ぼくはお母さんと二人暮らし。その前のことなんて、想像できない。

「ねえ、田中くんはさあ、お父さんとお母さん、なんで離婚したんだと思う？」

「そんなの、わかんないよ」

「お父さんが酒乱でさあ、虐待《ぎゃくたい》してたとか」

違う違う、と首を横に振った。

「あと、お母さんが不倫しちゃったとか」

なに言ってんだよ、と笑った。

「嫁とシュートメみたいなのは？」

「べつに……なかったと思うけど」

「そっか、じゃあ、やっぱ、そうなんだね」

山野朋美はまた一人で納得して、これでもう用事はすんだというふうに勢いをつけて立ち上がった。

「性格のフイッチでしょ？　どうせ」

一瞬、フイッチが英語かなにかのように聞こえた。「スイッチ」とか「ピッチ」とか、そんな感じ。

「性格が合わないってことだよ、わかる？　イッチじゃないって意味。性格合わないと、ほら、夫婦ってキツいじゃん」

「フイッチ」を漢字でどう書くのかは知らない。「不」と「一」はわかっても、「チ」が書けない。

「田中くんちも、たぶんそうだよ。お母さんにきいてみなよ」

その気はなかったけど、テンポよく言われたせいで、思わず「うん」と答えてしまった。

「じゃあね、また」

山野朋美は軽く手を振って、ぼくから離れた。自分の席に戻るのかと思っていたら、わざわざ遠回りをする格好で教室の後ろの出口——芦沢組の脇《わき》を通って、外に出ていった。

芦沢組は、なにも手出しをしなかったし、文句もつけなかった。最初はひそひそと話しながら山野朋美をにらんでいたけど、あいつが正面に来ると、みんなうつむいたりそっぽを向いたりしてしまう。最後の最後、山野朋美が廊下に出てから「マジ、むかつく!」とだれかが言ったのが、やっとだった。

ぼくは席についたまま、何度か深呼吸をした。山野朋美としゃべったというだけで、こっちまで芦沢組に狙《ねら》われたらヤバいよな——って、男子としてちょっと情けないけど。サッカーに行かなくちゃ、と自分に言い聞かせて立ち上がりかけたとき、離婚の話を教室でしたのは初めてだった、と気づいた。

この学校に、我が家が三人家族だった頃のことを知っている友だちはいない。幼稚園の頃から、ぼくはずーっと田中圭祐として友だちと付き合ってきた。「松下圭祐? だれ、それ」って感じ。

低学年の頃は、さっきの山野朋美と同じようにクラス名簿やマンションの表札で離婚に気づいた友だちもけっこういた。でも、みんな「離婚してるの?」ときくだけで、ぼくが「そう」と答えると、それ以上はなにも言わなかった。ぼくはちっとも気にしていないのに、たまたまおしゃべりに自分のとーちゃんのことが出てきただけで、あわてて口に手でふたをする奴もいたっけ。

四年生になってからは、離婚の話をしたこともきかれたことも一度もない。いままではそれを当たり前のように思っていたけど、よく考えてみたら、けっきょくみんな気をつかってるってことなんだろうか。

そういうのって、なんか、いやだな、と思った。といって「圭祐んちのとーちゃんとかーちゃん、バツイチだもんな」なんて言われるのも、あまりうれしくない。

じゃあ、どーすればいいんだよ——。

だれかにきかれたら、どう答えればいいんだろう、ぼくは。


学校が終わるとだれもいない家に帰って、晩ごはんのお米を研いで炊飯器のタイマーをセットする。朝、出がけにスイッチを入れた洗濯機から、脱水の終わった洗濯物を取り出して衣類乾燥機に移す。そこまでが毎日のぼくの仕事だ。宿題のない日には自分の部屋の掃除もしなくちゃいけないんだけど、それはまあ、テキトーってことで。

昨日のうちにお母さんが買っておいてくれたオヤツを食べて、服に着替え、学校のグラウンドに自転車でダッシュ。細いチェーンで首から提げた家の鍵《かぎ》は、サッカーをするときには少し邪魔だけど、ネックレスみたいでカッコいいじゃん、とも思う。

横浜Fマリノスのグラウンドコートのポケットには、ケータイも入っている。お母さんの仕事が残業になって買い物に行けないときには、メールが来る。〈牛乳1パック＆トイレットペーパーよろしく〉みたいに。

お母さんが会社から帰ってくるのは、早くて六時過ぎ、遅いときには七時を回る。仕事がめちゃくちゃ忙しいときは八時頃にいったん帰ってきて晩ごはんを食べてから、また会社に引き返すこともある。

今日も——そう。

サッカーの途中でメールが来た。〈9時帰宅、すぐ会社。ごはんはコンビニでよろしく。お風呂《ふろ》のお湯は抜いといてOK〉。〈ごめんね〉の一言付き。

晩ごはんを食べながら山野朋美の話をするつもりだったあてがはずれて、ちょっとがっくりしたけど、最近のお母さんの忙しさを思うと、まあしょうがないよな、とあきらめるしかない。

家に帰るとお風呂を沸かして、テレビを観《み》ながらコンビニの一口カツ弁当を食べた。途中でお母さんから、帰りが十時になるかもしれない、という電話が入った。「先に寝てていいから」と言われたので、電話を切るときに「おやすみなさい」もすませた。これも、毎晩ってわけじゃないけど、ここのところ増えてきたパターンだ。

一年生や二年生の頃は、学童クラブから帰って留守番していると寂しくてたまらなかった。三年生になると寂しさはあまり感じなくなったけど、そのかわり、晩ごはんの時間が遅れるとおなかが空《す》いてぶっ倒れそうだった。

でも、いまはぜんぜん平気だ。おなかが空いたら冷凍のピザやピラフを電子レンジでチンすればいいし、オーブントースターで目玉焼きもつくれる。ガスコンロだって、じつはこっそり使ってる。一人でハンカチにアイロンをあてたこともある。お母さんに見せたら、「火事になったらどうするの！」と叱《しか》られたけど、あとで「なかなかスジがいいわよ」と褒められた。左手の中指の先っぽの火傷《やけど》は、けっきょく言い出せないまま、オロナイン軟膏《なんこう》で治した。

ケイちゃんは、ほんとにしっかりしてるから――。

いつも言われる。ご近所のおばさんからも、学童クラブの指導員のおねえさんからも、年に二、三度しか会わない北海道のおばあちゃんからも。

それを教えると、お母さんの表情がちょっと寂しそうになるのが、よくわからないけれど。

まあ、でも、とにかく、ぼくは元気だ。毎日明るく楽しくやってる。ベテランだもの。母一人子一人――シンプルでいいじゃん、と思う。

山野朋美はどうなんだろう。あいつ、離婚ホヤホヤって言ってたから、お父さんのいない暮らしにまだ慣れてないのかもしれない。

寂しい、のかな。

寂しい、んだろうな。

ぼくはあいつの、新しい生活で初めての友だち、ってことになるのかな。

げーっ、と顔をわざとしかめた。

2

次の日から、山野朋美はクラスの女子のハブになった。芦沢みどりを敵に回した報いだ。だれも口をきかないし、目も合わせない。

でも、当の山野朋美は、そんなことぜんぜん気にしていない。最初からクラスの女子のだれとも話そうとしてないし、だれのほうも見てないんだから、まったく無意味だ。山野朋美がハブられてるのか、逆にあいつが一人でみんなをハブってるのか、よくわからない。

休み時間にぼくに話しかけてくることはないけど、ときどき目が合うと、小さく笑う。「元気?」とか、「やっほー」とか、そんなふうに口が動くこともある。

「山野って、圭祐に気があるんじゃねーの?」

市川が言いだしたウワサは、じわじわと男子の中に広がっていった。女子に伝わるのも時間の問題だろう。芦沢組の連中がそれを知ったら、ちょっとヤバいかも——って、ほんとうに、我ながら気が弱くて情けない。

でも、最近よく思うことだけど、オトコとオンナが付き合ってるとかいないとか、くっついたとか別れたとか、そういうことが気になってしかたないのって、人間の本能みたいなものかもしれない。ワイドショーとか女性週刊誌の新聞広告とかを見るとつくづく思う。

ウチのお母さんも、離婚してしばらくのうちは、友だちからしょっちゅう電話がかかってきていた。いつも長電話。お母さんの「まあ、いろいろあってね」だけでは、だれも納得してくれなかった。「根ほり葉ほり」とか「おためごかし」とか、言葉の意味はいまでもよくわからないけど、電話のあとでお母さんはいつも、別の友だちに電話をかけて、前の電話の相手のことをそんなふうにグチって……でも、グチをぶつける相手もやっぱり同じように「根ほり葉ほり」「おためごかし」で、長電話になってしまう。芸能人が記者会見を開くのって、そういうのをいっぺんにすませてしまいたいからなのかな、なんて。

お調子者の市川は、ときどき芸能リポーターの物まねをして、こんなことまで言う。

「結婚前提のお付き合いだと、そーゆーことでいいんですね？」

そのたびに胸がビクッとする。意味を考える前に、ケッコン――という音が、耳の奥のやわらかいところに刺さる。

「いーかげんにしろっての」と笑いながら市川の頭を軽くはたいてごまかしたあとも、耳の奥の「ケッコン」は消えない。

試しにこっそり「離婚」とつぶやいてみても、「リコン」の響きは意外なほど軽く、耳のどこにもひっかからずに消える。
それがちょっと不思議で、なんでだろうと考えるうちにいやな気分になってしまうこ
とも、たまに、ある。

山野朋美が転校してきて、ちょうど一週間。放課後の『終わりの会』のあと、帰り支度をしながら、市川はいつものようにワイドショーのリポーターになりきって、「どーなんですか、どーなんですか」ときいてきた。

さすがにうんざりして、ほかに考えることねーのかよ、と少し本気で回し蹴《げ》りを膝《ひざ》の裏に入れた。市川はおおげさに跳びはねながら、「結婚はいよいよ秒読みでしょーか」と言う。こりない奴《やつ》。もう一発蹴りを入れてやろうと距離を詰めたら、「蹴ったら結婚、決定ってことだかんな」とひきょうなことを言いだした。頭に来て、蹴りの代わりに市川の机の上にあったランドセルを床に落としてやった。

「なにすんだよお」

「うっせえ、ばーか。結婚なんて、死んでもしねーよ、ばーか、ばーか」

「おっ、山野と破局？　マジ？　マジ？　フリ？　フラレ？」

「オレはだれとも結婚しないっての！」

売り言葉に買い言葉――っていうか、話のノリで言った。深い意味なんて込めたつも

りはない。

でも、市川は一瞬びっくりした顔になって、気まずそうにへへッと笑った。目をそらして、またへへッと笑う。困ったときにはとりあえずこんなふうに笑うのが、こいつの癖だ。

ごめん、と市川の口が動いた。最初はわけがわからなかったけど、あ、そうか、そーゆーことか、と思いあたった瞬間、頰がカッと熱くなった。市川は知ってる。みんなも知っている。知ってて、ふだんは知らん顔していることが、ビリッとあいた破れ目から顔を見せた。

ぼくはあわてて言った。

「ってゆーかさあ、オレ、山野みたいなオンナって大、大、大っ嫌いだもん、マジ、マジだから、マジにマジ、だって性格合うわけないじゃんよ、あんなのと」

一息にしゃべり終えたら、後ろにひとの気配を感じた。だよな、とうなずきかけた市川の顔も急にこわばった。視線がぼくの背後に泳いで、すとんと手元に落ちる。

まさか——と悪い予感が頭をよぎるのと同時に、山野朋美の声が聞こえた。

「ねえ、田中くん、いっしょに帰んない？」

市川だけじゃない、教室中の耳と目が、ぼくたちに注がれた。芦沢組のとがった視線も、もちろん。

断れなかった。ぼくは黙ってランドセルを背負い、先にたって歩く山野朋美のあとについて出口に向かった。

　廊下に出たとき、教室から「ひょうひょうーっ」と男子の裏声が聞こえた。たぶん市川だ。あいつ、明日会ったらマジぶん殴ってやる。でも、芦沢組にリンチされるほうが先かもしれない、なんて。ぼくはとにかく強いオンナが苦手で……強くても弱くても、オンナってみんな苦手だ。

　山野朋美の家は、二丁目の公団住宅。五丁目のぼくとは学校を挟んで逆の方角だったけど、「田中くんちって何丁目?」と尋ねることすらなく、二丁目を目指して学校の前の通りを右に向かう。ぼくはただ黙って、山野朋美の少し後ろを歩くだけだった。

　学校の塀に沿ってしばらく進むと、山野朋美は不意にぼくを振り向いて、「田中くんって死んでも結婚しないんだって?」と声をかけてきた。「それ、マジ?」

　死んでも──というのは我ながらおおげさだったけど、細かく説明するのも面倒なので、「そう」とうなずいた。

　山野朋美は足を止めて、ぼくが追いつくのを待った。

　並んで、あらためて歩きだす。

「結婚しないのって、やっぱ、お父さんとお母さんのことがあるから?」

「……べつに関係ないけど」

「でも、ぜんぜん関係ないってわけじゃないでしょ？」

問いつめるような口調じゃなかったから、こっちも少し素直に「まあ、ちょっとはあると思うけど」と言った。

「だよね、ふつうあるよね」

「うん……」

山野朋美は意外と自分のことをしゃべりたくて、聞いてほしいのかもしれない。そんなふうに思って、「まあ、ひとによっていろいろ違うんじゃないの？」と付け加えた。

あんのじょう、そこから先の山野朋美の口調はテンポが速くなった。

「でもさ、あたし、わかるけど、それ。あたしも結婚とかしたくないし、お母さんもこりごりだって言ってたし」

「ウチと同じだ」思わず笑った。「再婚とか一生しないって」

「お父さんのほうは？　再婚してないの？」

「してない。一人暮らしだから、洗濯とかごはんとか大変だって言ってた」

「たまに会ったりとかするんだ。ねえ、そういうときって、どんな話するの？」

「まあ、いろいろ、だけど……」

「やっぱり、『お父さん』って呼ぶの？」

小さくうなずいて、「山野さんは呼ばない？」と聞き返した。

「わかんない。まだ離婚してから一度も会ったことないし」

「でも、会うんだろ？」

「とうぶん先だと思うけど。お互いに気持ちの整理がついてから、ってお母さん言ってた」

「気持ちの整理っつったってさあ……」

「だよね、わけわかんないよね」

山野朋美はぽつりと答えて、あきれたふうに笑った。

「なんか、お昼のドラマみたいだよね」

ぼくもそう思う。夜のドラマじゃなくてお昼のドラマだというところも、こいつけっこうわかってるじゃん、だ。

「もうお父さんがいないことに慣れた？」――話を一歩、ぼくのほうから先に進めてやった。

山野朋美は首を横にひねりながら少し考えて、「まだ、ぜんぜん」と言った。

「オレ、はっきり言ってベテランなの」

「うん……だよね」

「わかんないことあったら、なんでも教えてやってもいいっていうか、教えてやらないことべつにないけど、っていうか……だけど」

山野朋美は「なんなの、それ」と、またあきれたふうに笑ったけど、すぐに笑顔は消えた。

「ぜんぶ、わかんない」つぶやくような小さな声だった。「自分のキャラ、どう立てればいいんだろ」

キャラ立て――要するに、性格とか個性を、どうするか。意外とつまんないことを気にする奴だ。

「いままでどおりでいいんじゃないの？」

「でも、おかしいじゃん、いままでと同じだったら」

「そう？」

「だって、家からいなくなっても、娘のキャラがなにも変わらないんだったら、お父さんの存在ってすっごくむなしくない？　あたしね、お父さんとけっこう仲良かったの。性格が合ってたんだと思うの。でも、離婚するときのチョーテイでシンケンとかヨウイクケンとかお母さんが取っちゃったのね、だから、なんていうか、あたし的にはフホンイなわけ。そういうこと思うと、キャラがいままでどおりってのは、やっぱ、おかしいじゃん」

難しい言葉がたくさん出てきた。聞いたことがあるような、ないような、どっちにしても漢字では書けない、そんな言葉ばかり。

「田中くんはなにも変わってない？　キャラ」

「……キャラ、立つ前に離婚したから」

「そっか、幼稚園に入る前だもんね。ラッキーじゃん、そういうの。ウチもさあ、どうせ別れちゃうんだったら、子どもが物心つかないうちにしてほしかったよね。性格のフイッチなんて最初からわかってることなんだから、結論を引き延ばしたら、けっきょく子どもが迷惑しちゃうんだもん。そう思わない？」

両親が離婚した子どもって、ぼくが思っているのよりフクザツな立場なのかもしれない。

話が途切れた。山野朋美はぼくの答えを待っているんだろうけど、なにを、どう答えればいいんだろう。

ベテランだなんていばったことを、ちょっと後悔した。それとも、一人息子がまだ物心つかないうちに離婚を決断した両親に感謝すべきなんだろうか。でも、そんなことを言いだしたら、最初から結婚しなきゃよかったんだよってことになるし、そうなったらぼくという人間はこの世に生まれてこなかったことになるし、ぼくがいまこうして生きているのは確かにお父さんとお母さんが結婚したからで、なんで結婚したかっていうと二人は愛し合っていたからで、じゃあなんで離婚したかっていうと二人の愛が消えちゃったからで、だったらぼくは二人が愛し合っていた頃の貴重な証拠っていうことに、なるのかな。

黙りこくっているうちに、ぼくたちの歩くスピードは自然と速くなっていった。なにげなく横を見たら、山野朋美のランドセルのフックにひっかけたリコーダーのケースが目に入った。クラスと名前の欄に白いテープを貼《は》って書き直してある。〈4年3組〉まではは転校生だからあたりまえだけど、〈山野朋美〉も白いテープの上に書いた文字だった。

ぼくはあわてて目をそらした。偶然なのに、見ちゃってごめん、と言いたくなった。

「あのさあ……」

黙っていたくないから、とりあえず口を開いて、そのまま、あまり深く考えずにつづけた。

「オレ思うんだけど、やっぱ、子どもが大きくなってから離婚したほうがいいんじゃない？　オレなんかお父さんの思い出、あんまりないもん。せっかくお父さんがいたのに、なんかもったいないよなあ、って」

「思い出がたくさんあると、逆にキツくない？」

「キツいかもしれないけど……でも、思い出があったほうがいいって。ぜーったいにいいよ、それ」

実際、ぼくには、お父さんが現役の「お父さん」だった頃の記憶がほとんどない。カんでしゃべると、それがすごく不幸なことのように思えてきて、悲しくなった。

「でも、田中くんはお父さんといまでも会うんでしょ？　だったら思い出もできるじゃん。ね？」

慰めて、励まして、元気づけてくれたんだろうか。まだ離婚ホヤホヤの奴なのに。ぼくはベテランのはずなのに。

「お父さんと会ったら、教えてよ。あたしも参考にしなくちゃいけないし、どこに行ったとかなにしゃべったとかって、あたし、ちゃんと覚えててあげる。自分だけだと忘れちゃうことでも、だれかが覚えててくれたら、ずーっと思い出になるじゃん」

ぼくは、もうなにも言わない。てきとうに切りだした話だったのに、これ以上しゃべると、もしかしたら泣きたくなるかもしれない。

話がまた途切れた。今度は、ぼくたちの歩調は少しずつ遅くなっていった。

交差点に出ると山野朋美は「あたしんち、あっちだから」と四つ角の右側を指差して、その手を、バイバイ、と振った。ぼくは「バーイ」と小さく答え、来た道を引き返すのはカッコ悪いから、四つ角を左に曲がった。しばらく進んで立ち止まり、後ろを振り返る。山野朋美は肩をしょぼんとすぼめて歩いていた。芦沢組を一人で敵に回して無言のバトルを繰り広げている強いオンナの面影は、ぜんぜんない。転校初日の弱っちい雰囲気に戻っていた。

あいつ、意外と、両親が離婚する前はおとなしいオンナだったのかもしれない。キャラを変えようとしているのかも、しれない。

ぼくは交差点まで駆け戻って、「山野さーん」と声をかけた。二度呼んでも反応はなかったけど、三度目で、びっくりした顔がこっちを向いた。

「ごめん、自分のことだと思わなかった」

最初のうちはみんな、そうなんだろうな。

「あのさあ、山野さんって、昔の苗字なんだったの？」

「……伊藤だけど」

ヤマノトモミとイトウトモミ。ぼくはヤマノトモミのほうがカッコいいと思うけど、こういうのって慣れもあるし。

「山野って呼ばないほうがいい？」

山野朋美は困った顔で笑って、「前の学校はみんな『トモちゃん』って呼んでたけど」と言った。でも、ぼくは男子だから、女子に「ちゃん」なんか付けられない。

「じゃあ、『トモ』にする」

気に入ったかどうかはわからないけど、「だめ」とは言われなかった。

山野朋美――トモは、また歩きだした。肩が、ちょっとだけ横に広がったように見えた。

ぼくも家に向かって歩きだす。女子とツーショットで帰ったのって生まれて初めてだ。いまになって気づくと、急に恥ずかしくなった。ダッシュ。ドリブルのまね。シュート。ガッツポーズをして走っていたら、向こうから来た自転車のおばさんに、なんなのこの子、という目で見られた。

3

九月になってから残業つづきだったお母さんが、珍しく夕食前に帰ってきた。といっても、仕事が暇になったわけじゃない。明日から一段と忙しくなるので、エイキをやしなうために今夜は早じまいしたんだという。

「十月の終わり頃までは、とにかく倒れるわけにはいかないんだから」

お母さんは夕食のレバニラ炒《いた》めを頬張って、自分に言い聞かせるようにつぶやいた。冷やしたウコン茶をごくごくと飲んで、ちっともおいしくないんだろう、うげーっ、という顔になって、それでもぼくを見て「がんばらなくちゃね」と笑う。

「ずーっと忙しいの?」

「忙しい忙しい、男のひとなんか会社に泊まり込んでるのもたくさんいるんだから」

苦いウコン茶を、ピッチャーからグラスに注ぐ。一食につきグラス三杯が健康と美容をキープするためのノルマだ。

「日曜日とかも忙しい？」

「そうねえ……週末ぐらいは休みたいけど、十月に入るとちょっと難しいかな」

「十月って、もう来週じゃん」

「そうよ、だから大変なんだって言ってるでしょ。ほんと、もう大変なんだから、困っちゃうよねえ」

でも、言葉ほどには大変だとか困ってるとか思っていないような顔だ。お母さんは、いつ離婚するまでは専業主婦だった。「それはそれで気楽でよかったんだけどね」と、いつか友だちと電話で話しているのを聞いたことがある。「でもね、やっぱりね、そういうのもね……」と話はつづいて、そこから先は言葉が急に難しくなったので、内容はよくわからない。ただお母さんが、いまの暮らしを、忙しくて大変だけど離婚する前よりもはるかに楽しいと感じていることだけは、なんとなく伝わった。

二杯目のウコン茶を飲み干すと、お母さんは「学校どう？」ときいてきた。少し迷ったけど、トモのことを話した。なるべく軽い調子で、まいっちゃうよね、というふうに。お母さんは性格のフイッチのところでは「生意気なこと言うのよね、女の子って」と笑ったけど、キャラを変える話のときは、うーん、と考え込む顔になった。

「ぼくもあいつの言ってること、よくわかんないんだけどさ」――とりあえず、そう言っておいたほうがよさそうだった。

お母さんは三杯目のウコン茶をグラスに注ぎながら、「圭祐」とまじめな口調で言った。

「いまの話だけど、それ、日曜日には言わないで。いい？」

「……うん」

「お芝居をしてるわけじゃないんだからね、人生って」

なんだか叱《しか》られたような気分になって、お母さんから目をそらし、壁のカレンダーを見た。

今度の日曜日――十月最初の日曜日に、赤いマークがついている。半年に一度の、お父さんとの面会日だ。その二週間後の赤いマークは、ぼくの運動会。十月二十一日。

「十月の終わり頃まで」の、ぎりぎりだ。

「あーあ、ほんと、疲れちゃったなあ……」

お母さんは頰づえをついて、ウコン茶を一口すすった。

「お皿、今夜はぼくが洗おうか？」

「サンキュー。でも、だいじょうぶだから」

笑って答えてくれた。それがうれしくて、うれしかったから、かえって悲しくなった。

自分でも気づかないうちに、ぼくはキャラを変えているのかもしれない。もしもお父さんとお母さんが離婚していなければ、市川みたいに家の手伝いなんてなにもせずにお母さんにしょっちゅう叱られていて、そっちのほうがほんとうのキャラだったのかもしれない。

「ぼくにも一口飲ませて」とウコン茶のグラスを取った。「苦いわよ」とお母さんがあわてて言ったけど、苦いから、飲みたかった。

一気飲み——苦みは、予想以上だった。

日曜日は、朝からどんよりと曇っていた。天気予報によると、夜には雨になるらしい。「夕方に帰るからだいじょうぶだよ」と言ったのに、お母さんは「念のために持っていきなさい」と折り畳み傘をデイパックに入れた。雨が夕方に降りだした場合の「念のために」なのか、帰りが遅くなった場合の「念のために」なのか、たぶん両方なんだろう。

面会日の待ち合わせはいつも、マンションから歩いて十五分の駅前。幼稚園の頃はお父さんがマンションまで迎えに来た。小学一年生になると、お母さんが駅まで送ってくれた。でも、お母さんは約束の時間よりだいぶ前に駅前に着くと、ロータリーのベンチにぼくを座らせて、「ここで待ってたら、もうすぐお父さんが来るからね」と一人で帰ってしまう。ひさしぶりなんだから、お母さんもお父さんに会えばいいのに——一年生の頃は思っていた。ガキだったんだ。

二年生からはマンションの玄関で見送られるようになった。「お父さんによろしくね」と、お母さんは決まり文句のように言う。でも、それをお父さんに伝えたことはない。べつに伝えなくたってかまわない種類の、シャコウジレイっていうんだっけ、そういう言葉だとわかっているから。

今日も、お母さんはぼくを見送るときに「お父さんによろしくね」と言った。「よろしく」ってどういう意味なんだろう。「元気でね」と同じなのか、逆に「こっちは元気よ」の意味なのか、「これからもよろしく」って離婚した夫婦であいさつするのってヘンだし、でも嫌いな相手に「よろしく」ってあいさつするのはもっとヘンだ。

頭の中がこんがらかってくる。背中がむずがゆい。おろしたてのシャツとセーターを着ているせいだ。半パンやソックスも新品だし、昨日は床屋に行かされた。お母さんはぼくがお父さんに会うときは必ず服を新しいものにして、散髪をさせる。これもよくわからない。でも、あまり難しいことを考えると頭がますます混乱しそうだ。小学四年生なんだから、おとなの考えなんてわからなくてあたりまえじゃん、と強引に納得した。

お父さんは約束の時間の少し前の電車で来た。改札を抜けて、ロータリーのベンチに座ったぼくに気づくと、「オッス」というふうに軽く手を挙げて、横断歩道を小走りに渡ってくる。

お父さんの最初の言葉は、いつだって同じだ。

「圭祐、おまえ大きくなったなあ」

うれしそうに言って、ぼくの背の高さにてのひらを合わせ、自分の体のどのへんまで来ているのか確かめるのも、いつものパターン。

てのひらはお父さんの胸にあたる。春に会ったときにはもうちょっと下だったと思う。一年生の頃には、ズボンのベルトだった。

でも、背が高くなるにつれて、面会日が楽しみではなくなった。うつむく時間が長くなって、口数が減った。照れくさいとか恥ずかしさとかじゃなくて、なんていうか、困っちゃったなぁ、って感じ。

「よし、なにして遊ぼうか。圭祐はどこか行きたいところあるか?」

「どこでもいい」

「遠慮しなくていいんだぞ。遊園地でも動物園でも、どこでも連れてってやるから」

「じゃあ、遊園地」

快速電車に乗って四つめの駅に、遊園地がある。そこからさらに三つ先まで乗れば動物園。春の面会日には動物園に出かけたので、今日は遊園地にした。

お父さんは気づいていないんだろうか。このやり取りだって、いつものパターンなんだ。同じ劇を半年に一度やってるようなものだ。しかも、ふつうの劇なら繰り返すたびにじょうずになっていくはずなのに、ぼくは逆。声も表情も動作も、ぎごちなくなっていく一方だ。この調子なら、来年も、再来年も、その先も……中学生になって、動物園や遊園地ってのは、ちょっとまずいと思うけど。

電車の中で、お父さんに学校のことをきかれた。勉強、OK。友だち、OK。サッカー、やってる。再来週の運動会、クラス対抗リレーの第二補欠になれそう。

「そうか、元気でやってるんだな」

お父さんはほっとしたように笑った。

「さかあがりも、こないだ十回連続で成功したんだよ」と付け加えると、「すごいすごい」と頭を軽くなでてくれた。

去年のいまごろは、さかあがりは連続五回がやっとだった。おととし、二年生の秋は一度もできなかった。公園で練習しているとき、同級生のお父さんにお尻《しり》を持ち上げてもらってコツを覚えた。そのことはお父さんには秘密にしてある。

「お母さんは元気か？」

「うん、まあ、元気だよ。最近ちょっと疲れ気味だけど」

「仕事もがんばってるんだ」

「めっちゃ忙しそう」

「圭祐は寂しくないか？　留守番だろ？」

「ぜんぜん」

「そっか、そうだよな、圭祐ももう四年生なんだもんな」

お父さんは肩を揺すって、短く、ちょっと残念そうに笑った。

質問のネタがなくなったのか、しばらくお父さんは黙った。電車は遊園地のある駅の一つ手前の駅に停まり、また走りだす。

もしかして——ふと思った。お父さんは、ぼくが「寂しい」と答えるのを期待していたのかもしれない。トモの言葉を思いだす。「家からいなくなっても、娘のキャラがなにも変わらないんだったら、お父さんの存在ってすっごくむなしくない？」——言われてみれば確かにそうだよなあ、と思う。

「お父さん」

「うん？」

「ぼくって、ガキの頃、どんな性格だったの？」

トートツな質問に、お父さんは「えーっ？」と首をかしげ、腕組みをして、「性格ってほど大きくなってなかったからなあ」と言い訳するように言った。

それでも、考え考えしながらお父さんが教えてくれたところによると、ぼくは昔、「けっこうガが強くて、ヘソを曲げると機嫌が直るまで時間のかかる子」だったらしい。でも、「甘えん坊で怖がりな子」でもあったらしい。そのくせ「乱暴ですぐにオモチャを壊す子」で、とは言いながら「一人で放っておかれても絵本をじーっと読んでるような子」でもあったんだという。

わけがわからない。ぼくは多重人格なんだろうか、なんて。

でも、お父さんは昔のことを思いだすうちに懐《なつ》かしくなったのか、話し終えたあとも窓の外の景色を眺めながら、うん、うん、とゆっくり何度もうなずいた。


お父さんと二人で日曜日を過ごすのって、けっこうキツい。それを最初に感じたのは、去年の秋の面会日だった。そのときのキツさを十点満点で三だとすれば、今年の春は五、いまは七か八ぐらい。動物園はともかく遊園地はもう終わりだよなあ、と思う。どの乗り物でもお父さんとツーショット。「今度は圭祐一人で乗ってこいよ」と言われても、ぐるぐる回る乗り物が柵の外のお父さんの前にさしかかるたびに、どんな顔をすればいいのか困ってしまう。お父さんのほうも、一周目では顔の横で手を振っていたのに、二周目には手は胸の高さに下がって、三周目には笑うだけ、四周目から先は煙草《たばこ》に火を点《つ》けたり腕時計を見たりポロシャツの襟元をさわったり、だ。

そんなわけで、お父さんが「ちょっとトイレ、帰りにアイスでも買ってきてやるよ」と一人で歩きだしたときには、ベンチに残ったぼくは正直ほっとしたし、お父さんの後ろ姿もリラックスしているように見えた。

半年に一度の面会日は、お父さんにとってどんな一日なんだろう。

父親としての義務——だとしたら、なんか、嫌だ。

でも、何日も前から楽しみでわくわくしている——としたら、それもなんとなく嫌な気がする。

トモのことを思った。今日のことはトモには話していない。気をつかったわけじゃないけど、切りだすきっかけがつかめなかった。あいつはお父さんと年に何回会うんだろう。お父さんと仲が良かったって言ってたから、やっぱりたくさん会いたいんだろうな。でも、会ってしまうと、別れるときに悲しくなっちゃうのかもしれないな。

学校にいるときのトモは、ますます強いオンナになっている。金曜日の体育の時間は、こっそり体育館シューズを隠されたのに、平気な顔で、はだしで跳び箱をした。先生に叱られても「持ってくるの忘れました」と言うだけで、芦沢たちのことはチクらなかった。そのかわり、体育館から教室に戻る途中で芦沢みどりに直接「体育館シューズ、返してよ」と詰め寄った。最初は芦沢はとぼけていたけど、トモがビンタのモーションに入るとあわてて後ずさりながら「あたしじゃないって、サチコだよ、隠したの」とおびえた声で白状した。芦沢組、完敗だ。芦沢の子分のうち何人かは、その日の放課後からシカトをやめてトモに話しかけるようになったけど、トモは返事もろくにしない。べつに友だちが欲しくて芦沢組と闘ってるわけじゃないんだから、というふうに。

とにかくトモは強い。ケンカとか腕力とかじゃなくて、負けず嫌いというか意地っ張りというか、そういう心がめっちゃ強い奴《やつ》なんだと思う。だけど、それがあいつのほんとうのキャラなのかどうかは、わからない。

どっちにしても、ぼくは強いオンナが苦手で、あいつが強いオンナのキャラでいるかぎり自分から「いっしょに帰ろうぜ」なんて誘うことはできない。トモのほうから誘ってくることも、あの日が最初で最後だった。話しかけてもこない。おかげで、市川がクラスにばらまいたぼくたちのウワサは盛り上がる前にしぼんでくれたけど、いつも黙っているトモを見ていると、だいじょうぶなのかな、元気なのかな、と心配でたまらない。

お父さんがソフトクリームとアメリカンドッグを持って戻ってきた。面会日の定番スナックだ。ぼくは覚えていないけど、幼稚園の年長組だった年の面会日に「だーい好き」と言ったんだそうだ。最近は甘ったるいソフトクリームよりもかき氷系のアイスのほうが好きだし、マスタードなしのアメリカンドッグの味はちょっと物足りないけど、満足げにぼくを見て笑うお父さんの前では文句なんて言えない。

「それにしても、ほんと、大きくなるの早いよなあ」——話題が見つからないときは、とりあえず、この一言だ。

「クラスの男子だと真ん中だけど」

「うん、でも、大きくなったよ。ほんと、大きくなったよなあ」

お父さんはベンチの背もたれに両手をかけて、曇り空を見上げ、ふーう、と息をついた。ぼくはソフトクリームとアメリカンドッグを交互に口に運びながら、目の前を通り過ぎる家族連れ——両親とベビーカーの男の子の三人を、ぼんやりと見つめる。

「お母さんの仕事、そんなに忙しいのか？」

トートツな質問だったけど、意外とすんなり「うん」と答えることができた。

「よくがんばるよなあ、お母さんも。昔はのんびり屋だったんだけどな」

「……性格、変わったの？」

「いや、まあ、変わったってほどじゃないけど……でも、まあ、やっぱり変わるよな、がんばらなきゃいけないんだから」

お父さんは「ダイコクバシラなんだもんなあ」と笑った。イヤミを言ってるわけじゃなさそうだったので、ぼくも笑い返す。

「圭祐、アイス溶けちゃうから早く食べろ」

「うん……」

「アメリカンドッグ、一本じゃもう足りないかな」

「そんなでもないけど」

「でも、大きくなったんだもんな、圭祐」

ふーう、とお父さんはまた息をついて、ぽつりと言った。

「お母さん、再婚しないのかなあ……」

「しないと思うよ。お母さん、いまがいちばんジュージツしてるって言ってるもん」

つい、関係ないひとにきかれたときのように、軽く答えた。でも、よく考えてみたら、お父さんはお母さんと「ちょー関係あり」のひと、なんだ。で、もっとよく考えてみたら、お父さんがお母さんの再婚のことを尋ねるのは、これが初めてだった。

いきなり、なんで――？

お父さんの顔を覗《のぞ》き込んだ。一瞬、目が合いそうになったけど、お父さんはちょっと不自然なしぐさで横を向いた。

「お父さんは、お母さんが再婚したほうがいいと思う？」とぼくはきいた。

お父さんは「うーん」と少し考えてから、「まあ、それはお母さんの自由だからな、お父さんが言うようなことじゃないんだけど……」と答え、「圭祐はどうなんだ？」と話をこっちに振ってきた。

ここで「再婚したほうがいい」なんて答えると、お父さんが傷ついてしまいそうな気がした。

ぜーんぜん、と首を横に振りかけた、そのとき――胸がドキッとした。

もしかして。

万が一だけど、もしかして。

お父さんはお母さんと再婚したいんじゃないだろうか。「ヨリを戻す」っていうんだっけ、そういうの。

そっとお父さんの顔を覗き込むと、今度はちゃんと目が合った。お父さんは笑顔のまま、「大きくなったよなあ、ほんと」と、またぼくの頭を撫《な》でた。

4

芦沢組がトモに逆襲したのは、次の週の水曜日だった。

午後の授業は運動会の予行練習になっていて、ぼくたちはふだんの体育の授業では使わない紅白帽をかぶって、昼休みにグラウンドに集合した。その帽子に、芦沢組は目をつけたのだ。

トモの帽子は、苗字《みょうじ》が書き直されていた。それも、〈伊藤〉を黒のサインペンでぐちゃぐちゃに塗りつぶして、その横に〈山野〉と書いてあった。布で隠す余裕がなかったのかもしれない。お母さんが名前を書き直すのを忘れていて、今朝になってあわててそれに気づいて塗りつぶしたのかも、しれない。

「落書きすんなっての！」「きったねー！」と芦沢組の連中が帽子を指差して大声で言った。ふだんのトモならぜったいにシカトなのに、あいつ、遠くから見てもわかるくらい顔を真っ赤にして、帽子を脱いだ。

でも、芦沢組は、帽子の汚れだけを狙《ねら》ったわけじゃなかった。

「あのさー、こないだ団地の友だちに聞いたんだけどー」

芦沢みどりが、にやにや笑いながら子分に言った。わざとゆっくり、大きな声で。

「団地にさー、バツイチのおばさんとガキが引っ越してきたんだってー。そしたらさー、なーんか知んないけど、団地で自転車とかしょっちゅう盗まれるようになったんだってー」

トモは顔を真っ赤にしたまま、動かない。

「あとさー、夜中に酔っぱらいのオヤジが来てさー、大声でわめくんだってー。帰ってきてくれー、もう一度やり直させてくれー、って。泣きながら土下座するんだってー。ちょーマジ近所めーわくだよねー」

トモはなにも言い返さない。

「それでさー、そのオヤジの名前、あたし知ってるわけなのねー。で、バツイチのガキって、偽名使ってるかもしれないじゃん？　ちょっとさー、確かめてみたいわけー」

芦沢の目配せを受けた子分たちが、トモの後ろにまわって、紅白帽を奪い取った。トモは無抵抗だった。奪い返そうともしなかった。悔しそうに……違う、悲しそうに、顔を真っ赤にしたまま足元を見つめていた。

芦沢を中心に、子分たちが集まった。サインペンで塗りつぶしたところを透かして、

「なんて書いてある？　読める？」と騒ぐ。ぼくのそばにいた市川が「女子、怖えーっ」とおどけて身震いして、「なっ？」と笑いかけてきた。ぼくは笑わない。笑えない。トモをじっと見つめて、なにかしてやらなくちゃと思っているのに、動けない。それが悔しくて、自分が嫌になって、芦沢は怖いけど、怖いけど、怖いけど、怖いけど……。

「ねえ、これ、にんべんだよね。右側、なんて書いてある？」

芦沢の声が耳に突き刺さった――その瞬間、ぼくは怒鳴っていた。

「いーかげんにしろよ！　バカ！」

声を追いかけるみたいに、体が勝手に芦沢組のほうにダッシュした。子分たちは悲鳴をあげながら脇《わき》にどいたけど、ラッキー、芦沢だけ逃げ遅れた。勝手に腕が伸びた。勝手に芦沢の手から紅白帽をむしり取った。不意をつかれた芦沢がボーゼンとしているうちにダッシュで逃げて、トモに帽子を放った。トモはびっくりした顔だったけど、ナイスキャッチしてくれた。

「なにすんだよ、てめえ！　シメるぞ！」と芦沢がオトコみたいな迫力で怒鳴った。「関係ないじゃんよ、田中」「調子くれてんじゃねーっての」「マジムカ、こいつー」と子分たちにも文句をつけられた。

でも、ぼくは逃げない。芦沢組とトモの間に立って、黙って芦沢組をにらみつけた。

やがて芦沢たちはぼくから目をそらし、「なんなの？　こいつ」「わけわかんねーっ」

「キレてんじゃねーっての」と向こうに歩きだした。

その背中に、トモが言った。

「あたし、『伊藤』っていう苗字だったの。それでいい？」

つづけて、もう一言。

「お父さんね、オンナができて離婚したんだから、ウチに来るわけないの。バカなんじゃない？　団地の友だちって」

芦沢組は歩きながら互いに目配せして、くすくす笑って、でもトモのほうを振り向く勇気はないんだろう、笑い顔はすぐにしぼんで、みんな早歩きになって、最後はダッシュで、逃げた。

トモは紅白帽をかぶり直した。深くかぶって、ツバをぎゅっと下げて、ぼくに近づいて「よけいなお世話」と言った。「はっきり言って、ぜんぜん気にしてなかったんだもん。紅白帽も新しいの買ってもらうつもりだったし」

キャラが戻った。でも、もうぼくはトモを強いオンナだなんて思わない。

「さっきのお父さんのこと、あれ、ハッタリだから。信じないでよ」

「うん……」

「そんな理由で離婚とかしたら、マジ、サイテーじゃん」

「……わかってる」

言おうか言うまいか迷っていたことを、約束だからやっぱり言っちゃおう、と決めた。

「オレ、こないだの日曜日にお父さんと会ったんだ」

「ほんと?」

「うん。半年に一度会うんだけど、なんか、けっこう難しいんだよね、付き合い方」

「どんなふうに?」

答えようとしたとき、校内放送のチャイムが鳴って、「全校生徒、運動会の色別に整列してください」と放送委員の声がグラウンドに響いた。

「じゃあ、帰りに教えて」とトモは言った。うなずくぼくに、「田中くんとツーショットだと、クラくなっちゃうから嫌だったんだけど」と笑う。

違うだろ、とぼくは心の中で言い返した。オレとツーショットだと、もともとのキャラに戻っちゃうからだろ。

ぼくは強いオンナが苦手、とにかく、そういうキャラだ。でも、生まれつき強いオンナと無理して強くなってるオンナとの区別ぐらいは、もう、つく。

トモはぼくの話を聞き終えると、「それ、マジに決まりじゃない?」と声をはずませた。「お父さん、お母さんと再婚したいんだと思うよ、ぜったい」

「まあ、確かめたわけじゃないんだけどさ……」

「やったじゃーん、田中くん」

トモはすごくうれしそうだった。ランドセルをガチャガチャ鳴らしながら、その場で軽く跳びはねたほど。

「なんで駅で別れたの？　マンションまで送ってもらえばよかったんじゃん、お父さんとお母さん会わせて一気に話を進めたほうがいいのに」

「なに言ってんだよ」

「でもさあ、どうだった？　お父さん、帰るときにちょっと寂しそうな顔してなかった？」

「……してた、かもしれない」

「ほら、やっぱり家まで送っていきたかったんだってば」

「勝手に決めんなっての」

「だってわかるもん、それくらい」

きっぱりと言う。「だってさあ、離婚しちゃっても、一度は結婚してたんだから、百パーセント嫌いってわけじゃないでしょ。離婚して何年？　七年？　七年もたったら後悔とかしてるかもしれないじゃん、離婚したこと」と一気につづけ、「お母さんだって同じだってば」と、また勝手に決める。

言い返したいことはたくさんあったけど、ぼくは黙ってトモの話を聞いた。

「そーゆーところ、男子って気が利《き》かないんだよね。あたしだったら、ぜったいに会わせるもん、お父さんとお母さん。田中くんだってお父さんとお母さんが結婚し直したほうがいいでしょ？　だったら、会わせて、泣けばよかったんだよ。ボク、昔みたいに三人で暮らしたいよお、うえーん、って」

トモはわざわざ立ち止まり、両手を目元にあてて泣きまねをした。

「うえーん、うえーん、いっしょに住みたいよお、寂しかったんだよお、うえーん、うえーん……」

けっこう、しつこい。

後ろを歩いていた六年生のグループが、ぼくたちを追い越すときにじろじろ見た。四年生の別のクラスの女子にも、追い越された。芦沢組の縄張りは学年ぜんたいに広がっているから、あの子にも、ぼくとトモが四年三組で「夫婦」と呼ばれたことはもう伝わっているのかもしれない。

「夫婦、夫婦、ふーふ、ふーふ、あっつあっつ！」――芦沢組の奴らはくだらないことを言って、みんなで笑って、それで仕返しをしたつもりになっている。ぼくは強いオンナは苦手だけど、みんなで集まらないとなにもできない奴は、オトコでもオンナでも大っ嫌いだ。

それにしても、トモはしつこい。

「うえーん、うえーん、やっぱり家族みんなのほうがいいよお、ボク、お父さんとお母さんがいっしょのほうがいいよお、うえーん、うえーん……」

いーかげんにしろよ、と止めようとした。

でも、できなかった。トモの声はカンペキにふざけた泣きまねだったけど、手で隠した目にはほんものの涙が浮かんでいた。


ぼくは決めた。ベテランのぼくんちがお父さんとお母さんのヨリを戻すことができたなら、離婚ホヤホヤのトモんちだって、ウチと同じようになる可能性はある。希望の光が射《さ》し込むってやつだ。だから、決めた。お父さんとお母さんのヨリを戻してやる。

トモのためだけじゃない。ぼくだって、お父さんとお母さんがまた夫婦に戻ってくれたら、それは、なんていうか、奇跡っていうか、夢みたいっていうか、めっちゃすごいことだと思う。

「作戦立てなきゃね」とトモは言った。涙の名残で目が真っ赤だったけど、ぼくは気づかないふりをした。トモもたぶん、ぼくにそれを気づかれていないふりをしているはずだから。

「運動会がチャンスだよな」とぼくは言った。

「そうだね、あたしもそう思う」とトモは大きくうなずいた。

「がんばるから、マジ」

「田中くんが仲人なんだからね、気合い入れて」

「……息子が仲人《なこうど》って、なんかヘンだけどさ」

「結婚して子どもまで産んだくせに離婚しちゃうほうがヘンなんだもん、しょーがないよ」


そして、トモは、ぼくの知らなかった言葉を教えてくれた。

「あたしんちとか田中くんちとかって、ケッソン家庭なんだって」

漢字で書くと――欠損。

「母子家庭っていうんじゃないの？」

「欠損家庭に含まれるんだって、母子家庭も。あと、お父さんしかいない父子家庭とかも。で、欠損ってのは、欠けてるっていうか壊れてるっていうか、そーゆー意味なの」

「……そうなんだ」

「なんか、むかつかない？」

「うん、むかつく」

「でも、欠けてるより元通りのほうが幸せだもんね、やっぱ」

ぼくは黙ってうなずいた。トモの言うとおり元通りのほうがほんとうに幸せかどうかはわからなかったし、そう考えてしまうと、なんだか「欠損」を自分で認めているような気もしたけど、とにかくいまは、お父さんとお母さんのヨリを戻すことだけを考えるしかない。

5

お父さんの会社に電話をかけて「一人でお弁当食べるのって嫌だもん、お願い」と頼んでみた。お父さんは「お母さんも運動会の日まで仕事しなくたっていいのになあ、日曜日だろ、だいいち」と少し不服そうに、でもすぐに「圭祐の運動会に行くのなんて初めてだな」と笑ってOKしてくれた。

電話を切ったあと、悪者にしちゃってごめんね、とお母さんに謝った。お母さんは、仕事がどんなに忙しくてもぼくの運動会を見に来ないようなひとじゃない。幼稚園の頃の親子遠足も、授業参観も、隅っこで歌うだけの合唱大会まで、仕事をやりくりして来てくれた。前の晩が徹夜だったこともある。合唱大会のときは、お母さんが居眠りしちゃうんじゃないかと心配で心配で、歌なんてろくすっぽ歌えなかった。

今度の運動会だって、クマのできた目をしょぼつかせながら「だーいじょうぶよ、ちゃんとそれを考えて段取り立ててるんだから」と言っていた。「金曜日の夕方にフィニッシュだから、滑り込みセーフ」

金曜日に仕事が終われば、土曜日はぐーっすり眠って、日曜日の運動会は体調万全ってことになる。

「お弁当なにがいい？」ときかれて、「なんでもいいけど、ちょっと多めにつくって」と答えた。

三人分になるんだから――心の中で付け加えた。

準備は整った。金曜日の夕方、お父さんに電話で確認すると、「心配するなって、ぜーったいに行ってやるから」と力強い声で言われた。「親子競技なんてのはないのか？あるんだったら遠慮しなくていいんだぞ、お父さん、出るからな」とも。

嘘《うそ》をついていることが、ちょっとだけ、痛い。

でも、トモは「だいじょうぶだってば」と自信たっぷりに言う。「嘘は嘘でも、これはいいほうの嘘なんだもん。お父さんを困らせるんじゃなくて助けてあげるんだから、あとでぜったいに感謝してもらえるよ」

トモはこの計画にぼく以上に張り切っていて、親子競技の話をしたときには、「そうだよ、それがお父さんってもんだよね」と、泣いちゃうんじゃないかと思うほど顔をくしゃくしゃにして喜んでくれた。トモのそんな笑顔を見ていると、ぼくは、なんていうか、その、だから、要するに……こいつ、めっちゃかわいい奴《やつ》だよな、と思う。

トモのお父さんは運動会には来ない。二駅先のショッピングセンターの食品売り場で働いているお母さんも、まだ新入りだから、忙しい日曜日に休みをとるのは難しいらしい。でも、あいつ、先生が『朝の会』で「お父さんやお母さんが都合で来られないひとは、いますか？　そういうひとは先生といっしょにお弁当を食べますから、前もって教えてください」と言ったとき、知らん顔をしていた。

「とにかく、一発勝負なんだからね。田中くん、嘘泣きの練習しときなよ」

ぼくがうまく泣けるかどうかで、すべてが決まるんだという。そんなこと言われても困るけど、トモは本気だ。お尻《しり》をつねったらいいとか目薬をこっそりさせばいいとか、いろいろと作戦を立てて、ぼくが嫌がると、こんな一言――。

「あたし、泣かなかったのね。まさかほんとに離婚しちゃうと思わなかったから、けっこうクールに、どっちでもいいよ、なんてね。それ、いま、すごく後悔してる。あたしが本気で泣いてたら、万が一だけど、離婚しなかったかもしれないじゃん。だから、死ぬほど後悔してるの」

嘘泣きの練習、するしかない。

金曜日の夜、晩ごはんまでに帰ると言っていたお母さんから、二度、「ごめん、ちょっと遅くなる」という電話が入った。くわしい話はきかなかったけど、電話の向こうのざわめきで、会社がすごく忙しそうなのは伝わった。

　一人で晩ごはんをすませるとお風呂《ふろ》に入り、そのあとお湯を抜いてお風呂掃除をした。バスタブだけじゃなく、タイルの目地もブラシでこすって黒カビを落とした。特別サービスだ。

　でも、十時前に帰ってきたお母さんは「今夜はお風呂はパス」と言って、着替えもそこそこにダイニングテーブルにノートパソコンを広げた。

「仕事、まだあるの？」

　驚いてきくと、「そうなのよ、もう、まいっちゃったぁ」とため息交じりに言う。「ほんとだったら、いまごろ打ち上げでビール飲んでるはずなのにね」

　トラブル、発生――。

「明日も昼から会社に出なくちゃいけないし、ヘタすれば週末アウトだなあ、もう、ほんとに」

「週末って、日曜日も？」

「うん……」とパソコンの画面を見たままうなずきかけたお母さんは、あ、そうかそうか、というふうに顔を上げて笑った。

「だいじょうぶよ、運動会はちゃんと行くから」

　ほっとした。作戦のことなんて抜きで「あー、よかったぁ」と笑い返すと、涙が出そうになった。

「でも、応援に行くの、かけっこだけでいい？　あとは、ごめん、パスさせて」

両手で拝まれた。

「……お昼ごはんは？」

「かけっこのすぐ前だったよね、だいじょうぶ、それは」

お母さんは「だいじょうぶだいじょうぶ」と、ぼくにというよりお母さん自身に言い聞かせるように繰り返した。

「お弁当、コンビニのでいいから」とぼくは言った。

お母さんはくすっと笑って、「ありがと、ごめんね」と言ってくれた。

土曜日の夜になっても、お母さんの仕事のトラブルは解決しなかった。運動会に備えて早寝したぼくが夜中の一時過ぎにトイレで起きたときも、お母さんはダイニングテーブルで仕事をしていた。ノートパソコンの横には栄養ドリンクの空き瓶が置いてある。

おしっこをしていたら、ケータイの着信音が聞こえた。ぼくは水洗レバーを〈大〉のほうに倒した。勢いよく流れる水の音に負けずに、「だいじょうぶです、がんばります」とお母さんの声が耳に届いた。

いったん自分の部屋に戻って布団《ふとん》を頭からかぶったけど、目がさえて、なかなか眠れない。楽しいことを考えようとして、明日のお昼、学校のグラウンドでお父さんとお母さんが出会う光景を想像した。

びっくりするだろうな、二人とも。お父さんは照れるかもしれない。もし再婚の話を切りだせないようなら、ぼくが仕切るしかない。サッカーでいうなら司令塔だ。お母さんはどう答えるだろう。お母さんは、ぼくにも、電話をかけてくる友だちにも、お父さんの悪口は一度も言っていない。嫌いなわけじゃないんだと思う。そりゃそうだ、昔は愛し合って、結婚した二人なんだから。お父さんは一人暮らしで寂しいだろうし、お母さんだって仕事が忙しすぎるし、再婚すれば、そういうことぜんぶ解決するはずなのに……。

ベッドから下りて、ダイニングに向かった。ちょうど温かいウコン茶をいれたところだったお母さんは、部屋のまぶしさに目をしょぼつかせるぼくを見て、「明日が楽しみで眠れないんでしょ」と笑った。「お湯が沸いてるから、ココアでもいれてあげようか?」

「……仕事、まだ終わらないの?」

「徹夜かもね、今夜。とにかく月曜の朝イチに仕上げてないと、いままでがんばってきたことがぜんぶダメになっちゃうから。ね、ココアどうする?」

ぼくは黙って首を横に振り、テーブルの向かい側に座った。

「早く寝ないと、明日、具合悪くなっちゃうわよ」

お母さんの目は、もうパソコンの画面に戻っていた。そのほうがいい。まっすぐ見つめられたら、ぼくはそっぽを向いて話さなくちゃいけない。

「ねえ、お母さん。仕事って大変じゃない？」

「大変だけど……」お母さんはマウスを動かしながら言う。「仕事だからね」

「専業主婦と、どっちがいい？」

お母さんは笑うだけでなにも答えない。

「お父さんがいた頃よりも、いまのほうが、お母さんはいいの？」

お母さんはマウスをクリックして、「早く寝ないと、明日ほんとに起きられないわよ」と笑顔のまま軽く言った。

「ねえ、お父さんとお母さんって、なんで離婚しちゃったの？」

少し間をおいて、お母さんは「んんー？」と尻上がりに喉《のど》を鳴らした。答えのつもりだったのかどうか、わからない。

「性格のフイッチだったの？」

「……ごめん、圭祐。いまね、ややこしいところなの。話しかけないで、気が散っちゃうから」

「性格が違うと、やっぱりダメなの？」

「そんなことないでしょ、圭祐だって、性格は正反対なのに市川くんと仲いいじゃない」

「正反対とフイッチって、同じ？」

返事はなかった。お母さんは眉間《みけん》に皺《しわ》を寄せてパソコンの画面をにらんでいた。

「性格のフイッチって、どっちが悪いの？」

お母さんはキーボードを叩《たた》く。「どっちも悪くないから、フイッチって言うの」と早口に言ってキーボードから指を離し、腕組みをして画面を見つめ、「いいからもう寝なさい」と少し強い声で言った。

ぼくは黙って立ち上がる。「おやすみなさい」を言わずにダイニングを出て、また布団にもぐりこんで、嘘泣きの練習をした。お尻をつねらなくても、真夜中に一人で仕事をするお母さんの姿を思い浮かべれば、うまく泣けた。

朝になっても、お母さんはまだ起きて仕事をしていた。栄養ドリンクの空き瓶は三本に増えて、お母さんは赤く充血した目で「おはよう」と言った。

「お昼休みにお弁当持っていくから。ちょっと遅れるかもしれないけど、ぜったいに行くから、四年三組の席で待っててね」

来なくていいから、少しでも寝てれば――言いたかったけど、言えなかった。

空はからりと晴れ上がった、絶好の運動会日和《びより》だった。お父さんとお母さんがやり直すのにもぴったりの快晴なのに、青い空を見上げていると、なんだかじんわりと悲しくなってきた。

6

午前中の競技が終わって昼休みに入ると、トモに「がんばってね」と声をかけられた。できればそばにいてほしいぼくの気持ちを見抜いて「家族三人水入らずじゃないと意味ないんだからねっ」と怒るように言って、そのままダッシュで児童席を出ていく。

あいつ、やっぱりお母さんは来てくれなかったんだろうか。ひとりぼっちでお弁当を食べるんだろうか。もしも話がソッコーで決まったら、すぐにトモを探しに行こう。いっしょにごはんを食べながら、今度はトモの両親にヨリを戻させる作戦を立ててやろう。

そんなことを考えながら児童席でしばらく待っていたら、約束どおりお父さんがやって来た。

「あれ？　圭祐、弁当は？」

手ぶらのぼくを見て、けげんそうにきく。その反応は予想どおり。「うん、まあ、ちょっと」とごまかすのもリハーサル済みだ。

「忘れちゃったのか？　持ってくるの」

「ううん、そういうわけじゃないんだけど……ちょっとね、事情が変わっちゃって」

遠くに、お母さんの姿が見えた。ぼくたちに気づいた様子はない。いいぞ、最高のタイミングだ。

「でも、弁当ないんだろ？　どうするんだ？」

「あるの」

「……はあ？」

少しずつお母さんが近づいてくる。まだ気づいていない。トートバッグとコンビニの袋を提げて、眠たそうなあくびを、ひとつ。

お父さんは「なんなんだ？」と首をひねる。うふふっ、とぼくは笑って、両手を振りながらジャンプ――。

「お母さん！　こっち！」

驚いた顔で後ろを向いたお父さんの肩が、ビクッと揺れた。お母さんも、嘘でしょう？　というふうに足を止める。

「お父さん、行こっ」

手をとってひっぱった。

でも、お父さんはその場から動かなかった。お母さんも立ち止まったまま、小さくおじぎをした。まるで、ご近所のおじさんにあいさつするように。

グラウンドの隅にレジャーシートを敷いて、三人でコンビニのおにぎりを食べた。家族全員そろうのって、何年ぶりになるんだろう。最後に出かけたのは森林公園だった。記憶に残っているわけじゃなくて、アルバムに貼《は》った写真の、お父さんが写っている最後の一枚がそこで撮ったやつだったから。

森林公園に出かけたのは、写真の日付からすると、離婚の一カ月前だった。写真の中のお父さんやお母さんはふつうに笑っているけど、心の中はどうだったんだろう。

いまは——二人はほとんどしゃべらないし、目も合わさない。そのくせ、ときどきぼくを見るときの、怒ってるような悲しんでるようなフクザツな表情は、二人とも同じ。

おにぎりの味がほとんどしない。ペットボトルのお茶をいくら飲んでも、喉の奥にごはんが詰まったような窮屈さは消えない。

タイミングを逃《のが》した。ほんとうはすぐ再婚の話を切りだすつもりだったのに、二人のこわばった顔を見ていたらなにも言えなくなって、でも、このまま黙っていたら、雰囲気はますます悪くなりそうだった。一発逆転を狙《ねら》うしかない。

口に残ったおにぎりをお茶で喉に流し込んで、気まずさなんてぜんぜんわからないドンカンなガキっぽく、無邪気に、明るく、元気いっぱいに、ぼくは言った。

「あのさあ、お母さん、いいこと教えてあげる」

お母さんが振り向いた。

「お父さんって、お母さんが再婚するのかしないのか、すっごく気になってるんだって」

お母さんは、目を一回り大きくした。

すぐにお父さんに向き直って、ぼくは言う。笑って、笑って、はしゃいで、ガキっぽく。

「ねえねえ、お父さん、なんでそんなこと気になっちゃうわけ？」

ほら、目配せしたのに。カンが悪い、お父さんは。ぎょっとした顔になるだけで、そこから先のことをなにも言わない。

「関係ないんだったら、どうでもいいじゃん？　でも、気になるわけじゃん？　なーんで、だろうね」

お母さんをちらりと見た。困ったように、かすかに笑っていた。お父さんはまだ黙っている。振り向いて、目が合うと、黙ったまま笑った。

なんか違う。こんな静かな、ギャグがすべったときのような沈黙って、違う。

お父さんとお母さんの視線に挟まれて、ぼくはどうしていいかわからなくなって、レジャーシートから外に、後ろ向きのでんぐり返しをした。空と地面が入れ替わって、ぐるっと回って、体が元に戻るのと同時に、とびっきりの笑顔を浮かべた。

「お父さん、もう一回お母さんにプロポーズしちゃえば？」

言った。言えた。リハーサルどおり、ばっちり。お母さんは顔を真っ赤にして、お父さんも照れくさそうに、でも二人ともうれしそうに見つめ合う――はずだったのに。二人とも、黙ってぼくを見た。怒っているように。悲しんでいるように。そして、「ごめん」と謝っているように。

空気が瞬間冷凍された。そのまま、しばらく、だれも動かなかった。

凍った空気に、ひび割れが走る。お母さんのケータイの着信音だ。

お母さんは電話に応対しながらスニーカーをつっかけて、ぼくたちから遠ざかっていった。

レジャーシートに座ったままのお父さんは、お茶を一口飲んで、ぼくにふふっと笑いかけた。さっきよりずっと自然だったけど、そのぶん、さびしそうな笑顔だった。

ぼくは食べかけのおにぎりを頬張った。梅干しのすっぱさが、舌よりも目にしみる。

「がんばってるんだな、お母さん。忙しそうだけど、すごく幸せそうだよ」

「……うん」

「圭祐がいるからがんばれるんだよなあ」

そんなこと言われたって、知らない。

お母さんの姿を目で探した。お母さんはぼくたちに背中を向けて、ケータイを顎《あご》と肩で挟んで話しながらメモをとっていた。

お父さんの大きなてのひらが、ぼくの頭に載った。

「お母さんのこと、頼むぞ、圭祐」

ごしごしとこするように頭をなでる。てのひらは意外と重い。自然とうつむいてしまう。こっち見なくていいんだぞ、下を向いていていいんだぞ、と言ってくれているような気がした。

「お父さん、来月再婚するんだ」

「……ほんと？」

「ああ。相手は圭祐の知らないひとだけどな」

お父さんはぼくの頭からてのひらをはずし、「でも、圭祐がお父さんの息子だっていうことは、これからも変わらないから」と付け加えた。

あたりまえじゃん、そんなの。ぼくのお父さんは一生お父さんで、お母さんは一生お母さんで、でも、お父さんとお母さんは夫婦じゃない。もう、これから一生。

ぼくは黙って立ち上がり、ズックをはくと同時にダッシュした。

カン違い、すげーバカ、オレ。嘘泣きするのを忘れたことに気づいた。最後の必殺技を使いそこねた。でも、いま、本気で泣いてしまいそうだから、忘れたことを忘れることにした。

広いグラウンドを半周したところでトモを見つけた。あいつ、バスケットボールのゴール下に座って、パンを食べていた。やっぱり、ひとりぼっちだった。

ぼくに気づいたトモは、「どうだった?」ときいた。ぼくは両手でバッテンをつくって、トモの隣に腰を下ろした。

「とーちゃん、別のオンナと再婚するんだって。バカだよなあ、オレ、マジ、ちょーバカ」

トモはなにも言わなかった。ぼくもそれ以上くわしいことは説明せず、あーあ、と肩から力を抜いた。

ぼくたちのまわりは家族連ればかりだった。レジャーシートの上に座るだけでなく、キャンプ用の折り畳みテーブルセットにパラソルまで付けている一家もいる。みんな、にこにこ笑っている。おしゃべりして、お弁当を食べて、ジュースを飲んで、我が家がそっくりグラウンドに引っ越してきたみたいだ。

トモは紙パックのコーヒー牛乳をストローですすって、「思いどおりにならないね」と言った。

「でも……オレんちはダメだったけど、トモのときはうまくいくかもしれないし……」

「だといいけどね」

あまり期待していない言い方だった。でも、悲しんだりさびしがったりしているようには聞こえなかった。

「ね、あそこ、芦沢さんがいるよ」

トモが顎をしゃくった先に、芦沢みどりの一家がいた。お父さんにお母さんにおじいちゃんにおばあちゃんに弟に妹。にぎやかにお弁当を食べていたけど、にぎやかすぎてけっこう疲れそうだな、と思った。トモも同じことを思っていたみたいで、「家族が足りないのも大変だけど、多すぎるのもアレだよね」と笑った。

「あのさ、『欠損』の反対って、なに？」

「さあ……」

「欠損家庭っての、オレほんと、むかつくけど」

「しょうがないじゃん、一人たりないんだもん。そんなのいちいち気にしてたら、やってけないって」

このまえと逆のことを言う。離婚ホヤホヤのくせに、ベテランにすぐお説教したがる。生意気な奴《やつ》。やっぱりぼくの苦手なタイプだ。性格のフイッチ――になるのかな、ぼくたちも。でも、トモとぼくの性格のフイッチは、なんとなくうまくやっていけそうな気がするし、こんなこと想像すると恥ずかしくなるけど、ぼくはもしも、万々が一の、ちょー奇跡のもしも、トモと結婚したら、ぜったいに離婚しないと思う。

トモはコンビニの袋から出した新しいジャムパンを半分にちぎって、大きいほうを黙って差しだした。ぼくも黙ってそれを受け取った。一口かじると、イチゴジャムの甘くてすっぱい味が、口の中いっぱいに広がった。

午後の最初の競技は、ぼくたち四年生の徒競走だった。体育座りをしてスタートの順番を待っていたら、すぐあとの組で走るトモが背中をつついてきた。

「ねえ、田中くん、あそこにいるのってお父さんでしょ」

スタートラインのすぐ横の観客席にお父さんがいた。

「なんでわかったの？」

「だって、田中くんと似てるじゃん」

「……そうかなあ」

「で、あそこにいるの、お母さんでしょ」

ほんとだ。お母さんがいる。お父さんから少し離れた場所で、バッグからビデオカメラを取り出しているところだった。

「田中くんって、お母さんにも似てるよ」

トモはそう言って、Vサインをつくった。「サンキュー」とお礼を言ったら、「でも、田中くんは田中くんなんだからね」と急に不機嫌っぽく唇をとがらせて、自分の列に戻っていった。

ぼくの順番が来た。スタートラインに立つと、お母さんが「がんばれーっ」と声をかけてくれた。お父さんも、照れ笑いを浮かべて胸の前で小さく手を振った。

性格はフイッチの二人なのに、ぼくを応援するのはイッチしている。それでいい、のかな。よくわからないけど、ぼくはお父さんとお母さんの息子で、二人のことが大好きで、でもやっぱりトモの言うとおり、ぼくはぼく、なんだろう。

「位置について」とスターターの先生がピストルを空に向けてかまえた。

クラウチングスタートの姿勢をとった。予行練習では三着が最高だったけど、がんばる、お父さんとお母さんの前で、一着でゴールしてやる。

「よーい……」

ピストルの音がグラウンドに響きわたった。

小さき者へ

俊介《しゅんすけ》へ。

今夜は、嬉《うれ》しいニュースをお母さんから聞いた。

会社から帰ってきて、お母さんの話す昼間の報告に「へえ、そうだったのか」と笑うなんて、ずいぶんひさしぶりだった。お母さんには「笑いごとじゃないでしょ」と言われ、それはまあ、確かにそうだけど、嬉しかったんだ、なぜかむしょうに。

昔なら——おまえがまだ小学生の頃なら、子ども部屋にそっと入って、どうせ掛け布《ぶ》団《とん》をベッドから落としているはずのおまえの寝顔を、にやにや笑いながら、飽きずに見つめているところだ。

いや、ほんとうは(この手紙で嘘《うそ》をつくのはやめよう)、リビングからおまえの部屋に向かいかけた。十一時過ぎ。おまえ、まだ起きてたんじゃないか?

でも、お母さんに止められた。よけいなことはしないほうがいいから、とお母さんは言った。真剣な、泣きだしそうな顔で。

いつもの夜なら、ここからしばらく、沈んだ声でお母さんと話すことになる。お母さんは今日一日のおまえの様子を伝え、もう限界だと涙ぐみながら訴えて、おまえよりもむしろお父さんを責める言葉を並べ立てるだろう。

あなたにはなにもわかっていない、あなたはなにもしてくれない、あなたはいつも逃げている、あなたはいつも俊介をわたしに押しつける……。

たまに、なにかしようとすれば「よけいなこと」だ。うまくいかないな、どうにも。

結局、おまえの部屋に行くのはやめた。確かにそれは「よけいなこと」かもしれないと思ったし、おまえは今日もひどく不機嫌だったらしいし、今夜は——せめて今夜ぐらいは、ささやかな喜びにひたっていたい。

冷蔵庫からマグナムドライを取り出した。大きいほうの缶。お母さんが起きているうちに一本、ひとりきりのダイニングテーブルでもう一本空《から》にして、いま、ウイスキーの水割りをつくったところだ。

ちょっと酔った。ノートパソコンを開いて、渡すあてのない手紙を書く気になったのも、酔った勢いというやつだ。

なあ、俊介。

もう九月も終わりだ。夏休み前からお父さんやお母さんとろくすっぽ口をきいていないおまえが、ＣＤショップに出かけてビートルズを買ってきた。いつもはヒップホップばかり（お父さんには、どこがいいのかさっぱりわからないけど）聴いているおまえが、ビートルズを買った。

友だちに勧められたのか？　テレビや雑誌で知って興味を持ったのか？　インターネットか？　お母さんは万引きを心配していたけど、それは……だいじょうぶ、だよな？

音楽にあまり詳しくないお母さんは、ちらりと見ただけのジャケットのデザインを「横断歩道を行進して渡ってるの」と説明した。

お父さんにはすぐにわかった。わかるさ、それくらい。

『アビー・ロード』だ。一九六九年リリース、ビートルズが最後にレコーディングしたアルバム。名盤中の名盤と呼ばれている。特に、レコードでいうならB面のメドレーが絶品だ。

「どんな曲が入ってるの？」とお母さんはしきりに気にしていた。そういうところから、いまのおまえのいらだちの原因や解決策のヒントが見つかるんじゃないか、と。藁《わら》にもすがる思いなのだろう。わかってやってくれ。お母さんも疲れてるんだ。

逆に、お父さんはのんきすぎるのかもしれない。「いきなり『アビー・ロード』なんて生意気だよな」と思わず笑って、お母さんを怒らせてしまった。

それでも、お父さんは嬉しいんだ。

やっと、おまえといろんな話ができるんじゃないか、と思ってるんだ。

子どもの頃とは違う、いろんな話を。

お父さんが初めてビートルズを聴いたのは、いまのおまえと同じ歳《とし》——十四歳、中学二年生のときだった。

その偶然が嬉しくてたまらない。

すがるなよ、とおまえは吐き捨てるだろうか。


パソコンのディスプレイから顔を上げると、おまえがいつも座っている席が見える。お父さんとお母さんは並んで座って、おまえと向き合う。カウンセラーは、その座り方がよくないいんだとお母さんに言ったらしい。

「これじゃあ毎日毎日、面接か取り調べを受けてるようなものじゃないですか」

テーブルの傷が、ペンダントライトのオレンジ色の光を弾《はじ》いている。表面がへこんだだけだと思っていたが、よく見ると、傷は塗装された部分を突き抜けて、天板《てんばん》の芯《しん》（でいいのかな）まで達していた。覚えているか。先月、おまえが夕食時にフォークを突き立てた傷だ。不意に、だった。思いきり、だった。

お母さんはその夜を最後に、ナイフやフォークを使って食べる料理をつくらなくなった。おかげで、おまえは大好物のハンバーグを食べられなくなったけれど、わかってやってくれ、お母さんの気持ちも。

お母さんは言っていた。「あなたがいなかったのだけが救いよ」。自分に言い聞かせるように、ゆっくりと、もう一言――「もしもあなたがいたら、俊介、フォークをあなたに向けてたかもしれない」

お母さんは中学生による殺人事件や家庭内暴力のニュースを見たり聞いたりするたびに、ひどい社会になってしまった、こんなに狂った時代になってしまった、と悲しむ。でも、お父さんは思うのだ。時代や社会のせいにしてしまうのは、ずるいかもしれない。

これは我が家の問題で、お父さんとお母さんと俊介の問題で、だから評論家や学者やニュースキャスターに解決してもらうわけにはいかないのだ。

なあ、俊介。読んでくれるか。読んでほしい。

おまえはお父さんが二十五歳のときに生まれた。おまえがものごころついた頃には、お父さんはすでにおとなだった。

お父さんはおとなとして俊介に接してきた。父親として俊介を育ててきた。自分なりに、おとなとして、父親として、せいいっぱいおまえを育ててきたつもりだ。

間違っていた――とは言わない。

それでも、足りなかったところがあったんだろうな、といまは認めよう。

読んでくれ、俊介。お父さんにも十四歳だった頃はあるんだと、あたりまえのことだけど、気づいてくれ。

何日かかるかわからないけれど、お父さんはおまえに手紙を書こうと思う。長い手紙になりそうな気がする。

お父さんが初めてビートルズを聴いた頃の話だ。

お母さんにはまだ話したことはない。これからも話さないだろう。

男と男の、打ち明け話だ。

＊

俊介へ。

おまえはもう保健室以外の場所では笑えなくなった。安達先生が、お母さんにそう教えてくれた。

逃げている——そんな言葉も、先生はつかった。運動会を休んだのは仮病だと決めつけていた。でも、お父さんは知っている、脂汗《あぶらあせ》を流して「おなか痛い、痛い、痛い」と繰り返すおまえの顔は、絶対に嘘をついているような顔ではなかった。

いや、教室に座っているとおなかが痛くなることじたい、先生に言わせれば逃避なのだろう。

このままだとおまえは一生逃げっぱなしの人間になってしまう、らしい。

授業中の静かな校舎の、その中でもとりわけ静かな保健室のベッドで、おまえはなにを思っているのだろう。クレゾールのにおいを吸い込んで、保健室の先生には少しだけ素直に話して、けれど教室にいたくない理由は決して口にせず、俊介、おまえはほんとうに、いったいなにを思っているのだろう。

お父さんは今日も忙しかった。外回りと会議のスケジュールが目一杯立て込んで、昼ごはんを食べそこねた。

忙しいといっても、バブルの頃のような陣取りゲームをしているわけではない。シェア拡大や海外進出なんて、もう遠い昔の言葉のような気がする。九州と北陸の工場が閉鎖されたニュースは知っているか？　お父さんの会社は、そうとうヤバい状況になっている。いまの忙しさは、だから、たとえるなら、決壊しそうな堤防に土嚢《どのう》を積み上げる忙しさだ。

一昔前なら、まさかウチの会社がつぶれそうになるなんて、誰も――学者だろうが評論家だろうが政治家だろうが、とにかく誰も、夢にも思っていなかった。お父さんがまだ子どもの頃から、「大企業」「一流企業」として名の通っていた会社だ。就職が決まったときには、これで一生安定した生活が送れるだろう、と疑いもなく思っていた。

甘かった。

土嚢を積んでも積んでも川の水かさは増していく。といって、積みすぎると、堤防の地盤が重みに耐えきれずに崩れてしまう。いつまでも土嚢に頼ってはいられない。作業に夢中になって逃げ遅れてしまうかもしれない。

お父さんの同期入社の連中は、すでに何人も会社を去った。


このまえの手紙のつづきだ。

ビートルズの話を書く。

お父さんが十四歳の頃——一九七六年の話だ。


あの年の夏、ビートルズはとうに解散していた。ジョン・レノンは平和活動に一区切りつけて「主夫」業に専念していたんだっけ。ポール・マッカートニーはウイングスを結成し、ジョージ・ハリスンとリンゴ・スターはソロ・アーティストで活躍していた。

最初で最後の来日公演から、十年。マスコミはどうせ『ビートルズ来日十周年！　いま蘇《よみがえ》る伝説！』なんてぐあいに煽《あお》っていたのだろうけど、そんな大騒ぎも、本州の西端の田舎町に住む中学二年生（町で中学校は一つきりだった）までは届かない。なにしろ、ビートルズを知るまでのお父さんたちの「ロック」と言えば、笑うなよ、ベイ・シテイ・ローラーズとカーペンターズだったのだ。

　でも、田舎町というのは、刺激が少ないぶん、一度なにかに火が点《つ》くと広がるのも速い。ビートルズもそうだった。柔道部の広瀬が、親にステレオを買ってもらったとき、ついでにビートルズのＬＰレコードも買ってもらった――それが、あの年の夏から秋にかけて我が中学に吹き荒れた十年遅れのビートルズ旋風の、そもそもの始まりだったのだ。

　なに大袈裟《おおげさ》なこと言ってんだ、とおまえは笑うだろうか、俊介。昔話なんてサイテーだよ、と吐き捨てるだろうか。

　がまんして読んでくれ。

　なぜって、お父さんはいま思うのだ、俊介にもっともっとたくさん「昔」の話をしてやればよかったんじゃないか、と。

　私立中学を受験することを決めた小学五年生頃から、お父さんはおまえに「いま」と「将来」の話しかしなかった。

「ちゃんと勉強してるのか」が――「いま」。

「ここでがんばらないと、あとで困るのはおまえなんだぞ」が――「将来」。

　模試の成績に一喜一憂して、そのたびに「いま」が幸せになったり不幸せになったり、「将来」がバラ色になったり灰色になったりした。

ばかだったな。いま、つくづく思う。

正直に言おう。おまえが受験に失敗したとき、お父さんは、失望した。失望――望みを失う。ひどい言葉だ。

でも、お父さんは、いったいなにに失望したのだろう。

わからない。

いや、その前に、お父さんは、いったいなにを期待していたのだろう。一人息子が私立中学に入って、エスカレーター式に高校に進んで、その学校にふさわしいレベルの(かなり高いはずだよな)大学に進んで……それから……そこから……その先のことはなにひとつ見当がつかないのに、ただ、期待だけがあった。

俊介、おまえが小学四年生の終わりにクラス文集に書いた『将来の夢』は、「冒険家になってエベレストに登る」だったな。

学歴なんて関係のない夢だったんだな。

柔道部の広瀬が親父さんに買ってもらったのは、ビートルズのオリジナル・アルバムではなかった。

たしかその年にアメリカと日本だけで発売されたはずの企画盤『ロックンロール・ミュージック』――「ツイスト・アンド・シャウト」で始まって「ゲット・バック」で終

わる、ロックンロール・ナンバーだけを集めた二枚組だった。「イエスタデイ」「レット・イット・ビー」「ミッシェル」などの美しいバラードは当然入っていないし、「抱きしめたい」や「キャント・バイ・ミー・ラブ」といった軽快なシングルヒット曲もはずされた、言ってみればビートルズのハードな一面だけを強調したアルバムだったのだが、かえってそれがよかったのだろうか、広瀬から「ちょっとおまえら、これ聴いてみいや、ぶちすげえんじゃやけえ」と言われて新品のステレオの前に座った仲間たちは、みんな圧倒されてしまった。

カーペンターズの百万倍ぐらい騒がしい演奏、ベイ・シティ・ローラーズの百万倍ぐらい激しい歌い方。なにより、これが伝説のビートルズなんだ、という驚きと、喜びと、自分がちょっとおとなになったようなくすぐったさが、よかった。

いや……違うな。お父さんは、ビートルズを聴いたことでちょっとおとなになったわけじゃない。もう子どもなんかじゃないんだと思いたい自分にぴったりの音楽が、ビートルズだったのだろう。

景色にたとえれば、ふつうに立っていては見ることができない、けれどつま先立って背伸びをすれば見えるような、そんな感じだ。

十四歳の頃は、いつもつま先立っていたような気がする。危なっかしい足元で、ふらふら、ふらふら、歩いていた。踵《かかと》を地面につければ楽になるのはわかっていても、そうするのがどうしても嫌だった。

　つま先立って見つめていた景色は、いまとなってはうまく説明できない。ふつうに眺めているのとたいして違いはなかったような気も、じつは少し、する。

　でも、おとなになれば忘れてしまうような、ささやかでちっぽけな景色の違いがすごく大事だった、そんな時期はある。絶対に、ある。お父さんにもあった。それだけは確かだ。

　そういえばあの頃は、いつも爪《つめ》の横に血をにじませていた。噛《か》むのは爪ではなく、その横の皮だ。神経があまり密でないのだろうか、皮の端のほうを噛むぶんには痛みはない。噛みちぎる。右手の小指から左手の小指まで、十本すべての指を、順繰りに。うまく噛みちぎれないと、ささくれのように皮が剝《む》けてしまい、血がにじむ。

　傷口と呼ぶほどではないちっぽけな裂け目でも、斜めに削《そ》ぐようなかたちなので、傷の根は意外と深く、ずきずきとうずくように痛む。汗が滲《し》みたときには、特に。

　傷が癒《い》えるのを待つ余裕もなかった。まるでリスかビーバーのように、細かく、細かく、皮を噛む。ひっきりなしに噛む。あの頃、指先にはいつも血とよだれの混じり合ったにおいが漂っていた。

　顔はにきびだらけだった。赤く腫《は》れるだけでなく、先端が白く膿《う》んでいるものもたくさんあった。膿《うみ》を見つけると、指で挟んでつぶす。「にきびはつぶしてはいけない」が常識だということは知っていても、つぶしたかった。両手の親指（爪をうまく立てるのがコツ）を使ってにきびを横から圧迫すると、痛みが強まり、不意に、プチッという音なのか感触なのか、とにかくなにかが破け、はじけ、つぶれる。それがいい。クッキーの箱によく入っているエア・シートの袋をプチプチとつぶすのを、自分の顔でやっていたようなものだった。

嫌な汗もよくかいた。半袖《はんそで》のシャツに黄色い染《し》みをつくる汗だ。ひどく臭い。腋《わき》からジュウッと染み出てくるのがわかる、粘りけのある汗。あれはなんだったのだろう。いまでもよくわからない。中学一年生の頃には出なかった。高校に入学してからは出なくなった。ほんの一、二年だけの、ほんとうに、あれはいったいなんだったのだろう……。

ビートルズの曲を聴いて胸が沸き立っていたのは、中学生の頃だけだった。高校に入ると、それまではシングルヒットのサビのメロディーぐらいしか知らなかったいろいろなロックバンドを本格的に聴くようになった。ローリング・ストーンズ、イーグルス、ディープ・パープル、クィーン、キッス、ザ・フー、ピンク・フロイド、キング・クリムゾン、イエス、ザ・バンド、ボストン、ＥＬ＆Ｐ、ホワイトスネイク、レナード・スキナード、ジャーニー、ラモーンズ、エアロスミス、セックス・ピストルズ、クラッシュ、ジャム、クラフトワーク……広く浅く（たいがい仲の良かった友だちに影響されて）聴いてきた音の洪水の中に、ビートルズも呑《の》み込まれてしまった。

いまでもそれは変わらない。好きか嫌いかで分ければ好きだが、ＣＤを買い揃《そろ》えるほどではない。外回りの営業をしているときにカーラジオで曲が流れても、「ああ、ビートルズだな」程度で終わる。「懐《なつ》かしいな」とつぶやくこともある。ビートルズが懐かしいというより、ビートルズを夢中になって聴いていた頃が懐かしい、のだろう。

ほんとうのファンから見れば、お父さんのような中途半端《はんぱ》な奴《やつ》にはビートルズの魅力なんてわかっていない、ということになるのだろう。

でも、ひとの人生に寄り添うような音楽があるのなら、過去の思い出とともに胸に眠る音楽があってもいい。お父さんにとってのビートルズ・ナンバーは、そういう種類の音楽だ。

今夜の手紙は、「イエスタディ」をときどき口ずさみながら書いた。

＊

俊介へ。

おまえが力まかせに自分の部屋のドアを閉めた音が、まだお父さんの耳に残っている。

お母さんには、あとで「あまり追いつめないで」と泣きながら叱《しか》られた。

そんなつもりはなかった。ただ、知りたかっただけだ。

おまえはなにに対していらだっているんだ？

今日、おまえが学校で殴りつけた三人の同級生——彼らがおまえのいらだちの原因だとは思えない。会社を早引けして、お母さんと一緒に一軒一軒お詫《わ》びにまわった。三人にも会った。みんな体の小さな、おとなしそうな少年だった。おまえのよくつかう言葉を借りるなら、「弱っちくて、ゴミみたいな奴」ばかりだ。そんな三人を、おまえは廊下や階段ですれ違いざま殴った。なんの理由もなく、ものも言わずに。

「怖くて学校に行かせられない」と加藤くんのお母さんに言われた。佐々木くんのお母さんは「まるで通り魔じゃないですか」と怒っていた。まったくそのとおりだと思う。

でも、いちばんきつかったのは、庄司くんのお父さんに言われた「本人がお詫びに来ないんじゃ意味がないじゃないか」という言葉だった。強い口調ではない。庄司くんによく似た小柄なお父さんは、静かに、「違いますか？」という感じで言ったのだ。だから、よけい胸に深く刺さった。

たとえ部屋に鍵《かぎ》がかかっていても、マイナスのドライバーか十円玉（幼稚園の頃、鍵をいたずらしているうちに部屋に閉じこめられてしまったおまえを、それで助けてやったことがあったな。覚えてるか？）を使えば簡単にドアは開けられるのに、お父さんもお母さんも「そっとしておいたほうがいい」という一言を言い訳にして、おまえに声すらかけずに家を出た。かえってそのほうが話がもつれずにすむから、と安心した気持ちも、なかったとは言わない。

庄司くんのお父さんに言われて、そんな自分のずるさを悔やんだ。自己嫌悪《けんお》にさいなまれて、帰宅してからもひどく落ち込んだすえに、部屋を出てトイレにたったおまえをつかまえたのだった。

「なにが気に入らないんだ」

ひどい言い方だ――あとになって、そう思った。

「怒らないから、お父さんに言ってみろ」

ほんとうはもっと違う言い方をするはずだったのだ。信じてくれ。

「やっていいことと悪いことの区別ぐらいつくだろう、おまえだって」

子どもの頃とは違う、頭ごなしに怒鳴ってはいけない――頭ではわかっているのに、腕をつかまれたまま、ふてくされてそっぽを向くおまえを見ていたら、むしょうに腹が立って、情けなくて、「いいかげんにしろ!」と手を振り上げた。

殴るつもりはなかった。脅しにも至らない。ただ、本気で怒っているんだと伝えたかっただけのしぐさだ。

おまえは見抜いたのか? それとも、お父さんの気持ちなど最初からどうでもよかったのか?

おまえは笑った。間違いない、おまえは冷たい目をして笑ったのだ、そのとき。

お父さんがひるんだ隙《すき》に、おまえは手を振りほどいた。思っていたよりはるかに強い力だった。殺気も感じた。正直に言おう、怖かった、おまえが。お父さんが無理にまたつかまえようとしていたら……殴りかかっただろう？　きっと。

自分の部屋に駆け込んでドアを乱暴に閉めるおまえに、お父さんは怒鳴った。

「お父さんやお母さんに、これ以上迷惑をかけるな！」

「心配」ではなく「迷惑」という言葉をつかってしまった。お母さんもあとで言った。俊介のことよりも、お父さんのその一言のほうがずっと悲しかった、と。

おまえの部屋のドアが閉まる音は、お父さんを責める音だった。お父さんは、おまえをどう叱っていいかわからない。それを思い知らせる音でもあった。

傷口を確かめるように、ここまで書いた。正確に書けたかどうかはわからないが、嘘《うそ》はつかなかったつもりだ。

情けなさに全文消去してしまいたくなる気持ちをこらえて、保存する。

今夜は冷え込んでいる。長かった残暑も終わりだ。十月の半ばを過ぎて、急に秋めいてきた。風邪をひくなよ。

ビートルズの話は、また今度だ。

＊

俊介へ。

約束どおり、今夜はビートルズの話を書こう。

お母さんは、お父さんが会社から帰ってくるのを待ちかねていたように寝室に入ってしまった。当番、交代——という感じで。

今日一日の話も、夜勤の仕事の申し送りのようなものだ。

吐いちゃったんだな、朝。

そんなに学校に行きたくないのか？　体が嫌がっているのか？

明日は、お父さん、昼まで年休をとった。病院に行こう。心療内科のある病院を見つけた。朝いちばんで診察してもらって、帰りはドライブしよう。遠くには行けないけれど、どこか外で昼ごはんを食べよう。しゃべらなくても、笑わなくても、かまわないから。

時間はたっぷりある。今夜は少し長めに書くつもりだ。

広瀬が買った『ロックンロール・ミュージック』をきっかけに、学校はあっというまにビートルズ一色に染まった。雑誌にちょっとした記事が載っただけで大騒ぎして、二学期に入ってからの給食時間の校内放送のリクエストタイムはすべてビートルズ・ナンバーで占められた。

女子はポール派とジョン派とジョージ派に分かれた（リンゴ派は、たぶんいなかったと思う）。男子は男子で、校舎の非常階段の踊り場やベランダの角から四人並んで顔を出して下を覗《のぞ》けば『プリーズ・プリーズ・ミー』のジャケット写真になるし、横断歩道を渡るときにはもちろん『アビー・ロード』、体育の授業前のラジオ体操では『HELP！』のポーズをつけて……丸坊主《ぼうず》に詰襟学生服、無地のズック靴の校則を恨みながら、それでも襟を内側に折り込んで、デビュー当時のビートルズの襟なしスーツを気取ってみたりもしていた。

あの頃はラジオでもちょくちょくビートルズ特集を組んでいたし、『中二時代』や『中二コース』の綴《と》じ込み付録にピンナップがついていたことも多かったから、解散後六年たってからのビートルズ人気は、べつにお父さんの学校だけの現象ではなかったのかもしれない。

広瀬のステレオでカセットテープに録音した（といってもカセットデッキのついていないステレオだったので、ラジカセのマイクをスピーカーの前に置いて、息をひそめて録音したのだ）『ロックンロール・ミュージック』を、毎日毎日聴いた。FMラジオから録音したビートルズ・ナンバーも、たいがい曲の途中でフェイドアウトしてしまうのだが、テープがたわんでしまうほど繰り返し聴いた。

そのうち、小遣いを貯《た》めてビートルズのアルバムを買う仲間も出てきた。そうなれば、みんなで分担を決めたほうがいい。名盤中の名盤と呼ばれる『サージェント・ペパーズ』と『アビー・ロード』は、それぞれ、仲間内でいちばんいばっていたサッカー部の吉田と水泳部の金子が「わしが買うけん」と宣言し、おとなしかった陸上部の藤田は二枚組の『ホワイトアルバム』を買うはめになり、ジャンケンに負けた野球部の新井は、ビートルズの曲はA面にしか入っていない『イエロー・サブマリン』を押しつけられた。

お父さんの担当は、『リボルバー』だった。「エリナー・リグビー」の入っているアルバムだ。悪くない。「イエスタディ」より名曲だという噂《うわさ》の「ヒア・ゼア・アンド・エブリホエア」を、やっと聴けるのだ。

あの頃、LPレコードは一枚二千五百円だった。お父さんの小遣いは毎月五百円。貯金箱の底を開け、買い食いやマンガをぜんぶ我慢しても、十二月にならないと買えない。友だちの中には、もっとたくさん小遣いをもらっている奴は何人もいた。見栄《みえ》を張って決して口にはしないけれど、両親やおじいちゃんやおばあちゃんに買ってもらった奴もいたはずだ。

でも、お父さんは、どうしても両親にはレコードのことを話せなかった。話したくなかった。

親に頼み事をするなんて死ぬほど恥ずかしい――。といって、友だちみんなで「レコード買おうや」と盛り上がっているときに、自分だけ話から抜けるのも、死ぬほど恥ずかしい――。

そういう歳《とし》だろう？　十四歳というのは。


お父さんは虫がよすぎたのだ。

半年前――おまえがまだ明るかった頃は、同年代の知り合いが子どものことで愚痴をこぼすたびに、「難しい年頃だからしょうがないさ」「いつまでも親の言いなりになるほうがおかしいだろう」などとわかったふうなことを言っていた。自分自身をいつも安全圏に置いて、こっそり心の中で「ウチは違うけどな」と付け加えていた。

違うはずがないじゃないか、といまなら思う。

べつにまわりを見まわさなくても、自分の十四歳の頃を思いだしてみればよかったのだ。

そうすれば、わかる。

あの頃、お父さんは父親（おまえのおじいちゃんだ）とほとんど口をきいていなかった。いつも冷ややかな、見下《みくだ》したまなざしを、父親の背中にぶつけていた。

おまえと同じだろう？

お父さんは、いま、あの頃の自分がやってきたことの報いを受けているのかもしれない。

俊介、おまえがまだ幼稚園に通っていた頃、田舎の家でアルバムをみんなで見たことがあった。覚えてるか？　お父さんが子どもの頃のアルバムだ。

おじいちゃんの膝《ひざ》に抱かれてアルバムをめくっていたおまえは、ふと、無邪気な、屈託のない声で言った。

「おじいちゃんって、お仕事してなかったの？」

俊介の考える「おとなの男のひと」はネクタイを締めているのがあたりまえ、だったんだな。

世の中にはネクタイを締めずに働くひとだってたくさんいるんだと、お父さんはおまえに教えてこなかったのかもしれない。

おじいちゃんは国鉄（いまのＪＲだ）の車両工場で働いていた。いつも紺色の作業服を着て、首にタオルをかけて、三交代制のキツい仕事をつづけてきた。おじいちゃんはまだ七十前なのに、ずいぶん耳が遠いだろう？　溶接やプレスの機械の音をずっと聞いていたせいで、ふつうのひとより早く耳にガタが来てしまったんだ。

おまえの言葉を聞いたとき、おじいちゃんは一瞬不思議そうな顔をして、それから、ハハッと笑った。おじいちゃんが笑ってくれたので、そばで顔を見合わせていたおばあちゃんやお母さんも、ほっとして一緒に笑った。おまえは自分がウケたことを言ったんだと勘違いして、得意満面だったな。

でも、お父さんは笑えなかった。おじいちゃんも本気では笑っていなかったはずだ。

おまえを責めているわけじゃない。

お父さんはおまえよりひどいことを、あの頃のおまえよりずっと大きくなってから、おじいちゃんに言ったのだ。

恥ずかしい——と言った。油に汚れた作業服も、溶接のバーナーの炎で赤く火膨れした顔も、太くごつごつした指も、夜勤明けに工場そばの立ち飲み屋で焼酎《しょうちゅう》を飲んで酔っぱらった姿も、すべて、恥ずかしかった。

お父ちゃんのような人生は絶対に送りたくない——とも言った。

顔に塩をふくほど働いても、しょせんは流れ作業のコマの一つにすぎない。頭なんか使わなくていいし、使えばかえって自分の仕事がむなしくなってしまうだろう。休みの日に朝から出かけるパチンコが唯一《ゆいいつ》の楽しみで、読む本はヌードグラビアのついた週刊誌だけで、テレビでさえ、ちょっと深刻なテーマのドキュメンタリー番組になると「お父ちゃんには難しいけん」とチャンネルを替えてしまい、くだらない歌番組やバラエティ番組に声をあげて笑う。そんな毎日を過ごすことが、そしてそれになんの疑問も抱いていないことが、お父さんには腹立たしくてしょうがなかったのだ。

でも、ただそれだけのひとじゃない。

おじいちゃんは悪いひとじゃない。

ただそれだけで生きることが意外と難しいんだとわかったのは、おとなになってからだ。

お父さんは、優しくない息子だった。

優しくない息子が二十数年後、父親になって、自分の息子には優しくあってほしいと願う。

それはやっぱり、虫のよすぎる話なんだろうな。

＊

俊介へ。

今日、お父さんの会社では新しいリストラ案が固まった。来月から、全国で三百人規模の早期退職の募集が始まるのだという。わかりやすく言えば、「退職金を割増《わりまし》するから早く会社を辞めてくれ」という仕組みだ。

今夜は同期入社の連中と集まって、酒を飲んだ。十人集まったうちの四人は早期退職に応募するらしい。「船が沈んでからじゃ遅いんだから」と四人は口を揃《そろ》える。残り六人（お父さんもその中にいた）も、会社の将来を信じているわけではない。退職後の不安と天秤《てんびん》にかけて、とりあえず今回の応募は見送ることにする、というだけだった。

応募組のうち二人は、すでに再就職の目処《めど》をつけていた。もう一人は故郷にUターンして家業の酒屋を継ぎ、近いうちにコンビニエンスストアに変えていくんだと張り切っている。最後の一人は、奥さんの実家が自営業なので、その会社を手伝うことになるらしい。

お父さんは来年四十歳になる。転職するなら三十代のうちだろう。わかっている、それくらい。

でも、別の会社で、なにができる？　大学卒業後十七年もかけて積み上げてきたキャリアを捨てて、ゼロから、いったいなにを始められる？

勇気がない。自信もない。

二次会の誘いを断って帰った電車の中で、ずっと考えていた。

子どもの頃から、俺はなんのために必死にがんばってきたんだろう――。

いまでも、おばあちゃんはしょっちゅう自慢するだろう？　お父さんは勉強のよくできる優等生だった。スポーツや、音楽、絵だって得意だった。おばあちゃんに言わせれば「とんびが鷹《たか》を産んだ」というやつだ。

「ネクタイを締める仕事」という言い方があるのを、俊介、おまえは知っているか？　ホワイトカラーとブルーカラーという分け方は学校で教わったか？

それがおばあちゃんの口癖だった。

お父さんがおとなになって「ネクタイを締める仕事」に就くことが、おばあちゃんの夢だった。地元の国立大学の法学部を出て県庁勤めの公務員になることが、おばあちゃんの考える一番のエリートコースだった。

おばあちゃんはずっとパートタイムで近所のスーパーマーケットに働きに出ていた。「女房に働かせんでもすむようにするんが、旦那《だんな》の甲斐性《かいしょう》なんじゃけん」というのも、口癖だった。

もちろん、おばあちゃんは、おじいちゃんのことを嫌ったりバカにしたりしていたわけじゃない。でも、人間というのは、今日よりも明日のほうが幸せなはずだと思い込み、子どもは親を超えていかなければならないと信じ込んでしまうものなんだろうな。

そんなおばあちゃんの期待に応《こた》えようとして、お父さんはずっとがんばってきた。おばあちゃんに褒められるたびに、心の中でつぶやいていた。もっと、もっと、もっと、もっと、もっと……。

がんばることに夢中になって、褒められることに慣れっこになっているうちに、お父さんは、自分の努力をもっと効果的にする方法を覚えた。

おじいちゃんを見下せばいい。黙々と工場で働くだけの、誰からも褒められることのないおじいちゃんを見下して、冷たく嘲笑《あざわら》って、このひとは負け犬の人生なんだと思っていれば、ただそれだけで自分がうんと高みに立ったような気になれたのだ。

お父さんは、地元の国立大学よりずっと偏差値の高い東京の私大に進み、県庁よりはるかに名前のとおった電器メーカーに就職した。

おばあちゃんの期待以上の人生――になるはずだった。

勝ちつづける人生――になるはずだった。

なんのことはない、へたに上を目指さずに県庁勤めをしていれば、リストラだの賃金カットだのに思い悩むこともなかったわけだ（お母さんと結婚することもなかったはずだし、そうなると、俊介も生まれていなかったんだな）。

ほんとうに、お父さんは、いったいなんのためにがんばってきたんだろうな……。

＊

俊介へ。

『アビー・ロード』はまだ聴いているのか？

何度でも聴いてくれ。

お父さんはB面（CDの時代になっても、やっぱりこの言い方をしてしまうんだな）のメドレーが――特に、「ゴールデン・スランバー」から「キャリー・ザット・ウェイト」に移って、途中で「ユー・ネバー・ギブ・ユア・マネー」のフレーズがリフレインするところが、大好きだった。

今日、会社の帰りにタワーレコードに寄って、『アビー・ロード』を買った。B面のメドレーを通して聴いたのは何年ぶりだったろう。やはり圧巻だった。それでも、十四歳の頃とは微妙に聴き方が違う。あの頃は気に留めることのなかった歌詞が、妙に胸にひっかかってしまう。

「キャリー・ザット・ウェイト」――重荷を背負う、という意味なんだな。

「ジ・エンド」のエンディング――こんなフレーズがある。

「結局のところ、おまえが手にする愛は、おまえが生み出す愛と同じなのだ」

お父さんは、俊介にどれだけの愛を与えてきたんだろうな。

いまのお父さんの悩みや苦しみは、結局は、おまえにたくさんの愛を与えてやらなかったから、となってしまうのだろうか。

「愛すること」と「育てること」とは、どこがどう違うんだろうな。

難しすぎて、よくわからない。

*

俊介へ。

お母さんに暴力をふるうのは、もうやめろ。やめてくれ。

あんなのは暴力なんかじゃない――とお母さんは言う。おまえに蹴《け》られた腰に湿布薬を貼《は》りながら、俊ちゃんは駄々《だだ》をこねてるだけだから、欲しかったオモチャが売り切れていたのが悔しくてデパートの床を転げまわったとき（小学一年生のクリスマス）のように、自分でもどうしていいかわからなくなっているだけなんだから、と繰り返しつぶやいていた。お父さんと決して目を合わせることなく、何度も何度もため息をついて。

だから暴力なんだ、とお父さんは思う。

暴力とは、相手の体を傷つけることだけを意味するのではない。

俊介、それはおまえがいちばんよくわかっているはずじゃないのか？

なあ俊介、たまにはお父さんが家にいる時間に、部屋のドアを開けて出てきてくれないか。

お父さん、おまえに殴られる覚悟はいつだってできているんだ。いっそ殴られたほうが楽になるような気もする。

今日、本社勤めの同期入社の連中（こないだの手紙でも書いた仲間だ）がまた集まって、酒を飲みながら情報交換をした。どうやら、ウチの会社は、ほんとうに危ないらしい。早期退職の応募開始は、二週間後に迫っている。期間は十日間と定められているが、社内の事情に詳しい同僚によると、おそらく一週間以内に二百人の枠はほぼ埋まりそうだ。同期の連中も、応募組が七人に増えた。

居残るのは、お父さんを含めて三人。沈みかけた船の甲板《かんぱん》に出て、救助を求めて手を振りながら、しかし海に飛び込む勇気がない。

子どもの頃から勝ちつづけてきた男は、負けを挽回《ばんかい》する術《すべ》を知らずにおとなになってしまったのかもしれない。

＊

俊介へ。

もう眠っているか？

今夜は少し冷え込んでいる。お母さんがおまえの部屋の前に置いていたファンヒーター、さっき見たら、もう廊下にはなかった。暖かいか？　陽に干していない布団《ふとん》や毛布は、じっとりとして冷たくはないか？

ぐっすりと眠っていてほしい。

いらだって、むかついて、お父さんやお母さんには見ることのできないなにかに怯《おび》えて、頭から布団をすっぽりとかぶり、背中を丸め、爪《つめ》を嚙《か》んでいる、そんなおまえの姿を思い浮かべたくはない。

それでも、お父さんはときどき思うのだ、十四歳というのは、人生の中でいちばん眠りの浅い時期なんじゃないか、と。

体は眠り込んでいても、心のどこかが起きている。心が疲れきってダウンしているときには、今度は体のほうがむずむずして、寝返りばかり打ってしまう。

あの頃は嫌な夢をよく見た。強風の吹きすさぶ欄干《らんかん》のない橋の真ん中で四つん這《ば》いになって、前にも後ろにも進めなくなっていたり、ブレーキが利《き》かずペダルにも足の届かない自転車で急な下り坂を駆け下りていたり……それから、おじいちゃんを石で殴りつけていたり……。

俊介、おまえはどうだ？　「ぶっ殺すぞ！」としょっちゅうお父さんに言うおまえは、いま、どんな夢を見ている？

お父さんは、ゆうべ、おまえに襲われる夢を見た。

長い夢だった。十一月の夜は長すぎる。金属バットのような、それともあれは特殊警棒かなにかだっただろうか、おまえは両手で握りしめた棒を、真上からお父さんに振り下ろすのだ。夢の中で、お父さんは頭を腕でかばって、逃げまどっていた。許してください、すみません、殺さないでください、とおまえに懇願していた。目が覚めて、寝汗でじっとりと濡《ぬ》れた下着を着替えながら、涙が出そうなほどの悲しみに包まれた。おまえに襲われたことよりも、自分が命乞《ご》いしかできなかったことのほうが悲しかった。

俊介、おまえはまだナイフを持ち歩いているのだろうか。安達先生は、もう指導の自信がないと今日の保護者面談でお母さんに言った。お母さんは、おまえと二人でいると怖くてたまらない、とお父さんに訴える。

俊介の気持ちもわかるんだ、と言ったら、お母さんに泣かれた。そういうのは親としてずるいのだという。おまえも怒るだろうな。十四歳の頃のお父さんでも、きっと、怒る。

昔、フランスの映画に『大人は判《わか》ってくれない』というのがあった。あんなのは嘘《うそ》だ。十四歳の少年がいちばん許せないのは、わかってくれないおとなではなくて、わかったふりをしているおとななのだ。

それでも、俊介、おまえの気持ちがわかる、と言わせてくれ。わかるんだと信じさせてくれ。

お父さんは十四歳の頃、学生服のポケットの中にときどきカッターナイフを隠していた。薄っぺらな、紙一枚切るのがやっとの、ちゃちなやつだ。

特別な理由があったわけじゃない。誰かを脅すためとか護身用とか、そんなはっきりしたものではなく、ただ、持っているとほっとする。持ってはいけないものを持ったり、やってはいけないことをやったり、言ってはいけない言葉を口にしたりすると、不思議と気持ちが安らぐ。

そんな頃の話を、もう少し書かせてくれ。


ビートルズだ。

ビートルズのレコードを買う分担を決めた仲間たちは、十月の半ばまでには自分の割り当てをすべて買い揃《そろ》えていた。

残りは、お父さんだけ。毎日のように「『リボルバー』、いつになったら買うてくるんか」と言われ、「おまえ、裏切るつもりじゃなかろうの」と怒って詰め寄ってくる奴《やつ》もいて、だんだん学校に行くのが億劫《おっくう》になった。

秋が深まるにつれて、プレッシャーはさらに強まっていった。『ラバー・ソウル』をいちはやく親に買ってもらっていた岡崎が、裏でみんなをけしかけるようになったのだ。もともと岡崎とは折り合いが悪かった。性格も合わなかったし、これはお父さんが勝手に思いこんでいるだけの話かもしれないが、父親どうしの仕事のこともあった。

岡崎の父親は、おじいちゃんと同じ国鉄の車両工場で働いていた。でも、岡崎の父親は事務所勤めの管理課長──おばあちゃんの言う「ネクタイを締める仕事」だ。

岡崎の父親とおじいちゃんは同い歳《どし》だったが、学歴が違う。あっちは大卒で、おじいちゃんは工業高校卒。なまじ同い歳なので向こうが気をつかうのか、岡崎の父親は現場ではおじいちゃんをなにかと立ててくれているらしい。それが逆に、お父さんには悔しくて、岡崎と口喧嘩《げんか》をするたびに、おじいちゃんのことをバカにしてるんじゃないかと勝手に考えていたのだ。

「『リボルバー』はまだか」の声は、やがてはっきりと「嘘つき」「裏切り者」とお父さんを罵《ののし》る言葉に変わった。先にレコードを買った連中は、みんなでレコードを貸し借りしていたが、お父さんはその仲間に入れてもらえなかった。岡崎がそう決めた。約束を守らないくせにレコードを借りるなんてひきょうだ、という理屈だった。

十一月に入ると、お父さんは毎朝、下痢をするようになった。

俊介、おまえにもわかるだろう？　その気持ちは。

おまえが荒れるようになったのは同級生のいじめが原因だと、今日、先生はやっと認めた。シカトのいじめ。相手は、一年生の頃にいちばん仲の良かった野沢くんたちのグループ。

お母さんはそれを知って、ひどくショックを受けていた。お父さんも驚いた。でも、そういうものなんだよ、といまなら思う。いや、正確には、思いだす。

こっちが嫌いな奴らだったら、べつにシカトされたってかまわないんだよな。五分と五分。仕返ししてやってもいいし、相手にせず放っておくことだってできる。でも、相手が友だちだと、きつい。嫌いになれないから、百パーセント、こっちの負けになってしまう。だから怖いのだ、友だち同士の関係というやつは。

先生は「気をつかわずにいられるのが友だちだ」と言う。なにもわかっていない。友だちとの関係を壊さずにいるためのプレッシャーは、嫌いな奴と喧嘩をしないようにするのよりもずっと重い。好きな奴に嫌われるのは、嫌いな奴に嫌われるのよりはるかにきつい。

俊介、どうだ、「そうなんだよね、マジ」とうなずいてくれるだろうか。簡単なことだったのかもしれないな。おまえのことを「わからない」と言う前に、ちょっと昔のことを思いだしてみればよかったんだ。

そうすれば解決法が見つかる――なんて言うほど楽天家ではないし、「わかる」とも言わずにいよう。

それでもお父さんはいま思うのだ。

おまえの気持ちが「わからなくないぞ」と。

*

俊介へ。

さっきまで、お父さんは学校にいた。教頭先生と安達先生と三人で、おまえのことを話し合っていたのだ。

お母さんもほんとうは行きたがっていたが、お父さんが止めた。左頰のあざを先生たちに見せたくなかった。ずるい考えでも、おまえは最後までいじめの被害者であるべきなのだ。安達先生はウチに来て、できればおまえも交《まじ》えて話をしたいと言ってくれたが、それも断った。ガラスの割れた食器棚を見せたくなかった。おまえは被害者だ。そこだけは——第三者の連中からどんなに責められても、親として守り通したい。

いじめグループの親は、結局誰も来なかった。仕事を理由にしたり、急に下の子が熱を出したと見え透いた嘘をついたり、連絡じたいつかなかった親もいた。ひどい連中だ。親としての責任感のかけらもない……「じゃあ、おまえは俊介に対して親の責任を果たしてきたのか？」と返されると、なにも答えられないのだが。

加害者抜きの話し合いなど、何時間かけても結論など出るはずがない。おまえの欠席日数をうまくごまかして進級に支障の出ないようにする、というのが学校の「誠意」らしい。

疲れた。うんざりした。

でも、誤解するな。お父さんはおまえを責めているわけじゃない。むしろ、学校やあの連中の親の態度ややり口に腹を立てることで、お父さんは、自分が息子の側にいるんだと確認できて……ほんの少し、嬉《うれ》しいとさえ思っているのだ。

＊

なあ、俊介。

お父さん、いったいなんのためにこの手紙を書いているんだろうな。もうだいぶファイルも増えたのに、それをプリントアウトしておまえに渡す踏ん切りがつかない。

お母さんにも、手紙のことは話していない。もしもお母さんが知ったら、「そういうところが、俊介に腰が退《ひ》けてるっていうのよ」と言われそうだ。

でも、俊介、手紙というものは、誰に宛《あ》てていようと、最初に読むのは書き手だ。もしかしたらお父さんは、お父さん自身に読ませたくて、この手紙を書いているのかもしれない。

ビートルズの話をしよう。

十四歳の頃の話を、またつづけよう。

おじいちゃんが不意にビートルズのことを口にしたのは、いまと同じ十一月の半ば、夜勤に向かう前に家で夕食をとっているときだった。

「学校でビートルズが流行《はや》っとるらしいの」

ぽつりと、遠慮がちに、おじいちゃんは言った。「岡崎課長が言うとりんさった、そげなこと」と付け加えて、味噌汁《みそしる》をずるずると啜《すす》る。

お父さんは「うん……」と低く答えただけだった。

嫌な気分がした。岡崎は父親に、どこまで詳しく学校のことを話しているのだろう。まさか「みんなでいじめとるんじゃ」とは言うはずがなくても、レコードを買う割り当てを決めたことぐらいはしゃべったかもしれない。岡崎の父親はそれをおじいちゃんに話したのだろうか。

……なんだか、ややこしい文章になった。「おじいちゃん」とか「お父さん」とかの呼び方がよくないのかもしれない。「父」と「ぼく」にしてみようか。そのほうがもっと素直に書いていけるかもしれない。

ぼく――は、お父さんだ。

その頃、学校でのぼくの立場はほんとうにまずくなっていた。もう「裏切り者」とすら呼ばれない。仲の良かった連中は誰も口をきいてくれない。それどころか、いままではぼくたちのまわりをうろちょろするだけだった（いるだろう？　そういう、子分志望の情けない奴って）平野という男が、『リボルバー』を買うと言いだした。あいつ、それを手土産にして、ぼくに代わって仲間に入れてもらおうとしていたのだ。

ほうっておけばいい――と学校の先生なら言うだろう。そんなことでヒビが入ってしまう仲間なんて、ほんとうの友情で結びついているわけじゃないんだから、と。

でも、ぼくは（俊介だってそうだろう？）、世の中のお手本になるために生きているわけじゃない。理想と現実とは違うのだし、ぼくたちがいるのは、あくまでも現実の世界なのだ。

平野は毎月一日に小遣いをもらっているらしい。来月早々には『リボルバー』を買ってしまうだろう。そうなると、もう、クラスにぼくの居場所はなくなってしまう。

手持ちの金は、十一月の小遣いを含めてようやく二千円になったばかりだった。あと五百円。小遣いは父の給料日に合わせて毎月二十五日にもらうことになっているので、十二月分を待っていては間に合わない。

岡崎に事情を話して頭を下げれば、なんとか十二月二十五日まで待ってもらえるかもしれないが、やはり、それはできない。

両親に打ち明ければ、すべては解決するだろう。でも、父や母に「レコードを早う買わんと、クラスで仲間はずれにされるんよ」と自分の「負け」をさらけ出すなんて、絶対にできない。

俊介、おまえならどうする？

ぼくは――作戦を立てていた。他に手は見つからなかった。何日も前から作戦を実行に移すタイミングをうかがっていた。

そのさなかに、父がビートルズの話を切りだしたのだ。

ぼくは「うん……」としか答えなかったが、父は妙に饒舌《じょうぜつ》だった。

「ビートルズは、エリザベス女王から勲章を貰《もろ》うたんど。たいしたもんじゃ」「日本に来たときもすごかったんじゃ。知っとるか？　前座はドリフターズじゃったんど」「解散したんは、ありゃあオノ・ヨーコがいけんかったんじゃのう」……。

音楽に詳しいひとではない。好きな歌手は内山田洋とクールファイブ、森進一、都はるみ、あとは古いアメリカの映画音楽（西部劇が多かった）をたまに聴く程度の父にとっては、それがビートルズにかんする知識の、たぶん、ありったけ――すべて、ぼくはとっくに知っていたけど。

父の言葉に気のない相槌《あいづち》を打っているうちに、むしょうに腹立たしくなってきた。父が気をつかって話しかけていることはわかる。もしかしたら母が入れ知恵して、たまには息子と「親子のコミュニケーション」とやらをしてみようと思ったのだろう。

だから、腹立たしい。

いまどきの言葉で言うなら、むかつく。

大好きなビートルズが踏みにじられたような気がする。

そして、これはいま思ったことなのだが、そのときのぼくはビートルズだけでなく、「父親」というものも父によって踏みにじられたように感じていたのかもしれない。

うまく言えないな。だから、つまり、『巨人の星』の星一徹みたいな厳しい父親は嫌だけど、それでも、妙に子どもに気をつかうような父親はもっと嫌で……こっちの顔色をうかがうぐらいなら、ムスッとしてくれていたほうが、よほど気が楽だというか、そのほうが「父親」らしいというか……わかるよな？　俊介。

おまえは中学二年生に進級した頃から、急に無口になった。まだ学校でいじめが始まる前の頃だ。お父さんが話しかけると、仏頂面《ぶっちょうづら》のおまえはますます不機嫌になってしまう。そういうことが何度もあったな。せっかくおまえの喜びそうな話題を見つけたのに……と、お父さんはそのたびにがっくりしていたものだった。

でも、そうだな、同じなんだな、十四歳の頃の自分と。

どうしてそれを忘れていたのだろう。お父さんがやるべきこと、やってはならないことの答えは、こんなに身近にあったのに。


翌日、夜勤明けの父は、夕方になってパチンコ屋に出かけ、思いがけないものを家に持ち帰った。

「パチンコがよう出たけん」

照れ隠しなのだろう、言い訳めいたことを言って、レコード屋の紙袋をぼくに差し出した。

ビートルズのレコードだった。

でも、それは、『リボルバー』ではなかった。二枚組のベスト盤が二セット——前期の曲を集めた『赤』と後期の『青』。

階段の踊り場から下を見る同じ構図で、デビュー間もない頃が『赤』、解散間近の頃が『青』。対《つい》になった二枚のジャケットを、ぼくは黙って、ただ呆然《ぼうぜん》と見つめるだけだった。

その表情を勘違いして、父は少し得意そうに言った。

「お父ちゃんにはようわからんのじゃけど、有名な曲がぎょうさん入っとるけんこれが一番ええじゃろうて、みよし楽器の兄ちゃんも言うとった」

母も横から、父に調子を合わせて「高かったん違うん？　二枚も買うて」と芝居めいたしかめつらをつくる。

「二枚と違うんじゃ、一つに二枚入っとるけん、合計四枚じゃ」

「あらあ、もう、クリスマスプレゼントを先に買うたようなもんじゃねえ」

「パチンコがよう出たけえ、ほんま、よう出たんじゃ」

父と母の話し声が、耳をすり抜ける。

二枚のジャケットの、二人ずつのジョンとポールとジョージとリンゴが、笑いながらぼくを見つめる。

どうせ母は「ありがとう、言いんさい」とぼくをうながしたに違いないのだが、それにどう応《こた》えたかは覚えていない。我が家のステレオは居間にある一台きりで、母の性格からすると、その場で「せっかくじゃけん、聴いてごらん」と言ったはずなのだが、レコードをかけた記憶はないし、そのくせ、どんなふうに母の提案をかわしたのかも覚えていない。

記憶がはっきりするのは、『赤』と『青』を持って自分の部屋に入ってから、だった。

勉強机の椅子《いす》に座り、『赤』と『青』を見比べるように両手で持って、ぼくは奥歯をきりきりと歯ぎしりさせた。腋《わき》から、いつもの黄色い染《し》みになる汗が染み出てくるのがわかった。

『赤』と『青』に収録された曲は、さすがにベスト盤らしく、ヒット・ナンバーばかりだった。

でも、これは『リボルバー』じゃない。

ぼくが欲しかったのは――必要だったのは、『赤』でも『青』でもなく、『リボルバー』だったのだ。

最初のショックが治まると、拍子抜けや落胆よりももっと深い失望が胸を締めつけた。

父が悪いわけじゃない。あたりまえだ。『赤』と『青』を買うお金があれば、行きつけの店で焼酎《しょうちゅう》を、いや、日本酒の一級酒やウイスキーでもだいじょうぶだろう、たっぷり飲めるはずだった。なのに、父はぼくのために、ぼくを喜ばせるために、レコード屋に入って、店員に「ビートルズのレコード、どげなもんがええんじゃろうのう」と訊《き》いて……的外《まとはず》れの『赤』と『青』を買った。父は悪くない。絶対に。それくらい、ぼくにもわかる。理屈ではわかる。わかりすぎるぐらい、よくわかる。わからなくちゃいけない。ぼくはもう、小学生の頃のような子どもじゃない。

ぼくはジャケットからレコード盤を取り出した。

レーベルに青リンゴが印刷されたレコード盤が四枚、机の上に並んだ。

ペン立てからカッターナイフを取った。

父は悪くない。

でも、ぼくが欲しかったのは、『赤』と『青』じゃない。

カッターナイフの薄い刃を、レコード盤に突き立てた。円の外側から内側に向けて、刃を引いた。

黒光りするレコード盤は、冗談みたいに柔らかかった。

＊

俊介へ。

昨日の夕刊に、寂しいニュースが出ていた。かつてはお父さんの会社のライバルと呼ばれ、ウチよりも一足早く沈みかけてしまった会社の話だ。

半年前、その会社はフランスの資本に、実質的に買収された。早期退職の募集もすでに二度おこなわれていた。もっとも、それはどちらも五十歳以上を対象にしたもので、言ってみれば派手な肩たたきだった。

だが、今回——昨日から始まった第三次の早期退職募集は、対象を一気に三十五歳以上に広げて、しかも応募初日の午前九時半、つまり受付開始から三十分で、募集枠は埋まってしまったのだ。

お父さんの会社でも、今日は朝からその話で持ちきりだった。応募の様子を見てから決めよう、という目論見《もくろみ》はあっけなく崩れた。一週間なんて悠長なことは言っていられない。あさっての受付初日が勝負になる。夕方では、もう遅いかもしれない。

いま、ノートパソコンの横には、総務部からもらってきた応募用紙が置いてある。必要事項はすべて書き入れた。あとは捺印《なついん》だけだ。地方の支店や工場勤務の同期の連中も、ほとんどが応募のハラを固めているか、少なくとも応募用紙は取り寄せている。きっと彼らも、お父さんのように、「とりあえず、とりあえず」と自分に言い訳しながら用紙にペンを走らせたのだろう。

俊介、おまえは「ディアスポラ」という言葉を知っているか。日本語に訳すなら「離散」。旧約聖書に出ている、ふるさとのイスラエルを追われて各地に散っていったユダヤ人のことだ。

博多の西部流通センターで働く吉田（二、三年前、出張のときにウチに泊まったことがある。おまえは人見知りして挨拶《あいさつ》もろくにしなかったけど、覚えてないか？）が同期の仲間全員に送ったメールに、そんなことが書いてあった。

俺たちはディアスポラなんだ。いまは散り散りになってしまっても、また、いつか、どこかで、必ず会おう。

センチメンタルな奴《やつ》だ。体育会出身らしく、愛社精神に満ちた男でもある。吉田は残る。沈みゆく船と運命をともにするわけだ。逃げだす連中のことをなじらないのは、あいつも少しはおとなになったということだろうか。

それでも、「ディアスポラ」の言葉には多少なりとも皮肉が込められているように思う。ディアスポラのユダヤ人たちは、たとえ住む場所は散り散りになっても、ユダヤの教えを信じることについては皆同じだった。

お父さんたちは――違う。

会社を辞めて、転職して、なにを信じればいい？

資本主義か？　民主主義か？　景気は底を打ったと言う経済評論家の意見か？　政治か？　マスコミの報道か？

終身雇用と年功序列に裏切られ、学歴も中途採用には役に立たず、課長という肩書きはかえって邪魔なほどで、いっそクレーンの免許でも取っていたほうがよほどよかった。帰りの電車で読んだ夕刊紙には、『サラリーマン生き残り術』と題した特集が組まれていた。この時代、頼りになるのは自分の力だけ、というあたりまえの結論だった。

自分の力を信じられるのか？

いまの自分は、自ら信じるに価《あたい》するほどの自分なのか？

夕刊紙の別のページには、鍋《なべ》物の特集記事があった。「深まる秋、不況の風は吹き荒れても、家族といっしょに鍋を囲めば、体も心もポッカポカ」なのだという。なあ、俊介。今年はまだ鍋を一度もしてないな。春になるまで土鍋を出すことはないのかな。

湯豆腐ぐらいどうだ、と思っても（いま書いていて気づいた）、お父さんは土鍋をどこにしまってあるか知らない。今朝、お母さんに場所を聞いておけばよかった。手紙を読んだか？　部屋のドアの下の隙間《すきま》から入れておいた、お母さんの手紙だ。今夜は、お母さんは横浜のおばあちゃんの家に泊まる。お母さんにも気分転換が必要だし、このままいけば、ほんとうに、取り返しのつかないことになってからでは遅いから。

逃げるわけじゃない。俊介、それだけはわかってやってくれ。ただ、ほんの少しでいい、休むことは必要なのだ、お母さんにだって。

お父さん、明日は会社を休む。あさっては早期退職の応募開始なので、どうしても会社に行かなければならない。去るか残るか、どちらを選ぶにしても。

お母さんにもそのことは念を押して、明日の夜には帰ってくるよう強く伝えておいたのだが……家を出るときの疲れきった様子からすると、約束を守ってくれるかどうか、自信はない。

夕刊紙の鍋特集には、「具材も味付けもルールに縛られることはない。鍋の最高の調味料は家族の笑顔なのだ」とも書いてあった。

最後に信じられるものは家族、なのか？

お父さんにはうなずけない。


ビートルズの話のつづきをしよう。

お父さんは——ぼく、だ。

カッターナイフで傷をつけた『赤』と『青』は、居間のレコードラックではなく、自分の部屋の押入の天袋に隠した。

父がレコードを買ってきた二日後の夜、テレビを観《み》ていた母は、ふと思いだしたように「なあ、ビートルズ聴いとるん？」と言った。父は夜勤で家にいなかった。もしかしたら母はそのタイミングを狙《ねら》ったのかもしれないと、いま、思った。

「せっかくお父ちゃんに買うてもろうたのに、あんた全然聴いとらんでしょ。ビートルズ好きなんと違うん？」

母の声が問い詰めるように聞こえたのは、後ろめたさのせいだったのだろうか。

ぼくはテレビに気を取られているふりをして、「聴いとるよ」と軽く言った。「昨日、お母ちゃんが仕事に行っとるときに聴いた」

「ほんま？」

「……ほんまに決まっとるじゃろ、なして嘘《うそ》つかんといけんの」

そのときにはうまくごまかしたつもりだったが、おとなになったいま振り返ると、どうせ声がうわずって、かすかに震えていたはずだ。俊介、中学生というのは、おまえが思っているより嘘がへたくそだぞ。

母は、あまり納得した様子ではなかったが、「まあええわ」と引き下がった。ほっとしたのも束《つか》の間《ま》、今度は「なあ、いまから聴いてみん？」と言われた。「お母ちゃんもビートルズを、いっぺんレコードで聴いてみたかったんよ」

「……ぼくが買うてもろうたレコードじゃけん」

「そやから、あんたのおるときに聴こう、言いよるんよ」

とっさに、口が動いた。

「友だちに貸した」

「二枚とも？」

「そう……貸したけん」

「せっかく買うてもろうて、もう貸したん？」

「……どげんしても聴きたいいう奴がおったけん」

母は憮然《ぶぜん》としてため息をついた。「えらい、ずうずうしい子やねえ、その友だち」と言って、「誰なん?」と訊《き》いてきた。

岡崎の名前を出してしまった。これもとっさに口が動いたのだが、無意識のうちに母が文句を言えない相手を選んだのかもしれない。

あんのじょう、母はひるんだように「ああ、そう……」とうなずき、「あんたもお人《ひと》好《よ》しなんじゃから」と八つ当たりのようにぼくに言って、ビートルズの話はもう蒸し返さなかった。

ただ、こんなことを、ぽつりと言った。

「お父ちゃんなあ、あんたが最近あんまり話をせんようになったけん、寂しがっとるんよ。レコードも、それで買うてくれたんじゃけんね、あんたもちょっとは……わかるやろ?」

ぼくは黙ったまま、テレビの画面をにらみつけた。歌番組だったか公開録画のバラエティだったか、とにかくにぎやかな番組だったことを覚えている。

「まあ、反抗期のうちはしょうがない思うけどなあ」と母は言った。その言葉を聞いたとき、ムカッとした。ちゃぶ台をひっくり返して、テレビを倒して、障子を蹴破《けやぶ》りたくなった。

反抗期——難しい年頃——そういう時期——わかったふうな言い方をされると、むしょうに腹が立つ。特に「反抗期」という言葉が嫌いだった。まるで赤ん坊の成長を見るような、わかるわかる、という余裕が、腹立たしい。誰だって同じなんだから、と決めつけられるのが悔しい。そして、うまく説明できないが、親にそんなふうに見られているというのが、とにかく恥ずかしくてしかたない。

ぼくは怒りを懸命に押し隠し、「勉強する」と言い捨てて、自分の部屋に入った。どんなに頭に来ても、今夜は我慢だ、と決めていた（決めていなくても、どうせ暴れる度胸なんかなかっただろうな）。

いつもどおりの明日にしなければいけない。母に不審な思いを抱かせてはならない。『リボルバー』を買うための作戦を、明日、実行する。

夜勤明けの父は午後からパチンコに行き、夕食の時間までは帰ってこない。母のパートタイムの仕事は明日は遅番で、夕方四時前に家を出ていく。父が夜勤明けで母が遅番という日は、月に一度しかない。

失敗は、許されない。

その夜はなかなか寝付かれず、翌朝の朝食はほとんど喉《のど》を通らず、学校でも落ち着かない時間を過ごした。

岡崎たちはあいかわらず、ぼくを無視しつづける。平野の声が、やけに耳につく。あいつ、明日の放課後、『リボルバー』を買いに行くらしい。今日なら、間に合う。平野に勝てる。明日の朝、教室に入ってきた岡崎たちに「ほら、これ」と『リボルバー』を見せてやったら、もう平野なんかがちょろちょろすることは……。

考えを巡らせていると、不意に涙が出そうになった。

悲しさではなく、悔しさと情けなさの涙だ。

そんなにしてまで岡崎たちに見捨てられたくないのか？

そんなに岡崎たちが怖いのか？

ひとりぼっちになるのが、そんなにつらいのか？


つらい。

誰になんと言われようと、つらい。

たとえどんなに嫌な連中でも、そばにいるだけましだと思う。

昼休みにひとりぼっちで過ごしているところを、女子に見られたくない。あのひと、みんなからいじめられてるんだ、なんて思われたくない。

ぼくはマンガやアニメのヒーローとは違う。

俊介、おまえだって、きっと。

放課後、ぼくは野球部の練習を休んだ。家に帰り着くまでずっと、ビートルズの曲を頭の中でハミングしていた。

「ヘルプ！」「イン・マイ・ライフ」「ゲット・バック」「ヘイ・ジュード」「ミッシェル」「レボリューション」「ハロー・グッドバイ」「ノーウェジアン・ウッド」「ヘイ・ブルドッグ」「抱きしめたい」「恋に落ちたら」「エニイ・タイム・アット・オール」「ミスター・ムーンライト」「レディ・マドンナ」「アイ・ウィル」「ハニー・パイ」「グラス・オニオン」「ア・デイ・イン・ザ・ライフ」……あの頃好きだったビートルズ・ナンバーばかり。

誰もいない家に入ると、まっすぐ台所に向かった。整理棚のひきだしを開けた。家計簿の大学ノートに挟んだ茶封筒を取った。クリーニングや牛乳や新聞の集金用のお金が、確か二万円近く入っていた。

ぜんぶは必要ない。五百円札一枚だけ、抜き取った。

想像していたほど緊張はしなかった。罪の意識も消えていた。頭の中にあったのは、これで手持ちのお金が二千五百円になる、これで『リボルバー』を買える、これでもう無視されずにすむ、すぐにレコード屋に行こう、平野が買う前に買ってしまおう、早くしろ、早く、早く……気持ちがはやりすぎて、茶封筒に残りのお金をしまう手つきが乱暴になってしまった。

封筒が破れた。

まずい、と思って、ひきだしの奥にあるはずの新しい封筒を探そうとした。ひきだしの取っ手をつかんで一杯に引いて——引きすぎた。

ひきだしは枠からはずれて、中に入っていた鉛筆やハサミやクリップや定規やボールペンや文鎮《ぶんちん》やレシートの束やインク壺《つぼ》や小銭や便箋《びんせん》やキーホルダーや手鏡が、けたたましい音をたてて床に落ちた。

あわててしゃがみこんで、落ちたものを拾い集めていたら、居間のほうから足音が聞こえた。

父が、いた。

起き抜けのしょぼついた目で、ぼくをぼんやり見つめていた。

「なにしよるんか、おまえ」

のんびりした声にほっとして、うまい言い逃れを探そうとうつむいたとき、床に落ちた茶封筒から顔を半分出した数枚の千円札が目に入った。

父もそれに気づいたのだろう、息を呑《の》む気配がした。

つづきは今度だ。

なんだか連載小説を書いている作家になったような気分だな。

もったいぶっているわけじゃない。ちょっと酔いすぎた。ひとりぼっちで真夜中のリビングで飲む酒は、よくまわる。気をつけないとすぐに悪酔いしてしまう。

おとなになっても、ひとりぼっちはつらい。

お父さんが会社を辞める踏ん切りがつかないのは、お金とか将来のこととかじゃなくて、ひとりぼっちになるのが怖いせいなのかもしれないな。

＊

俊介へ。

どこに行ったんだ、おまえは。

会社が休みだと思うと、それだけで気がゆるんでしまうのか、今朝は寝坊をしてしまった。目が覚めたのは十時過ぎ。おまえが家を飛び出したのは何時だ？　家を出る前に、朝飯を探したのか？　なんの準備もできていなかったからキレたのか？　冷蔵庫の中味を床にぶちまけたのは、いつだったんだ？

キッチンの床はソースやケチャップで汚れ、割れた卵やこぼれた牛乳が水たまりのように広がった中に、魚の切り身や豚肉のスライスが浸っていた。

正直に言う、お父さん、それを見たとき、へなへなと腰が抜けてへたりこんだ。笑った。体のどこにも力が入らないと、ひとは自然と笑い顔を浮かべてしまうのだと初めて知った。

キッチンには生臭いにおいがたちこめていた。雑巾《ぞうきん》で拭《ふ》いていたら、何度も吐き気がこみあげた。一時間近くかけて掃除をして、ようやく元通りになった床を眺めていたら、今度は涙が頰を伝った。四十代を目前に控えた大のおとながぽろぽろ涙を流すなんて、情けないと思わないか？　おまえは、もう、そこまでお父さんを痛めつけたのだ。

おまえを探しに行く気力は、ない。事故や事件、それから自殺……なにも心配していないと言えば嘘になる。だが、いっそそうなってくれたほうが楽かもしれない、と思う気持ちも、確かにある。

お父さんは疲れたんだ、もう。疲れきって、疲れはてて、さっきから『アビー・ロード』を繰り返し聴いている。何通か前の手紙に書いた「ジ・エンド」のフレーズ——「結局のところ、おまえが手にする愛は、おまえが生み出す愛と同じなのだ」が、胸を刺す。

お母さんはまだ横浜から帰ってこない。おばあちゃんが風邪気味だからと、ゆうべ留守番電話に入っていた。

さっき、早期退職の応募用紙に印鑑を捺《お》した。宅急便の伝票に捺すときよりもぞんざいな手つきだったので、名前が斜めになってしまった。

明日の朝、総務部に提出するかどうかは、まだ決めていない。ぎりぎりまで迷うだろうなとも思う。ただ、準備を整えた応募用紙をダイニングテーブルの上に広げて見つめていると、ひとりぼっちになることは意外と簡単なんだな、と気づいた。応募用紙の代わりに離婚届を置いても、きっと同じことを思うだろう。

俊介。

なあ、俊介、聞こえるか。読んでくれるか、俊介。

お父さんは、どうすればおまえの望む父親になれるんだ。おまえを取り囲んで、がんじがらめにしている毎日は、どうすればおまえの望むように変わるんだ。

世の中は、そうそう思い通りにはいかないさ――。

そんなあたりまえのことを、いま言ってもしょうがないことぐらいは、わかっているのだけれど。

窓の外で電線の鳴る音が聞こえる。今日は北風が強い。木枯らし一号になるかもしれない。ヒュウヒュウと電線は――すすり泣いている。

俊介、おまえはいま、どこにいるんだ。

ビートルズの話のつづきを書く。

これがたぶん最後――連載小説なら、最終回になる。

ごまかすつもりはなかった。無駄だ、とあきらめた。どう考えたって、ばれた。ばれていないはずがない。

ぼくは台所でうつむいたまま動けなかった。封筒から覗《のぞ》く千円札をしばらくぼんやりと見つめ、もうどうだっていいや、と目をつぶった。

怒鳴りつけられるだろう。胸ぐらをつかまれても、しかたない。ゲンコツやビンタも覚悟して、そのかわり、金を抜き取ろうとした理由だけは、どんなに叱《しか》られても話すまい、と決めていた。

でも、怒鳴り声は、なかなか降ってこなかった。

ゲンコツの痛みも、来ない。

目を開ける。千円札はさっきと同じ位置に、さっきと同じように封筒から半分だけ顔を出していた。

父は――いる。身動きせず、じっと押し黙って、どこを見ているのだろう。なにを思っているのだろう。

沈黙がつづく。

ぼくは顔を上げられない。父はその場から動いてくれない。怒鳴っても、殴ってもくれない。ただ黙ったまま、その場にたたずんでいる。

沈黙がつづいた。

ほんの少しだけ、まなざしを持ち上げて、横に流した。洗いざらして毛羽《けば》立った、黒いナイロンの靴下を履いた父の足が見えた。親指がもぞもぞ動いていた。落ち着きなく、居心地悪そうに、体の重みを支えたりかわしたりしていた。

それを見て、急に悲しくなった。胸が熱くなり、瞼《まぶた》が重くなって、鼻の奥がツンとした。

父は沈黙の重さでぼくを追いつめているのではなかった。そんな余裕や目論見《もくろみ》のあるひとではない。父もたぶん、ぼくと同じように——ぼく以上に驚いて、困惑して、途方に暮れているのだった。

沈黙は、さらにつづいた。

父の足の親指は、ときどき思いだしたように動く。胸に溜《た》め込んだ息を、加減しながら吐き出す気配も伝わった。

弱いひとだ。わざと、そう思った。情けないよな、と無理に心の中で笑ってみた。家の金を盗もうとした息子を叱りつけることもできない父親なんて、父親失格だ。岡崎の親父なら、こんなふうにはならない。あのひとはエリートだから、こういうときに父親はどうすべきかもちゃんとわかっていて、父親として正しいことを言って、正しい行動をとって……。

咳払《せきばら》いが聞こえた。ふーう、と長く息をつく音も。

親指がぺたりと床についた。

「片づけとけよ」

父はぼそっと低い声で言って、足の向きを変え、戸口のほうに何歩か進んだ。

ぼくはたったいままで父の立っていた床板をにらみつけて、「なんで?」と言った。

「うん?」——父は立ち止まる。

「なんで怒らんのん」

考えて口にしたのではなかった。言葉が胸にこみ上げて、喉から漏れたのだ。

父は少し間をおいて、困ったように笑った。

「……ようわからんけん」

さっきより、さらに低い声で言った。

「わからんて、なにが?」

ぼくは床板をにらんで、つづけた。なぜだろう。叱られたいわけではないのに、このまま終わりにしたくない。

「なあ、お父ちゃん、なにがわからんの?」

父はまた笑って、「なにがわからんかも、ようわからん」と言った。

「なんで?」

父は答える代わりに元の場所まで戻ってきた。しゃがみこんで、床に散らばった鉛筆やクリップを拾いはじめた。拾ったものをひきだしに入れて、草むしりのようにしゃがんだまま足を進め、手近な小銭やレシートを拾い集める。

ぼくも、もうそれ以上は父を問い詰めなかった。父と同じように黙って、ひきだしの中味を拾っていった。

お互いに背中を向ける格好になった、そのとき――父はぽつりと言った。

「おまえが落とした物は、一緒に拾うちゃるけえ」

「……え?」

「それしか、ようできんけん」

ため息交じりに、短く笑う。すべてをあきらめているような、あきらめた自分を憐《あわ》れんでいるような、寂しげで悲しげな笑い方だった。

ぼくはそっと封筒を拾い上げた。口から覗いていた千円札をしまい、学生服のポケットから五百円札を取り出した。

「お父ちゃん」

背中合わせのまま声をかけて、返事はなかったけれど、つづけて一息に言った。

「五百円、抜いた……いうか、盗《と》った、お母ちゃんのお金から。でも返すけん、もう返すけんね」

「返さんでええ」と父は言った。初めて、強く、しっかりした口調になった。

「なんで？」――声が震えた。許してもらった、とは思わなかった。むしろ逆。突き放されて、見捨てられたような気がした。

父は分厚い掌《てのひら》いっぱいに拾い集めた小銭をひきだしに入れて、黙ってゆっくりと立ち上がった。その背中を見上げ、すがりつくように、ぼくはもう一度「なんで？」と訊《き》いた。

父は振り向いてくれない。無言で、首を横に振った。大きく、二度、三度と。

そのまま、父は台所から玄関へ向かい、サンダルをつっかけて外に出ていった。やがて、自転車のスタンドを上げる音が外から聞こえ、キイキイとペダルの軋《きし》む音が遠ざかって、消えた。

ぼくは台所にしゃがみこんだままだった。五百円札を、知らず知らずのうちに掌に強く握り込んでいた。

我に返ると同時に体のバランスが崩れて、床に尻餅《しりもち》をついた。床板の冷たさが、いまになって尻や足の裏に滲《し》みた。

皺《しわ》を伸ばした五百円札を封筒に戻しかけたが、思い直して、学生服のポケットに入れた。その代わり封筒をひきだしにしまうとき、頭を深々と下げた。

ひきだしを整理棚にはめて、家を出た。自転車をとばして商店街のレコード屋に急いだ。

ビートルズの『リボルバー』を——買った。ここで買わないのが男らしいんだとはわかっていたが、買った。

帰り道、片手ハンドルで自転車を漕《こ》ぎながら、もう片方の手で頬にビンタを張った。ちくしょう、ちくしょう、とつぶやきながら、何発も張った。

遠回りしてパチンコ屋に寄った。店の前に乱雑に並んだ自転車の中に、父の自転車もあった。外からは父の姿は見えなかったが、かまわず店の中に入っていった。制服姿を店員やおせっかいなおとなに見とがめられる前に、足早に通路を進んだ。

父は店のいちばん奥まった台にいた。後ろに立って覗《のぞ》き込むと、調子が悪いのか、皿の玉はほとんど残っていない。

どう声をかけるか迷っていたら、台のガラスに映り込んだぼくに気づいた父が先に振り向いた。「おう、どげんした」と、思っていたほど驚いた様子はなかった。

ぼくの声も意外とすんなり出た。

「みよし楽器で、レコード買うて来た」

「ほうか」

「さっきの……五百円と、お小遣い足して、買うた」

父は黙って、ぼくが小脇《こわき》に抱えたレコード屋の袋をちらりと見た。

「ビートルズのレコード買うたんよ」

「うん……」

「お父ちゃんに買うてもろうたレコード、好かんかったけん」

父は怒らなかった。表情を変えずに「早う帰れ。先生に補導されても知らんど」と言って、パチンコ台に向き直った。

打ち出された玉が、釘《くぎ》に弾《はじ》かれ、滑車で勢いを加えられ、ジグザグに落ちて、はずれの穴に吸い込まれる。次の玉も、その次の玉も、同じ。ほんとうに今日は調子が悪そうだった。

「……みよし楽器の兄ちゃんは、あれがいちばんええ言うたんじゃがのう」

父はパチンコ台を見つめて、ほんの少し残念そうに言った。

ぼくは小さくうなずいて、「でも」と返す。「ぼくは別のが欲しかったけん」

「ほうか……」

「ごめんなさい」

「謝らんでもええ、そげなことで」

一発、やっと入った。チン、という軽い音と同時にパチンコ台の電飾が点滅して、玉が皿に吐き出される。

父は頰をゆるめ、「さあ、ここからじゃの」と丸椅子《いす》に座り直して、パチンコ台に顔が貼《は》りつくぐらい身を乗り出した。「……ここからじゃけん、勝負は」

ぼくはもうなにも言わなかった。黙って父のそばから離れ、パチンコ屋を出ていった。

家に帰ると、居間のステレオでビートルズを聴いた。

『リボルバー』をＡ面とＢ面聴き終えると、レコードを取り替えた。

『赤』と『青』を聴いた。二枚組のＡ面Ｂ面、合計八面——すべて、カッターナイフの傷の箇所でレコード針がひっかかったり飛んだり滑ったりして、まともに聴けた曲は一つもなかったが、最後まで聴いた。ジョンやポールの歌声よりも、むしろ傷のところで音が乱れるのを聴いていた。

『青』の二枚目のＢ面の演奏が終わると、レコードをジャケットに収め、自分の部屋の押入の天袋にしまった。

『赤』と『青』は、それきり二度と聴かなかった。

帰ってきたんだな、俊介。

すぐに自分の部屋に入ってしまったんだな、いつものように。

リビングに顔を出してくれればよかったのに。ビートルズの話が、いま、終わったところだ。ハッピーエンドではないし、教訓がどこにあるのか自分でもよくわからない

（なんとなく、どこかにありそうな気はするのだが）。それでも、昔の話をたどって、気づいたことがある。おまえの落としたものを一緒に拾ってやる――おじいちゃんは、確かにそう言ったのだ。

いままでは思いださなかったし、たとえ思いだしたとしても心にとどめることはなかったはずの、その言葉を胸に、お父さんは長い長い手紙を締めくくろうとしている。正直に書いてきた手紙の最後の最後に、ひとつだけ、小さな嘘《うそ》をつかせてくれ。

窓からは午後の陽射《ひざ》しが注ぎ込んでいる。暖かい一日だ。そう思いたい。そう信じたい。小春日和《こはるびより》という言葉をおまえは知っているか？　今日のような日のことを、小春日和と呼ぶんだ。

我が家の夜は、まだしばらくつづくだろう。どしゃ降りの雨は、そう簡単にはあがってくれないはずだ。

手探りで、傘もなく、おまえはどこへ行きたい？

お父さんは、ここにいる。

いま決めた。

会社に残る。我が家に残る。沈んでいく船の最期《さいご》を見届けて、おまえが我が家を振り向くのを待とうと思う。臆病者《おくびょう》の優等生だったお父さんには、ドラマやマンガの主人公のような闘う勇気は絞り出せないが、せめて、逃げない勇気だけは持っていたい。

部屋のドアをノックさせてくれ。「早く出てこい」と言うためではなく、「お父さんはここにいるからな」と伝えるために、ノックをつづけさせてくれ。

ビートルズを聴こう。

親は、どんなときにもベスト盤を子どものために、よかれと思って選んでしまうものなんだな。そして、子どものほんとうに聴きたい曲にかぎってベスト盤には入っていないんだな。

まだ間に合う、と信じていいか？

おじいちゃんは四年前に亡《な》くなった。お父さんは、あの日のことをとうとう謝れずじまいだった。おじいちゃんのことを尊敬するようになったわけでもないし、無口なまま人生を閉じたおじいちゃんに「ご苦労さま」を――どうして言ってやれなかったんだろうな……。

だから俊介、お父さんは今度こそ間に合いたいんだ。

ビートルズを一緒に聴こう。お父さんと、できればお母さんも加えて、家族三人で聴こう。

『赤』と『青』には入っていない、おまえのいっとう好きな曲を、いつでもいい、いつか教えてくれ。

団旗はためくもとに

1

いやな夢を見た。ずいぶん昔の、ほんとうにあったお話が、夢でよみがえった。夢の中のあたしは小学一年生だった。六月だったと思う。父の日に合わせた日程だったはずだから、たぶん六月。人見知りするタイプのあたしが、なんとか学校に慣れて、毎朝出がけに「おなかが痛い」「熱がありそう」なんてぐずることもなくなった、そんな頃のお話だ。

日曜日に授業参観があった。「ふだんは仕事で忙しいお父さんに、みんなが元気でお勉強したり遊んだりしてるところを見てもらいましょう」というコンセプトの、いまのあたしに言わせれば、ただのおせっかいな企画——だった。

家を出る前に、何度もしつこく念を押した。

「ぜーったいに、ふつうのカッコしてきてよ。いい？　お父さん、ふつうのカッコだよ」

お父さんは納豆を箸《はし》でかき回しながら、うわずった声で「わかってる」と言った。両肩はガチガチにこわばっていた。背中もサオかなにか差したみたいに、妙にピンとまっすぐ。

もちろん、夢の中でそこまで細かくお父さんの姿を見ていたわけじゃない。この場面は、お母さんが「こんなにプレッシャー感じてるのって初めてなんじゃない?」とおもしろがって録画した8ミリビデオからの引用。

実際、あの日のお父さんはめちゃくちゃ緊張していた。なにしろ一人娘の初めての授業参観日だ。べつにお父さんが緊張することなんてないと思うんだけど、「初めてっていうのは、とにかく貴重なんだよ、そうだろ? 二回目からはもう初めてじゃなくなるんだから」——わけのわからないことを言いながら納豆を小鉢からごはんに直接かけようとして、ほとんどこぼしてしまったところで、ビデオテープは停まっていた。

ほほえましい?

それは部外者の感想だと思う。

あたしは緊張するお父さんを見て、「ヤバいなあ」と思っていた。緊張してるってことは真剣だってことで、真剣だってことは気合いを入れてるってことで、お父さんが気合いを入れちゃうと……。

「いい? お父さん、約束だよ。入学式みたいなことしないでよ。ぜーったいの、ぜーったいに、ふつうのカッコしなくちゃだめだからね!」

何度も何度も念を押したのに。

お父さんも「だいじょうぶだいじょうぶ、美奈子《みなこ》に恥かかせたりしないから」と答えてくれたのに。

参観の授業は、三時間目の算数だった。二時間目の国語が終わって、気の早いお父さんたちがさっそく教室の後ろの「父親ゾーン」で場所取りを始めた休み時間、廊下で遊んでいた男子がダッシュで教室に戻ってきて、大きな声で言った。

「ヤクザが来たーっ！」

お父さんは、ダブルのダークスーツを着ていた。ワイシャツは黒のペンシルストライプ。ネクタイは白。右手の袖口《そでぐち》から金のブレスレットが覗《のぞ》く。おまけに朝イチで床屋さんに行ってきたらしく、角刈りの髪も、ほっぺまであるもみあげも、カクカクッと音が聞こえそうなほど。眉毛《まゆげ》は真ん中でつながり気味のゲジゲジで、目玉がギョロリ。メガネはよそゆきの金ブチで、レンズはうっすらとブラウンがかかっている。

前もって「ふつう」の範囲を決めておかなかったことを、死ぬほど後悔した。

お父さんに言わせれば、入学式のときの純白スーツよりいいだろう、となるんだろうけど。それは確かに、普段着の、襟が刃物みたいにピンととがったゴルフシャツで来られても困るんだけど。

初恋の相手のコダマくんのパパなんて、ネイビーブルーのサマーセーターがすごくお洒落《しゃれ》なのに。仲良しのジュンコちゃんのパパだって、ブレザーでキメてるのに。ランニングシャツが透けて見えるポロシャツを着てきたカトちゃんのパパのほうが、まだましだ。

服装だけじゃない。お父さんの体型は独特だ。背は百七十センチたらずだけど、体重は八十キロを超えている。といっても水ぶくれタイプのデブじゃなくて、「堅太り《かたぶとり》」って言葉を田舎のおばあちゃんに教わったんだけど、筋肉質で、手足が短くて、だから体型としてはサイコロのイメージ。顔も、でかい。カクい。首が太くて短い。親サイコロの上に子サイコロが載っかった感じの、そんなひと、友だちのお父さんには誰もいない。貫禄《かんろく》はたっぷりあるけど、若々しさはゼロ。「そんなことないわよ、お父さんって学生時代からぜんぜん変わってないんだから」というお母さんの台詞《せりふ》、よーく考えたら、すごくコワい。

お父さんは教室に入る前に、戸口で「気をつけ」の姿勢をとった。息を大きく吸い込んで、いつもならここでお父さんならではの挨拶《あいさつ》が出るところだけど、さすがに自主規制して、口を動かすだけ。

おっ・す。

男の子の「オッス！」じゃない。

漢字で書くなら、押忍——。

押して、忍ぶ。あの頃は意味がわからなかった。お母さんに説明された「キリスト教の『アーメン』とかイスラム教の『アッラー』と似たようなもの」というのを真《ま》に受けていた。いまはさすがに「アーメン」と一緒くたになんかしないけど、でも、意味はあいかわらずわからない。お父さんに訊《き》いても、「いいか、美奈子。『押忍』は言葉じゃないんだ、心なんだ」って、ますますわけがわからない。

ただ、お父さんは、その言葉をすごく大事にしている。リビングルームのサイドボードの真ん中には、貰《もら》いもののウイスキーを左右に従えて、筆で〈押忍〉と書いた色紙が飾ってある。

色紙の前には、写真立て。大学時代のお父さんがいる。詰襟の学生服を着て、両手を腰の後ろに回して、角刈りのおでこに〈必勝〉の鉢巻きをつけている。

そう――お父さんは、つまり、元・応援団。しかも団長。「組」関係じゃなくて「団」関係のひとなのだ。

「似たようなものじゃん」と言うと、かなり本気で怒る。「組」と「団」が似ているのはファッションセンスだけなのだという。「そこが似てるのが問題なんじゃん」とツッコミを入れると、「同じ光りモノでも『押忍』の心のあるなしで光り方が違うんだぞ、見るひとが見ればちゃんとわかるんだ」と、けっきょく話がそこに戻ってきてかえって面倒だから、最近はもうなにも言わないけど。

ちなみに、お父さんとお母さんが結婚したときのプロポーズの言葉は、「愛してる」でも「幸せにします」でもなく、「あなたの人生を応援します」。生命保険のコマーシャルみたいだ。

さらにちなみに、あたしがひどい難産で生まれたとき、お父さんは産婦人科の病院の外に「団」の現役の後輩たちを集めて、畳で言えば六畳ぐらいあるでっかい団旗を立てて、あたしが産声《うぶごえ》をあげるまでエールをきりつづけた。とにかく、徹底して「団」のひと、なのだ。

で、夢の中のお話に戻ると、お父さんは無言の「押忍!」とともに一礼して教室に足を踏み入れたわけだ。

他のお父さんたち、みんなビクッとして、髪にメッシュを入れたフジタくんのお父さんなんて一歩後《あと》ずさってしまった。

お父さんは「父親ゾーン」の最前列のど真ん中に立った。まるで、ここが俺の定位置なんだ、と言わんばかりに堂々と。

でも、あたしがそっぽを向くと、とたんにしょんぼりして、「父親ゾーン」の最後列に下がっていく。

お父さんは、そういうひと。あたしにはめちゃくちゃ弱い。お母さんからは「わがまま」「生意気」「性格がヒネてる」「片づけができない」と叱《しか》られどおしのあたしのことが、好きで好きで好きで好きで好きで好きでたまらない。

チャイムが鳴って、担任の先生が教室に入ってきた。いつものように日直の号令で、起立、礼、着席。

あ、ヤバいな、だいじょーぶかな、と一瞬思った。親子ならではの虫の知らせだった。「礼」のとき、「父親ゾーン」で騒がしい音がした。一人が「うぎゃっ！」と叫び、最前列にいたひとが後ろから押されて、「うわっ、わっ、わっ！」と前のめりに倒れ込んでしまい、その上にさらにもう一人倒れて……。

原因は、虫の知らせどおり、ウチのお父さんだった。

礼儀作法にうるさいお父さんは、日直の「礼」に合わせて思いきり深々と頭を下げた。角刈りの頭が、前にいた父親Aの背中を直撃。不意打ちをくらってつんのめった父親Aが、隣にいた父親Bの肩に手をかけて体を支えようとしたら、父親Bも驚いてしまって、自分の前の父親Cの背中を思わず突き飛ばして、あとは将棋倒しの格好で、バタバタバタバタッ。

お父さんは、とにかく、そういうひと。

あたしに恥ずかしい思いをたくさんさせて、何度も「お父さんなんて大っ嫌い！」と言われて、月に一度はシカトされて、それでも、あたしのことが大、大、大好きだったひと。

過去形になった。

目が覚めても、ベッドの中でうだうだしながら、夢に出てきたお父さんの間抜けさを思いだしていた。肩まである長い髪の先っぽを、指に巻きつけたり伸ばしたりする。それが子どもの頃からの、考え込んだりすねたりしたときの癖だ。

ドアがノックされた。

「美奈子、そろそろ起きなさいよ」――廊下からお母さんが言う。

時計を見ると、もう九時をまわっていた。

「お父さんは？」

「河原でちょっと声を出してくる、って」

「また？」

「寝てるうちに、またストレス溜《た》まっちゃったんだって」

お父さんはときどき、我が家から歩いて十分ほどの多摩川の河原に行って、大学の校歌を大声で歌う。身振りつきでエールをきるときもある。それがストレス解消法。昔は庭でやってたけど、裏に引っ越してきた大原さんちのおばあちゃんが騒音にやたらと口うるさいひとだったので、何度か文句を言われたすえ、河原がホームグラウンドになった。

ゆうべもお父さんは河原に出かけた。日付の変わる頃だった。一晩たって今朝——日曜日の朝っぱらから、また、河原。

ため息をついたら、その気配が部屋の外にも伝わったのか、お母さんはやんわりとお説教するような口調で言った。

「ショックだったのよ、お父さん。わかるでしょ？」

「……うん」

「美奈子も、ちょっと頭冷やして、もう一回考えてみなさい」

「何回考えても同じだってば、ゆうべも言ったじゃん。あたし、マジ、ずーっと考えてたんだから」

「でも、ゆうべだって、あんた、『なんとなく』しか理由言えなかったじゃない。それじゃあお父さんだって『じゃあいいぞ』なんて言えるわけないじゃない」

「だって、しょうがないじゃん、他に言い方見つからないんだもん」

今度は、お母さんのついたため息がドアをすり抜けて伝わってきた。左頬にてのひらをあてると、お父さんが河原でやけっぱちに歌う校歌のメロディーが、聞こえるはずがないのに、耳の奥をよぎる。

「まあ、とにかく朝ごはん早く食べちゃいなさい」

お母さんはそう言ってドアの前から離れ、階段を下りた。

あたしはまた左頰にてのひらをあてた。腫《は》れてはいないようだ。指先で軽く押しても、ゆうべ寝る前のような痛みはない。

お父さんにぶたれた。生まれて初めて。

泣かなかった。ここで泣いたらアウトだからね、と自分を必死にふるいたたせた。ぶたれても、怒鳴られても、引き下がるわけにはいかない。

高校をやめるんだ、ぜったいに――。


朝ごはんを食べ終えた頃、お父さんが河原から帰ってきた。ダイニングテーブルのあたしを見て、なにか言いたげな顔になって、でも黙って目をそらした。あたしも黙ったまま。「ごめんね」を言う気はない。

「土手の桜も、もう終わりだなあ」

キッチンのお母さんに話しかけるお父さんの声は、がらがらに嗄《か》れている。カラオケでマイクを使ったことがないほどじょうぶな喉《のど》だけど、二日つづけて河原に行くと、さすがにキツいんだろうな。

お父さんはダイニングとひとつづきのリビングのソファーに座って、リモコンでテレビを点《つ》けた。アニメ、パス。バラエティ、パス。囲碁教室、パス。チャンネルが討論番組にあたると、やっとリモコンから手を離した。

あたしはトーストの最後の一口を頬張って、お父さんの後ろ姿をこっそりチェックした。

怒ってるんだろうな、まだ。あと、かなり疲れてるみたい。

昔のお父さんの夢を見たせいか、今朝のお父さんはふだんにも増してオジサンっぽい。四十二歳――厄年《やくどし》。お母さんによると、厄年っていうのはただの迷信じゃなくて、四十歳を過ぎると急に体にガタが出てくるものらしい。いまのところ病院通いをするようなガタは出てないけど、最近しきりに血圧やコレステロールを気にするようになった。新聞の糖尿病やガンの記事に読みふけるときもある。

確かに、夢に出てきたお父さんと比べると、体つきが少し変わった。大小二つのサイコロをくっつけたような基本のボディラインは同じでも、よーく見ると、サイコロ全体のカクカクッとした輪郭がゆるんできたのがわかる。触ったりはしないけど、あの頃ははちきれそうなほど引き締まっていた胸板や、壁のようだった背中も、なんとなくフニャフニャっぽくなった気がする。

テレビでは、政治家や評論家の皆さんが日本の将来について深刻な表情で語り合っている。このままだと日本はだめになってしまうらしい。「改革ですよ、構造改革をしないとどうにもならないんです！」と一人が力んで言った。「ぬるま湯につかりすぎていたんですよ、いままでの日本は」と別の一人も眉間《みけん》に皺《しわ》を寄せて言う。

そうそうそう、と思わずうなずいた。

あたしの生活もぬるま湯だったんだ。このままじゃだめになっちゃうから、改革をしなくちゃいけないんだ。

だから、やっぱりあたしの決断は間違ってない――。

「お父さん」

勇気をふるって声をかけた。

背中を向けたままのお父さんの返事は、ワンテンポ遅れた。低い声の「なんだ」。語尾が持ち上がらないところに、不機嫌がにじむ。

「ゆうべの話なんだけど……」

「もういい」

「って、ＯＫ？」

「バカ、くだらんことを朝っぱらから言うなってことだ」

テーブルの朝刊を乱暴な手つきで取って、もっと乱暴に広げ、紙が破れちゃいそうな勢いでめくっていく。

そういうシカトのやり方、あたしは嫌いだ。

「どこがくだらないわけ？」

「全部だ、全部」

「どんなふうにくだらないって？」

「どうもこうもあるか、バカ」

「バカバカ言わないでよ」

「バカだからバカって言ってるんだ、もういいから黙ってろ、テレビが聞こえないだろ」

「コマーシャルじゃん、いま」

「……観《み》たいコマーシャルなんだよ」

　お父さんは新聞を急いでめくりすぎた。テレビ欄から始まって、あっという間に一面まで来てしまった。いらだたしげに新聞をテーブルに戻し、入れ替わりにテレビのリモコンをまた手にとって、しわがれた喉を鳴らしながらボリュームを上げる。

「言っとくけど、あたし真剣だから」

「ろくに考えもせずに、なに言ってるんだ」

「考えたから、決めたんじゃん。もうねえ、半年ぐらい、ずーっと考えてたんだから」

　お父さんは黙って立ち上がった。振り返って怒ってくるかなと思ったけど、あたしには目を向けずに、お母さんに「シャワー浴びてくる」と一声かけてリビングを出ていった。

　逃げたんだと、思う。

入れ替わりに、お母さんがあたしの向かいの席に座った。

「あのねえ、美奈子、お父さんも頭がパニックになってるんだから、そんなに追いつめないで」

「追いつめてなんかないよ、勝手に逃げてるだけじゃん」

「……そういう言い方しないの。とにかくあんたも少し冷静になって、もう一回よーく考えてごらん。そのときの感情だけでパーッと動くと、あとで後悔しちゃうんだから」

「感情じゃないってば」

「学校が嫌だっていうのは感情じゃないの？　嫌だからやめるなんて、そんなの子どもがワガママ言ってるのと同じじゃない。お父さんだって許してくれるわけないわよ。ひとを説得するときには、きちんと筋道立てて、その先の見通しもつけて、そこからでしょ」

お母さんはクールだ。いつも正しいことを言う。だから、なかなか本音が見えない。

高校をやめることだって、「そんなのお母さんに言われたって困るわよ、お父さんに相談してみなさい」としか言ってくれなかった。自分の意志を持たない従順な妻――って感じでもないんだけど、なんというか、お相撲にたとえれば、こっちがガツーンと突っ込んでいってもパッと身をかわしてはたき込みで勝負あり、みたいな。

「まあ、とにかく、一生の問題なんだから、一日や二日で結論を出せるわけないでしよ」

「うん……」

席を立ったお母さんは、ふと思いだしたふうに言った。

「で、美奈子は学校やめてなにしたいの？」

なにも答えられなかった。お母さんもべつに答えを待っている様子はなく、そのままキッチンに入った。狙《ねら》ったんだろうな、このタイミングを。

長い髪の先っぽを指に巻きつけて、ほどいて、伸ばしていたら、シャワーを終えたお父さんが、濡《ぬ》れた髪をタオルで拭《ふ》きながらリビングに戻ってきた。若い頃からこれ一筋の角刈りも、もみあげのあたりに白いものが交じるようになった。頭のてっぺんの地肌も、ちょっと透ける。

「美奈子」声はかけても、目はそっぽを向いて。「まあ、あれだ、うん……そうだよな、いろいろな……」

「なんなの、それ」――あたしもうつむいてしまう。

「いや、だから、まあ、今日のところは、うん、要するにだな、お互い、感情的になってもアレだし、なあ……だよ、うん」

「頭の中、もつれてるんじゃない？」

そっけなく言ってやった。お父さんの体から湯気がたっていないことに気づいたから。

冷たいシャワーを浴びて、文字どおり頭を冷やしたんだろう。風邪ひいても知らないよ、っての。

けっきょく、お父さんはあたしのことを怒れない。どんなにカッとしてキレても、一晩たって、頭を冷やせば、いつもの「美奈子には弱いんだよなあ、俺」のお父さんに戻ってしまう。

なぜだろう、それがすごく嫌だった。怒ってるより怒ってないほうがいいに決まってるのに、でも、嫌だ。

「あのさあ、お父さん、あたしのこと怒るんなら最後まで怒れば？」

「うん？」

「なんかさあ、テキトーにごまかしてれば、そのうちあたしの気も変わるだろうって思ってるんじゃないの？」

「……そんなことないさ」

「言っとくけど、あたし、マジだからね。ぜったいに高校やめるからね。もしお父さんやお母さんがどうしても許さないっていうんなら、はっきり言って、家出しちゃってもいいんだから」

「美奈子！　いいかげんにしなさい！」――怒ったのは、キッチンにいるお母さんだった。

お父さんは黙っていた。黙って、タオルで頭をごしごしこするだけだった。

2

高校をやめたくなったきっかけは、半年ほど前にさかのぼる。

一年生の二学期もほとんど終わりかけた頃、英語の授業を受けているとき、不意に思った。

あたし、なにやってるの――？

アブナいひとみたいだけど、ほんとに一瞬、自分がなぜいまここにいるのかわからなくなった。

すぐに我に返って、おかしいなあ、居眠りしてたのかなあ、なんて怪訝《けげん》に思っていたら、今度は、こんな声が耳の内側から聞こえてきた。

意味ないじゃん――。

ハッとして、目を何度も瞬《しばた》いて、深呼吸を繰り返したけど、さっきまでとは違う、妙に居心地が悪くなった。バスに酔いかけて、友だちのおしゃべりに付き合って笑うのがキツくなってきたときのような感じ。どうしたんだろう、とあせった。おかしいなあおかしいなあ、と唇をなめてみたり膝《ひざ》をつねってみたりした。でも、居心地の悪さはどんどん増していき、やがてまた声が聞こえてきた。

ここにいたくない——。

授業はいつもどおり退屈で、教室はいつもどおり静かで、窓の外にはいつもどおり青空が広がっていて、そんな「いつもどおり」に包まれている「いつもどおり」が、すごくカッコ悪くて、すごくむなしくて、すごくずるいんじゃないかという気がした。

もともと、あたし以外のコだってそうだと思うけど、「どうしてもここ！」って決意して入った学校じゃない。偏差値とか内申点とかで、たまたまここがハマっただけ。普通科だから、とりあえず大学進学が前提だけど、たいした大学には行けないことは高校受験の段階で見えている。まあ、専門学校が妥当な線なんだろうけど、「専門」ってことは自分のやりたいことを一つに決めるってわけで、それが難しい。たくさんありすぎて迷うんじゃない。やりたいことを考えても、なにも浮かんでこないから、困る。

いままでは、それでもいいじゃん、と思っていた。だって、そんなの友だちのアサミもケイコも同じだし。

でも、やっぱり、カッコ悪いじゃん、むなしいじゃん、ずるいじゃん——。

気づいたんだと思う。まだ友だちの誰も気づいていない自分のカッコ悪さやむなしさやずるさに、あたしはなぜか急に気づいてしまった。もう昔みたいなノンキでお間抜けでお気楽な女子高生には戻れない。

その日以来、あたしは変わった。

もっとも、外から見てわかる部分が変わったわけじゃない。言ってることもやってることも「いつもどおり」のまま。

でも、心の中ではずっとあせっていた。「いつもどおり」じゃいけないんだと、ずーっと、思っていた。火山のマグマみたいなものだ。もしくは、池を優雅に泳ぎながら、水の中で足を必死に動かしてる白鳥みたいに。

四月の新学期。二年生に進級しても、「いつもどおり」はなんの変わりばえもしないことが見つからない。

「いつもどおり」だった。高校生活はもうすぐ後半戦に入るのに、まだ自分のやりたい

なんとなくわかったことは、一つだけ――「いつもどおり」から出ていかなくちゃ、始まらない。

というわけで、あたしは学校をやめることを決めた。

火山が噴火して、白鳥は陸《おか》に上がった。

この決断、間違ってない――と思う。

「それで？」

アサミが軽い調子で訊《き》いた。「話、終わりなの？」と拍子抜けした顔になって、まい

っちゃうなあ、とため息をつく。

五月の連休明け。あたしはまだ「いつもどおり」の生活の中にいた。お父さんはあいかわらず「くだらんことを言うな」と話を聞いてもくれないし、お母さんは「よーく考えなさい」の一点張りだ。

そして、アサミまで。

「陸に上がった白鳥は、どこに行くわけ？」

お母さんと同じツッコミを入れてくる。

「それをいまから考えるって言ってるんじゃん」と答えると、甘い甘い、と首を横に振るのも、お母さんと同じ。

「火山でも白鳥でもいいけど、美奈子は行動に移してないじゃん。助走してないっつーか、頭の中で思ってるだけでしょ。行動に見えないものって、やっぱ信じられないもん」

「だから、いま行動に移すわけ」

「……極端なんだよ、美奈子は」

アサミに言わせれば、あたしの決断は、朝起きて、なんとなくの気まぐれでトライアスロンに参加するようなもの、らしい。

「トライアスロンならリタイアしちゃえばすむけど、高校中退とかって、ジンセイ的にヤバくない?」

「そんなことないよ、大検だってあるんだし、学歴の関係ない世界で生きていきたいし」

「たとえばどんな?」

「だから……それをいまから考えるって言ってんじゃん」

話はいつも堂々巡りになってしまう。

アサミは言う。

「形から入るのって、よくないと思うよ」

アサミは実質本位のひとだ。あたしと似たようなふやけた「いつもどおり」を過ごしていても、「ま、いーじゃん」で納得する。やりたいことも単純明快、「長生き」。そこまでハードルを下げておけば、世の中のたいがいのことは「あり」になるんだという。

そして、そんなアサミから見れば、あたしは自分のことをわかってないらしい。

「人間って、二種類あると思うわけよ。野球とかサッカーで言ったら、グラウンドで試合するひとと、スタンドからそれを見てるひと。美奈子は試合したいわけだよね、でも、試合に出られるひとって、やっぱ選ばれてるわけ。あんたはスタンドで見物してるひとのことをカッコ悪いと思ってるかもしれないけど、お客さんで満員になってるから、巨人とか阪神とか経営が成り立ってるんじゃん? ってことは、お客さんがいなかったら始まらないわけ。政治家だって、ウチらみたいなバカが投票しないと当選しないんだもん。でしょ？　ソニーだってトヨタだって、どんなにがんばっていいモノつくっても、それが売れなきゃ意味ないじゃん。でしょ？　ウチら頭悪いしコンジョーないから、モノをつくったり売ったりとかはできないけど、買うことはできるわけ。で、そーゆーウチらがいないと、ニッポンはヤバくなっちゃうわけよ」

「そりゃあ、まあ……そうだけど」

言いたいことはわかるけど、納得しようとすると、ちょっとだけ、ひっかかりがあった。

でも、そのひっかかりの正体を探る前に、アサミは「無理すんなって、美奈子」と笑った。「ウチらは観客なの、で、観客はとってもだいじなの。それでいいじゃん」

「よくないって」

「悪いけどさあ、美奈子の言ってること、弱いよ」

「って？」

「決意は強いけど、理由が弱いっていうか、あんたって基本的に『なんとなく』のひとじゃん？」

「……学校やめるのは、『ぜーったい』だよ」

「だから、『なんとなく、ぜーったい』って感じするわけよ、ヨソから見てると。それだと親とか説得できないと思うけどね」

アサミの言うことは、なんとなく、わかる。でも、なんとなく、間違ってるとも思う。

やっぱり——あたしは「なんとなく」のひと、なんだな。


五月に入ってから、お父さんは毎晩帰りが遅い。泊まりがけの出張もある。そこそこ名のとおった出版社の営業部——四月の人事異動で課長に昇進して、いまは七月に創刊される月刊誌の売り込みに必死なんだという。

おまけにお父さんの夜のスケジュールには、他の部署の人事異動も複雑にからんでいる。送別会に歓迎会、新入社員の歓迎会もあるし、新しくつくられた部署の発足会もあるし、今回の人事異動では重役もたくさん入れ替わったので、お父さんはひっぱりだこだ。

毎朝、出掛けに、たとえばこんなリハーサルを一発。

「押忍！　営業三課ァーッ、宮本ォッ、孝史《たかし》ッ、くんのーォッ、関西支局ご栄転を祝しーィッ、ならびに今後ますますのご活躍をーォッ、祈ってーェッ……フゥレーェッ、フゥレーェッ、みッ、やッ、もッ、とッ、フレッフレッ、み・や・も・と、フレッフレッ、み・や・も・とッ！」

出版社ならではの、作家さんへのエールもある。

「押忍！　平成のミステリー王ッ、権田原栄作《ごんだわらえいさく》先生のーォッ、ファン待望のご新作ーゥッ、『蕎麦《そば》屋殺人事件』の完成を祝しーイッ、ならびにベストセラーを祈念しましてーエッ……フゥレーェッ、フゥレーェッ、そッ、ばッ、やッ、フレッフレッ、そ・ば・や、フレッフレッ、そ・ば・やッ！」

ばっかみたい、と思うけど、出版界って意外とゲンかつぎをする世界らしく、何年か前に打ち上げの宴会でお父さんがエールをきった本がまぐれのような大ベストセラーになって以来、作家さんからも編集部を通じて「アレやってよ、アレ」とリクエストが来るほどの人気なのだ。

毎朝のうがいは欠かせない。現役時代は神宮球場の一塁側スタンドから三塁側まで楽勝で声が届いていたというのが自慢で、二回生のときに旗手に抜擢《ばってき》されて、雨のなか延長十五回までいった試合の最後まで重さ七十キロの団旗を持ちつづけたというのがもっと自慢だけど、さすがに寄る年波には勝てない。「四十代になって、声が通らなくなったよ。突きも甘くなったし、ほんと、もうトシだよなあ……」とぼやくときもある。お母さんに腕や背中に湿布薬を貼《は》ってもらう朝も。

でも、「やっぱりシメには井上さんのエールがないと」と言われると、たとえそれがヨイショだとわかっていても断れない。

こないだの金曜日も、高橋部長の送別会のシメに、終電間近の新宿駅の構内でエールをきった。

土曜日の朝は、例によってひどい筋肉痛。「部長には若い頃から世話になったし、リストラ退職だったからな、気合い入れたぞお」と力んで言いながら、正拳突《せいけんづ》きのポーズをとりかけて、あたたたっ、と顔をしかめる。

「新宿駅で、三十分やったんだって」

お母さんは背中に湿布薬を貼ってあげながら、あきれ顔で言った。

「途中でバテたんだけどな、みんなが盛り上げるもんだから、やめるにやめられなくなっちゃって……」

「大道芸人じゃないんだから、ちょっとはトシのことも考えてくれないと」

「でも、部長は泣いて喜んでくれたんだぞ。第二の人生のいいはなむけになった、って」

その言葉を聞いたとき、あたしは思ったのだ。第二の人生——これ、使えるかも。お父さんの帰りが毎晩遅かったのがよかったのか悪かったのか、話がフリーズしたままの高校中退のことを、ここで一気に進めておきたかった。

湿布が終わるのを待って、あたしは言った。

「第二の人生ってだいじだよね」

「うん？」

「あたしも学校やめて、第二の人生を始めたいわけ」

「……まだそんなこと言ってるのか。第一も第二もないんだよ、人生はたった一度なんだから」

「でも、いま言ったばっかじゃん、第二の人生って」

「だから、それは部長みたいに三十年以上も働いてきたひとだから言えるんだよ。物事はつづけることに意味があるんだ、いつも言ってるだろ」

わかってる。応援団の頃の思い出話は、たいがいその教訓に行きつく。

応援団の一年生は、兵隊。もっとはっきり言えば、奴隷《どれい》。先輩には絶対服従で、「セミをやれ」と言われたら木によじ登ってミーンミーン鳴かなきゃいけないし、「セミは飛ぶもんだろ」と言われたら地面に飛び降りなきゃしょうがない。八丈島で合宿をやったときには本気で漁船を盗んで逃げようと思ったらしいし、三日三晩徹夜で先輩の卒論を書かされたときなんか、うたた寝防止で、原稿用紙の上に剣山《けんざん》が置いてあったんだという。

それを「押忍！」で乗り越えたからこそ、社会に出てからも少々のことではへこたれない自信がついたんだ、というのがお父さんの口癖だ。

「いいか、お父さんだって昔はなあ……」

いつもの思い出話が始まりそうになるのをさえぎって、あたしは言った。

「物事って、始めることにも意味があるんじゃないの？」

カウンター、一発。きれいに決まった、と思う。

「あたし、新しいこと始めたいわけ。お父さんみたく、ひとつのことにセーシュンぜんぶ捧《ささ》げちゃうんじゃなくて、いろんなことやってみたいの」

「ふらふら目移りしてるだけじゃないか。そんなのじゃ、なにやったって飽きて終わりに決まってるだろう」

「勝手に決めないでよ。やってみなきゃわかんないじゃん」

「失敗してからじゃ遅いんだ。もういいから、その話はやめろ」

お父さんはうっとうしそうに、しっしっ、と手を払った。

けっきょく、話はほとんど進まないうちに、またフリーズしてしまった。ずるい。最後の最後までとことん話し合って「だめだ！」になるんじゃなくて、門前払いみたいに話を勝手に終えてしまう。

でも、あたしだって、ずるい。

最後の最後までとことん話し合って、それでも「高校やめるんだ！」と言いきれるのかどうか、ほんとうはまだ自信がない。そのことを考えていると、決まって無意識のうちに髪の先っちょを指に巻きつけていて、だから最近、髪の先っちょはいつもカールしている。

3

六月最初の日曜日、我が家はお昼前からにぎやかになった。

毎年恒例の『水無月会《みなづき》』——お父さんが団長をつとめていたときの応援団の仲間が集まる飲み会だ。

創部以来のOBが集まる毎年三月の総会とは別に、あえて六月に集まるというのが、ミソ。お父さんが応援団長だった年の六月、母校の野球部は関東地区の大学が集まった春のリーグ戦で、三部リーグながら創部以来初めての優勝を遂げたのだ。応援団としても、もちろん史上初の快挙だった。

応援団には持ち歌が何曲もある。その中には、決まったシチュエーションでないと歌えないという曲もあって、たとえば野球部が試合に負けたあとに歌う『長恨歌《ちょうごんか》』は一シーズンに十回以上も歌う年もあるけど、優勝したとき限定の『凱歌《がいか》』は何十年も「幻」のままだった。それを優勝決定の試合後に球場のスタンドで歌った、というのがお父さんのなによりの自慢だ。全国から駆けつけた応援団のOBも涙を流しながら歌っていたのだという。

そんなわけで、お父さんにとって六月は特別の月。十月生まれのあたしが「美奈子」

と名付けられた理由も、六月——水無月の「みな」からだし、どんなに仕事が忙しくても、『水無月会』のスケジュールは最優先だ。

いつものメンバーはお父さんを入れて七人だけど、今年は大太鼓担当だった佐々木さんが欠席なので、お母さんはリビングのテーブルの下にウイスキーのボトルを六本置いた。二十代の頃は、それに加えて日本酒の一升瓶が一人一本ずつついていたらしい。

規律正しく上下関係に厳しい「団」の集まりだけに、約束の時間は厳守で、必ずお母さんとあたしへのお土産付き。それは嬉《うれ》しいんだけど、高校二年生になっても色鉛筆とかペコちゃんのお菓子詰め合わせってところが、どうも。お母さんだって、お醬油《しょうゆ》や洗剤やサラダ油ばかり貰《もら》って、ほんとはちょっとあきれてるんだと思う。

「しょうがないんだよ、あいつら、とにかく質実剛健なんだから」

他人事みたいに言うお父さんだって、独身時代、お母さんと付き合って初めてのクリスマスにはオーブントースターをプレゼントしたそうだ。商店街の福引の景品じゃないっての。

そんな質実剛健な手土産を持った皆さんは、まずインターフォンを鳴らし、ウチの家族が応対すると、声を張り上げて——。

「押忍！　佐藤ほか四名、参りました！」

玄関のドアを開けるときも、きちょうめんに一礼して——。

「押忍！　失礼します！　佐藤入ります！」「押忍！　田中入ります！」「押忍！　鈴木入ります！」「押忍！　小林入ります！」「押忍！　山田入ります！」

皆さんの体型や髪型や服装だって、お父さんほどじゃないけど、似たようなものだ。車で来るときは、たいがいクラウンで、セルシオやベンツも、たまにある。

そのくせ、じつは皆さん、意外とエリート。年に十回もニューヨークに出張する商社マンもいるし、新聞社の政治記者もいるし、文部科学省のキャリア官僚もいる。

なのに、しゃべる言葉の頭には、必ず「押忍！」がつく。ビールを注《つ》ぐときもお母さんの手料理を褒めるときもトイレに行くときも、とにかく「押忍！」、なにがあっても「押忍！」、寝ても覚めても「押忍！」「押忍！」「押忍！」……。

「押忍」って、なんなの――？

ほんとうに、それがわからない。

いつもの年なら、お父さんは「『水無月会』の『みな』は、美奈子の『みな』なんだから」なんてベタなことを言って、あたしを宴会に付き合わせ、「美奈子はなあ……」「美奈子がなあ……」と定番の娘自慢を始める。夕方までさんざん飲んで、食って、学生時代に喉《のど》を鍛え抜いた皆さんの声が近所迷惑なほど大きくなった頃に、宴会はお開き。

酔い覚ましにみんなで河原に出かけて、校歌と応援歌を何曲か歌って、お互いの健康を祈ってエールをきって、おしまい。ひたすら質実剛健な宴会の、唯一《ゆいいつ》の華があたしなわけだ。

でも、今年は、あたしは二階の自分の部屋に閉じこもったきりで、お父さんもあたしを呼びつけたりはしない。それはそれで気楽で助かるんだけど、ちょっと寂しい気分もないわけじゃないっていうか、お客さんも寂しがってるんじゃないかっていうか、挨拶《あいさつ》だけしておいたほうがいいかなっていうか。

そっとドアを開け、足音を忍ばせて階段を下りていたら、リビングの話し声が聞こえてきた。重く、くぐもった声――しゃべっているひと一人だけじゃない、まわりの相槌《あいづち》も沈んだ様子だった。

昔は親衛隊長だった山田さん、先月の人間ドックで脂肪肝と糖尿と胃潰瘍《かいよう》が見つかったらしい。つづいて話しはじめた副団長の佐藤さんは、中学生の息子さんが学校でひどいいじめに遭っているんだという。新人教育担当で鬼軍曹《ぐんそう》と呼ばれていた田中さんは、去年の秋に離婚してしまった。重さ七十キロの団旗を任されていた旗手の小林さんは、脳梗塞《こうそく》で左半身が不自由になった田舎のお父さんを引き取るかどうかで悩んでいて、他校とのもめ事を丸く収める手腕は歴代一だったとお父さんも認める渉外部長の鈴木さんは、ＩＴ株で失敗して何千万円もの損を背負ってしまった、と泣きだしそうな声で言う。

階段の途中に座り込んだあたしは、まいっちゃったなあ、と髪の先っぽを指に巻きつける。

これ、はっきり言って、クラいよ、クラすぎ。

田中さん、別れた息子と二人で撮ったプリクラ、ケータイに貼《は》るのってむなしくない？　山田さんも、家から持ってきたウコン茶を啜《すす》りながら「これが自分にはオチャケっす」なんてオヤジな駄洒落《だじゃれ》、何度も言わないで。小林さん、お父さんのシモの世話の話、ごはん食べてるときにそんなにくわしく説明しなくていいっての。鈴木さん、はっきり言って株で損したのはジゴージトク、佐藤さんも息子がそんなに心配だったら『水無月会』なんて休んで遊んであげればいいんじゃないの？

みんなオジサンになっちゃったんだなあ、と思う。オジサンになると、みんな元気がなくなっちゃうんだなあ、とも。一年に一度しか会わないから、それがよけいはっきりとわかる。

お父さんは昔の仲間のグチや泣き言の聞き役にまわっていた。

「まあ、大変だけど、がんばるしかないよなあ……」

あんまり意味のないことを言って、話が途切れると「いいから飲め飲め、ほら、食え食え」と、もっと意味のない盛り上げ方をする。

たっぷり三十分ぐらい座り込んでいたせいで、お尻《しり》が痛くなってきた。挨拶に顔を出すって雰囲気でもなさそうだし、このまま部屋に戻っちゃおうかと腰を浮かせた、そのときだった。

「団長はいいですよね、自分らとは違って、公私ともども充実してるんでしょう？」

――小林さんの声だ、たぶん。

お父さんは「なにヨイショしてるんだ」と笑うだけだったけど、他のメンバーも口々に言う。

「団長はだいじょうぶだよ、気合い入った人生なんだから」「自分ね、くじけそうになるといつも思うんです、こんな根性のない姿を団長に見られたらどやされるぞ、って」「そうそう、めったに会えないんだけど、いつも団長は自分のそばにいてくれるんですよ」「団長は変わらないですよね、ほんとに」「団長はいつまでも団長なんですよ、自分、本気でそう思ってます、押忍」……。

そんなにカッコいい？　ウチのお父さんの人生って。

ただのサラリーマンじゃん。服装や体型は目立つけど、基本的には平凡なオヤジじゃん。

あたしは階段に座り直して、髪をまた指に巻きつけた。

さっきから気づいていた。お父さんは仲間の話を聞くだけで、お父さん自身の近況はなにも話していない。話したくないのか、話せないのか、その両方なのか、とにかく

「美奈子」の「み」の字も口にしていない。

玄関のチャイムが鳴った。お寿司屋《すし》さんだ。

ヤバッと思って二階に逃げようとしたけど、髪の毛を指に巻きつけたままだったから、体のバランスがうまくとれずにお尻が持ち上がらない。

リビングからお母さんが出てきて、あたしに気づいた。

「こんなところで、なにやってんの？」

聞こえちゃったと思う、リビングにも、いまの声。

「うん、ちょっと……」

「お寿司来たから、下で食べれば？　挨拶もまだなんでしょ？」

リビングのお客さんたちも、どよめきのような声をあげる。そうだそうだ、美奈子ちゃんがいなくちゃ盛り上がらないじゃないか、なんて言いたげに。

指から髪をほどき、しかたなく階段を下りていった。お寿司屋さんにお金を払うお母さんの背中をにらんだけど、お母さんに気づいた様子はなかった。

居間に入ると、拍手と、だみ声を無理やり裏返らせた「ひょうひょーう！」の声で迎えられた。お父さんも笑っていた。でも、あたしとは目を合わせない。あたしがリビングに来たことより、クラかったみんなが明るくなったことのほうが嬉しいみたいだ。

お客さんたちに会釈《えしやく》して、お寿司に未練はあるけど、まあいいや、と部屋をソッコーで出ていきかけたら、山田さんに「美奈子ちゃん、なにやってんの、座って座って」と呼び止められた。

お父さんは、まだあたしのほうを見ない。黙ってウイスキーの水割りを啜っていた。「いやあ、でも、美奈子ちゃん大きくなったなあ」赤ら顔の佐藤さんが言った。「高校生だろ？　もう」

「二年生になったんだよね、四月から」と小林さんがつづけ、「団長もアレですね、これから心配なことも増えるんじゃないですか？」と田中さんが笑い、山田さんが「いやあ、でも、団長は幸せですよねえ、きれいな奥さんと、こんなかわいい娘さんがいて」と話をまとめた。

お父さんは照れくさそうに口元をもごもごと動かして、あたしとは目を合わせないまま、水割りをさっきより勢いよく飲んだ。

「どう？　美奈子ちゃん、学校おもしろい？」

田中さんに訊かれて、「はあ、まあ……」とあいまいに答えたら、お父さんが初めてこっちに目をやった。

わかってるな――と、目配せ。

間違いない、お父さんは確かに、目で伝えてきた。不安そうに、心配そうに、念を押すように。

最初はよくわからなかったけど、あ、そうか、と頭の中で小さな火花が飛ぶように意味がつながった。と同時に、急にむかついてきた。

ひきょうだ、お父さん。見栄《みえ》を張って、嘘《うそ》をついて、弱音やグチを隠して、いままでどおりの頼もしい団長さんで……そんなの、ずるい。

佐藤さんが言った。

「幸せでしょ、団長、ねえ?」

お父さんは「まあな」と笑った。

その声を聞き、笑顔を見た瞬間、あたしは叫んでいた。

「嘘つき!」

部屋ぜんたいの空気が、びくっと身震いした。

「お父さん、みんなに言わないの? あたしが高校やめたがってて困ってるんだ、って。サイテーの娘なんだ、って。みんなの家も大変だけど、ウチだって大変なんだ、って言えばいいじゃん」

お父さんはドングリまなこを大きく見開いて、でも、なにも言わない。

お寿司の取り皿を用意していたお母さんがキッチンから顔を出したけど、その顔も唖《あ》然《ぜん》としていた。

あたしはさらにつづける。

「不幸だよね、お父さん？　こんなバカな娘だから、すごい不幸なんだよね？　嘘つくことなんてないじゃん！」

席を立って、ダッシュで部屋を出た。

ついでに、家も出ていった。玄関の靴箱の上にお母さんの財布が出しっぱなしだったのが、ラッキー。

「美奈子！　待ちなさい！」

聞こえてきたのはお母さんの声だけ。

お父さんは、こないだの日曜日と同じように、黙ったままだった。

蒸し暑い。外は雨の近そうな曇り空だったし、バス通りまで全力疾走したせいで汗がなかなか止まらないし、言いたいことを言ったつもりなのに、いまになってもどかしさが全身を包み込む。

むかつくというのは音でもあるんだと初めて知った。

むかむかむかむかむかむかむかむかむか……音というか震動というか、古くなった蛍光灯が小さく低く鳴るように、耳の奥でしじゅう聞こえる。

うざったいなあ、と思いながら、バス通りを駅に向かって歩いた。アサミとかと遊んで気分転換したかったけど、ケータイを持っていないと、あのコのケータイの番号も家の電話番号もわからない。他の友だちも同じだ。あたしってけっこう孤独なんじゃないかと思うと、耳の奥の「むかむかむかむかむか……」がさらに大きく響いてしまう。

もし学校をやめたら、アサミとはもう遊んだりしないんだろうな。新しい友だち、ほんとにできるのかな。どんなコが友だちになるんだろう。昼間から学校にもお勤めにも行かずにぶらぶらしてるわけだから、ろくなヤツいないだろうな。すごいワルいのばっかり友だちになったりして。それはそれで困るけど、友だちがぜんぜんできないというのはもっと困る。高校中退のひきこもり――クラすぎる、いくらなんでも。

駅前商店街にさしかかっても、耳の奥の「むかむかむかむか……」は消えない。耳をすっぽり覆《おお》い隠す長い髪がうっとうしくてしかたない。

『水無月会』はどうなっただろう。しらけちゃっただろうな、思いっきり。お父さんも赤っ恥かいて、みんなにグチったのかもしれない。それとも、恥をかいたことじたいを必死にごまかして、やっぱり頼もしい団長さんのポーズを崩さないんだろうか。

むかむかむかむかむかむかむかむかむかむかむか……。

髪がうっとうしい。シャワーを浴びたい。ヤケドしそうなほど熱いお湯か、凍りそうな冷たい水を、頭から。

あんなこと言わなきゃよかった。懐《なつ》かしい友だちが一年に一度だけ集まってお酒を飲む、七夕みたいな日だったのに。大学を卒業してから二十年もたっているのに昔みたいに付き合える友だちなんて、やっぱり、いいなあって思ってるのに。

むかむかむかむかむかむかむかむかむかむかむかむか……。

汗で蒸れた髪が、ほんとうにうっとうしい。ぐちゃぐちゃにかきむしってしまいたい。

いや、それよりも——。

カットハウスの看板が目に入った。四月に開店したばかりの、ちょっとお洒落なお店。いままでは、髪が伸びたぶんを切って全体の形を微調整する程度だったから、お母さんの行きつけの美容院ですませてきたけど、たまには少しぐらい冒険したっていいかも。

鉢植えの観葉植物で飾られた入り口には、まるでフレンチかイタリアンのレストランみたいな小さな黒板の料金表がある。カット&ブロウ、税込み七千円。高い。でも、お母さんの財布の中には一万円札が何枚もあるし、まあ、いいか。

お店に入った。飛び込みだからしばらく待つのを覚悟していたけど、うまいぐあいに予約をキャンセルしたひとがいた。

「こちらへどうぞ」と、きれいなお姉さんにカットコーナーに案内された。椅子《いす》はインテリア雑誌のグラビアに出てきそうなアンティークなやつで、鏡は油絵用のイーゼルにセットされている。

「今日はどんなふうにしましょうか?」

お姉さんに訊《き》かれ、ここまで来たらもう覚悟を決めて、「いちばん似合いそうなのにしてください」と答えた。

「……そういうのって、いちばん難しいんですけどね」

お姉さんは苦笑して、それでも髪をコームでとかしたり指ですいたり、頭の形をてのひらで確かめたり、鏡の中のあたしと実物のあたしを角度を変えて見比べたりして、

「うーん、そうねえ……」と考えてくれた。

そして、十秒後――思いも寄らない結論が出た。

「いちばん似合うってことで言うんだったら、思いきってショートにしてみるのはいかがですか？」

後悔はしない。

怖くてずっと目をつぶっていたけど、どんなことになっても後悔だけは、しない。

ジャキジャキというハサミの音といっしょに、頭がどんどん軽くなる。耳に風が触れる。うなじが涼しくなる。シャンプーはあっけなく終わり、ドライヤーをあてる時間もいままでの三分の一たらずですんだ。

「はい、終わりました」

後悔しない、ぜったいに――。

4

カットハウスを出ると、外はもうだいぶ薄暗くなっていた。夕方というだけじゃなくて、髪を切ってもらっている間に空の雲はずいぶん重たげな色になっていた。

遠回りして帰りたかった。足取りの軽さを、もっともっと味わいたくて。

商店街のお店のウインドウに映る自分の姿をちらりと見て、うふふっ、と笑う。

仕上がりを見た美容師のお姉さんが「ばっちりですよ、サイコー」と自画自賛するほど似合っているかどうかは、正直、よくわからない。『サザエさん』のワカメちゃんっぽくなってしまったような気もしないではないし。

でも、悪くない。似合ってるんだと、自分で決めちゃえばいい。

あたしのいちばん身近だった「いつもどおり」が、「いままで」になった。それが嬉《うれ》しい。

雑誌の立ち読みやCDの新譜のチェック、ユニクロとマツキヨも覗《のぞ》いて時間をつぶしながら、商店街を抜けた。バス通りをしばらく進み、交差点を曲がって河原に向かった。

友だちと出くわさなかったのが残念だったけど、まあ、びっくりさせるのは月曜日の朝でいいや。

近くの児童公園から『遠き山に日は落ちて』のチャイムが聞こえた。午後五時。『水無月会』恒例のお別れエール交換会が、そろそろ始まる頃だ。

河原の上の土手道から、こっそり見る。それだけでいい。酔っぱらってグチばかりこぼしたオヤジたちが、お互いの健康と活躍を祈ってエールをきる——すごく自虐《じぎやく》ぽくて、コントみたいで、できるだけ冷たく笑ってやろうかな、なんて思っていた。

階段を上って土手道に出て、河原を眺め渡した。

誰もいない。

なーんだ、と拍子抜けして、みんなまだウチでお酒飲んでるのかな、だったらもうちょっと時間つぶして帰らなきゃ、とため息交じりに階段に戻りかけたら、ちょうど階段から上ってくる人影が見えた。

サイコロが、大小二つ。

あたしに気づくと驚いて口をぽかんと開けたから、小サイコロが「1」の赤丸みたいになった。短くなった髪にもワンテンポ遅れて気づいて、「おまえ、髪、髪……髪……」と赤丸があわあわあわと動く。大サイコロから伸びた太くて短い両手も、ジャグラーみたいにちょこまかと上下した。

あたしは、なにも答えない。シカトしたわけじゃなくて、お父さんのあとにつづいて階段を上るひとが誰もいなかったから。恒例のシメの行事もキャンセルしてしまうほど落ち込んでしまった『水無月会』のオヤジたちのこと、急にかわいそうになってきたから。

　お父さんは最初の動揺をなんとか抑えて、ひとつ深呼吸してから、あらためて髪のことを訊いてきた。

「……なんで、そんなことしたんだ」

　そんなこと——の一言が、耳をざらつかせた。あたしは黙ったままお父さんに背中を向け、別の階段を探して土手道を歩きだした。

　お父さんから見れば、あたしのやることなすことぜんぶ「そんなこと」になっちゃうんだろう。理由を「なんとなく」と答えたりしたら、また怒りだすんだろう。お父さんにはわからない。ユニクロのフリースのCMをテレビで見て「なんで五十色も必要なんだ？」と首をかしげるひとだ。青なら青、赤なら赤、くっきりはっきりの原色ですべてまとめてしまうひと。青は青なんだけどちょっとだけグレイぽい感じの、なんとなくシブい青——なんて微妙なところ、ぜったいにわからない。わかろうともしない。これからも、ずうっと、わからないままだろう。お父さんがわかろうともしないところが、あたしにとってはいちばんたいせつなところなんだ、ってことも。

　早足になった。お父さんが追いかけてくる。

「美奈子、おい、ちょっと待てよ」

もっと足を速めると、お父さんも小走りになった。

「美奈子、べつにお父さん怒ってるんじゃないんだ、おい、ちょっと……」

あたりまえじゃん、と言ってやりたかった。あたしの髪をどうしようとあたしの勝手だ、あたしの体はあたしのもの、あたしの人生だって、そう。

「おまえ、なにすねてるんだよ」

お父さんはダッシュの勢いであたしの前に回り込み、サイコロの体で行く手をふさいだ。

しかたなく立ち止まった。顔なんて見たくないから、サンダルをつっかけたお父さんのハダシの足をぼんやり見つめた。

「なあ、美奈子」

昼間のことと合わせて叱《しか》られるのも覚悟していたけど、お父さんの声は意外なほどやわらかかった。「河原に下りてみないか」とつづける声は、なにかあたしに遠慮して、申し訳なさそうにも聞こえた。

黙っていたら、お父さんの声はさらに細くなった。

「ショートカットも、いいな、うん。似合うよ、この髪」

バレバレのヨイショだったけど、つい、頬がゆるんでしまった。顔を上げると、お父さんも照れくさそうに笑っていた。

宴会の雰囲気、思いっきり盛り下げちゃってごめん——喉元《のどもと》につっかえた言葉をごくんと呑《の》み込んで、代わりにそっぽを向いて、あたしは言った。

「お小遣いくれるんだったら、河原に下りてもいいけど」

お父さんはなにも答えず、シロツメグサの咲く土手の斜面を下りていった。

あたしも黙って、お父さんのあとにつづく。なんか、まいっちゃったなあ、と髪の先っぽを指でつまもうとしたら、空振り。髪を切ったらいつもの癖もなくなっちゃうんだ、と気づいた。


『水無月会』の宴会は三十分ほど前にお開きになったらしい。酔い醒《ざ》ましの散歩がてらみんなを駅まで送っていった帰り、だった。

「もう、酒も弱くなっちゃったよ。小林なんて途中からいびきかいて寝てたんだから」

誰もいない野球用のグラウンドのベンチに座って、お父さんは言った。「ほんと、みんな毎年弱くなってるんだよなあ」と繰り返して、「来年からはウイスキー、一人にボトル一本はいらないな。二人か三人で一本ぐらいでちょうどいいのかもな」と寂しそうに笑う。

「安上がりになっていいじゃん」あたしはベンチの横に立ったまま、川の向こう岸をぼんやり見つめる。「お母さんも喜ぶんじゃない？」

「まあな」

お父さんはあっさり答え、「来年からは、もうやるかどうかもわからないし」と付け加えた。

「やめちゃうの？」

「うん、まあ……あいつらも忙しいし、四十過ぎて思い出話にすがるってのも、ちょっとな、アレだろ」

「あたし、お父さんたち河原でまたエイエイオーってやってるんだと思ってた」

「いや、なんだかなあ、今年はそういう雰囲気にならなかったんだよ、みんな。べつに、やめようって言ったわけじゃないんだけど、みんな、じゃあ帰りましょうかって……そうだよなあ、いつもは河原に行ってたんだよなあ……」

「みんな、もうトシなんだよ。見た目でも、めっちゃオヤジだもん」

「そうだな」

また、あっさり認められた。

それがなんとなく──そう、お父さんには理解不能の「なんとなく」だけど、とにかくなんとなく悔しくて、あたしは言った。

「ふつーの四十二歳とかって、もっと若くない？　サザンの桑田サンとかって、お父さんとかより年上だけど、ぜんぜん若いじゃん」

「あいつらは、まあ……ロックだからな」

「そーゆー言い方がオヤジなんだってば」

「でも、学生時代からそうだったんだ。ロックだのニューミュージックだののサークルの連中は、なんかなあ、ちゃらちゃらしてて、ガキっぽくて、お父さんは好きじゃなかったな、あいつら」

「向こうもそう思ってるよ。押忍、押忍、押忍、押忍……バカみたいじゃん」

お父さんの返事はなかった。少し肌寒い風が河原を吹き渡った。空の色は、さっきよりさらに暗くなっていた。明日は、たぶん雨だ。向こう岸の土手道を、小学生の男の子が二人乗りした自転車が走っていく。すれ違うのは、大きな犬を連れたおじさん。顔見知りなのか、あ、どーも、おう、元気か、みたいに挨拶《あいさつ》していた。

「美奈子」

「……なに？」

「『押忍』っていうのは、押して、忍ぶ、わかるか？」

「ぜんぜん」

「『忍ぶ』って言葉の意味はどうだ？」

「我慢する、って感じ？」

「うん、まあ、言いたいことをグッと呑み込んで耐える、っていう意味だな」

お父さんはそう言って、「でもな」とつづけた。

「逃げながら耐えてるんじゃない。押してるんだ、引いてるんじゃなくて。口に出してああだこうだ言うんじゃなくて、黙って、忍んで、でも負けてない。それが『押忍』の心なんだ」

「……よくわかんない」

「あそこ、見てみろ」

指差した先に、黒板みたいなスコアボードがあった。昼間、少年野球の試合があったんだろう、いかにも子どもっぽい字で点数が書いてある。ワンサイドゲームだった。先攻のジャガーズは一回表に七点、二回表に六点、三回表には九点を入れていた。後攻のビクトリーズは一回、二回と零点で、三回裏にようやく一点を返したけど……コールドゲームになったらしく、そこから先のスコアはない。

「負けたチームの最後の一点があるだろ、お父さん、ああいうのが大好きなんだ。試合の勝ち負けとかコールドになるかどうかとか関係なくて、とにかく一点を取った、それがいいんだよなあ」

「『押忍』と関係あるの？」

お父さんは少し考えて、「ないかな、あんまり」と笑った。

でも、そう言われて逆に、ビクトリーズの三回裏の一点って、なんとなく「押忍」っぽいじゃん、という気もしてきた。

あたしはお父さんの隣に座った。「立ってると疲れるー」なんて、よけいなこと言って。

お父さんはお尻《しり》をずらしてあたしとの距離を空けた。もしかしたらお尻が半分、ベンチからはみ出しているかもしれない。

「『水無月会』の奴《やつ》らも、みんな、いつもは『押忍』の心でがんばってるんだ。たまには弱音も吐くけどな、山田も佐藤も田中も鈴木も小林も、みんな『押忍』なんだ、『押忍』で生きてるんだ。お父さんだってそうだぞ。美奈子から見たら、みんなオヤジだけど、ぜんぜんカッコよくないけど、そういうカッコ悪さも含めて、『押忍』の心なんだよ」

「……だから、意味がよくわかんないって言ってるじゃん」

「わかんなくてもいいよ」

「それに、お父さん、さっき嘘《うそ》ついたじゃん。あたしのこと黙ってて、みんなに見栄《みえ》張ってたじゃん。『押忍』の心とは違うんじゃないの？」

「見栄じゃなくて、強がり、だな。強がるときは、やっぱり『押忍』なんだ」

屁理屈《へりくつ》のような気がしたけど、いちいちツッコミを入れるのも面倒になったから、黙って話のつづきを待った。

少し間をおいて、お父さんは言った。

「高校やめると、後悔するぞ」

出た——ついに。

あたしはすぐさま「しないもん」と返した。「やめないほうが後悔するもん」

「やめなくても後悔するけど、やめても後悔するんだ」

「……勝手に決めないでって言ってんじゃん」

「いいから黙って聞け」

声が強くなった。でも、いつかの週末みたくビンタが飛んできたり問答無用で腹を立てたりという感じじゃない。もっと冷静で、もっと余裕を持って、強いけど静かな口調、だった。

「後悔しない人生なんて、どこにもないんだ。なにをやっても、ぜったいに後悔は湧《わ》いてくるんだ。美奈子の髪だって、いつかぜったいに切らなきゃよかったと思うときが来るし、切らなかったら切らなかったで、いつかぜったいに、ああ、あのとき切ってればよかったなあ、って思うんだよ。そういうものなんだ、人生って」

「……お父さんも、そうなの?」

「後悔だらけだ。毎日、後悔してるよ。昼飯はカレーじゃなくてカツ丼《どん》にすればよかったとか、あと五分早く会社を出てればこんなにあせらなくてすんだのにとか、さっきの電話はもっとガツンと言ったほうがよかったんじゃないかとか、セコい後悔は数えきれないし、もっと大きな、まあ、ほんとにいまの会社に就職してよかったのかなあとか、これが俺の人生なのかなあとか、お母さんと結婚したの失敗だったかなあとか……」

言葉の終わりのほうは冗談めいた口調になって、「いまの、お母さんにはナイショだぞ」と笑った。

あたしは笑い返さない。お母さんの体が弱かったから子どもは一人しかつくらなかったけど、お父さんはほんとうは男の子が欲しかったんだろうな、とわかってるから。たとえ女の子でも、あたしより勉強ができて、あたしよりルックスがイケてて、性格も素直な子のほうがよかったんだと、それくらいわかるから。

「後悔しちゃうんだよ、誰だって、いろんなことを。後悔しない奴なんて、逆に嘘くさくて信じられないな」

「でも、お父さん、見た目だと後悔とかしないっぽいじゃん」

「そこが強がりなんだ。ほんとうは、いまだって頭の中は後悔でいっぱいなんだから」

「どんな後悔？」

「佐々木がな……」

「って、今日来なかったよね、あのおじさん」

「ああ。あいつ、先月お父さんの会社に来たんだ。ほら、あいつは親父さんの会社を継いだだろ」

「うん、アレでしょ、トヨタだか日産だかの下請けの」

「孫請けだな。小さな部品メーカーだったんだけど、そこがどうも、この不況でうまくいってなくて、はっきりとは言わなかったけど、資金繰りに困ってるみたいだった」

「って、借金の申し込み？」

「いや、だから、口に出してはっきりそう言ったわけじゃないんだけど、まあ……貸してやれば楽になったことは、確かだよな」

「貸しちゃったの？」

　お父さんは黙って首を横に振った。あたしは「だよね」と、ほっとして息をつく。

「十万二十万だったら、なんとかしてやりたかったんだけど、百万円の単位だからな、サラリーマンじゃどうにもならないよ。あいつもそれは最初からわかってて、団長の顔を見たかっただけですから、なんて言ってな、『水無月会』までには元気出しときますから、なんて……無理に決まってるのにな、あいつな……」

「やっぱりちょっとでも貸してやればよかった、って？」

　返事はなかった。

「でも、そんなの、こっちが迷惑じゃん。家のローンもあるし、お母さんだってパートに出てるんだし」

お父さんは黙ったままだった。

「ってゆーか、そんなのいちいち後悔してたら、きりがないじゃん。どーせ貸しちゃったら、また後悔するんでしょ？　だったら貸さずに後悔したほうが、うちらに迷惑かかんないだけラッキーじゃん」

すごく嫌な言い方をしてるんだと、自分でも思う。あんたは性格がヒネてる、とお母さんが言うのは、こういうところなんだろう。

でも、というか、だから、お父さんになにか言い返してほしかった。怒られるのも覚悟していたし、やっぱり「なんとなく」としか言えないけど、お父さんが逆のパターン──佐々木さんにお金を貸したことを後悔してるほうがいいのにな、とも思った。

お父さんは気を取り直すように軽く咳払《せきばら》いして、言った。

「お父さんの話はどうでもいいんだけどな、とにかく人生なんて後悔の連続なんだよ。そこは、もうわかるだろう？」

「うん……まあ……」

「そのときに『押忍』の心が生きてくるんだ。人生には押して忍ばなきゃいけない場面がたくさんあるけど、いちばんたいせつなのは、なにかに後悔しそうになったときなんだ。後悔をグッと呑《の》み込んで、自分の決めた道を黙々と進む、それが『押忍』なんだ、人生なんだ。決断には失敗もあるし、間違いもある。悔しいけど、自分のスジを曲げなきゃいけないときだってある。そういうときも『押忍』の心があれば、いいんだ」

力んで言った。自分の言葉に自分で、うんうん、とうなずいたりして。

カッコよすぎーっ、とあたしは顔をしかめて「どこが?」と言い返した。「よくないじゃん、べつに」

「そうか?」

「だって、失敗は失敗だし、間違いは間違いじゃん、『押忍』があっても失敗が成功に変わるわけじゃないんだもん」

お父さんは、今度はあたしの言葉に、うんうん、とうなずき、ふふっと笑って――

「でもな」と言った。

「言い訳をせずにすむだろ」

肩がビクッと跳ねてしまった。

ちょっとヤバいなあって気になって、髪の先っちょを思わず触りそうになって、あ、またミスった、と手をひっこめた。

「『押忍』の心は、言い訳をしない心なんだ。お父さんは、美奈子が『押忍』の心を持ってるんだったら、学校をやめたっていいと思うんだ。でも、それがなくて、覚悟もしっかり決めないままでやめちゃうと、ぜったいにあとで後悔する瞬間が来る。そのときに、言い訳したり、グチったり、そういうのは聞きたくないんだ」

カッコよすぎーっ、カッコよすぎーっ、カッコよすぎーっ……。

「あたし応援団じゃないから、そんなのわかんない、わかんないから先に帰ってるね」

早口に言って、ベンチから立ち上がった。

お父さんは引き留めなかった。

「晩ごはんまでには帰るからって、お母さんに言っといてくれ」

「校歌とか歌うの？」

「ちょっとだけな」

その場にお父さんを残して、土手道に戻った。さっきお父さんと出くわした階段まで引き返していたら、エールをきる声が聞こえた。

佐々木さんの健闘を祈るエールだった。つづけて、佐藤さん、田中さん、鈴木さん、小林さん、山田さん。立ち止まってそれを聞いたあたしは、エールが終わって校歌が始まったのをしおに、また歩きだした。

背中から吹いてくる風に身を軽くすぼめた。ほんとうに、今日の風は肌寒い。髪を切ってむき出しになったうなじに当たると、なおさら。

空を見上げた。夕陽のまぶしさに顔をしかめてみたかったのに、暗い色の雲の陰に太陽は隠れたままだった。

5

日曜日の夜のうちはなんとか曇り空のまま持ちこたえていたお天気も、もうがまんできません、というふうに、月曜日は朝から強い雨になった。

学校でのショートカットの評判は、「似合う」より「似合わない」のほうが多かった。お母さんにも「まあ、髪の毛は伸びるからね」と慰めっぽく言われた。ちょっと後悔しかけたけど、こういうところから「押忍」の心を育てなきゃ、なんて。

あたし自身は、新しい髪型、かなり気に入っている。「似合う」「似合わない」を超えて、さっぱりした、それだけでいい。

学校帰りに本屋さんに寄って、ヘアカタログとか人気のカットハウスを特集してる雑誌とか、何冊も買った。髪型を変えるだけで気分まで変わるって、なんだかすごい。失恋したひとが髪型を変えたくなるのも、わかる。

美容師さんを目指してみるのもいいかな――と思った。

火曜日も、雨。

学校帰りにちょっと遠出をして、代官山にある、いまいちばんイケてるカットハウスの前まで行った。お店から出てくるひとをチェックしてみると、みんな幸せそうな顔をしていた。

水曜日も、雨。近畿《きんき》地方から西はすべて梅雨に入った。

昼休みにアサミに初めて「美容師になろうかなって思ってるんだ」と打ち明けた。「それって、軽すぎーっ」とアサミは笑ったけど、「でも、まあ、半歩前進だね」と言ってくれた。

そして、木曜日——関東地方も梅雨に入った。雨は夕方になってあがったけど、じっとりとした蒸し暑い夜になった。

夜十時過ぎに帰ってきたお父さんは、部屋に入るなり「暑い暑い暑い暑い」と背広もワイシャツも脱ぎ捨てて、ランニングシャツ一枚でエアコンの真下に立って風を浴びた。

お母さんは「皺《しわ》になっちゃうから早くハンガーに掛けといてよ」なんてぶつくさ言いながらキッチンに入って、晩ごはんの温め直しに取りかかった。

その隙《すき》に、あたしはお父さんの背中に声をかけた。

「ねえ、佐々木さんどうなったの？」

「うん？」

「ほら、借金のこと」

　お父さんは、ああ、あれか、と背中を向けたままうなずいて、「だいじょうぶだよ」と言った。「佐々木は『団』の頃から根性があったから、なんとか乗り切るさ」

「連絡ないの？」

「……ああ。でも、美奈子が心配することじゃないから」

「あのさ、お父さん、あたしね、ふと考えたわけ。あたし、高校やめるじゃん？　ってことは、基本的には大学にも行かないわけ。ってことは、学資保険とかあるじゃん、それ、もういらないじゃん。ってことは、佐々木さんにそのお金、貸してあげてもいいかな、みたいな」

　予定ではもっとおとなっぽく言うつもりだったけど、本番になると息がうまく吸い込めずにうわずった早口になった。

「そんなこと、美奈子は心配しないでいいんだ。関係ないんだから」

　お父さんはあたしに背中を向けたまま、ランニングシャツを脱いで、汗に濡《ぬ》れた角刈りの髪をごしごしと拭《ふ》いた。

「佐々木さんには関係ないけど、あたしにはあるの。ハイスイのジンにしたいわけ。逃げ道をふさぐっつーか、ほら、学資保険のお金とかあると、やっぱ甘えちゃうじゃん」

リアクションを確かめる前に、一気につづけた。

「あたし、美容師さんになりたいの。学校やめて専門学校に行くんだけど、そのお金はバイトで返すから、お父さんに借金ってことでいい？　いいよね？　わがまま言って高校中退するわけじゃん、こっちも、迷惑とかかけたくないわけ。だから、学資保険のお金から入学金だけ、とりあえず借りるけど、あとは佐々木さんに……」

「美奈子、二階に上がってろ」

「え？」

「お父さんが本気で怒る前に、上がってろ」

「……ちょっと、なんで？」

「いいから、二階に上がれ！　朝まで下りてくるな！」

お母さんがキッチンからあわてて顔を出して「どうしたの？」と訊《き》いた。

きょとんとしたお母さんと目が合うと、急に悲しくなって、悔しくなって、恥ずかしくなって、頭の中がパニックになった。

お父さんはランニングシャツで髪を拭く。乱暴な手つきで、あたしを振り向かず、ごしごし、ごしごし、ごしごし、ごしごし……。

金曜日は、また朝から雨だった。週末いっぱい降りつづきそうだ、とお昼前に読んだ朝刊に書いてあった。

頭痛がするから、と学校を休んだ。お父さんの望みどおり二階の部屋から一度も外に出なかった。お父さんの顔を見たくなかったし、それ以上に、お父さんに顔を見られたくなかった。

朝昼兼用のコーンフレークを食べていたら、お母さんが冷蔵庫から缶入りのトマトジュースを出してくれた。

「具合どうなの？」と、あまり心配したふうもなく訊いてくる。生まれて初めてのズル休み、たぶん見抜かれてるんだろうな。

お母さんは話のいきさつをお父さんからあらかた聞いていた。ゆうべはカッとなって悪かった、という伝言もことづかっていた。

「でも、お父さんが怒る気持ちもわかるわよ。ああいうこと、子どもが言っちゃだめよ」

「子どもでもおとなでも、それで佐々木さんが助かるんだから、いいじゃん」

「そういうものじゃないわよ」

「お金が必要なひとにはお金を貸してあげるのがいちばんなんじゃないの？」

ゆうべもベッドの中でずっと考えていた。考えても考えても、自分の言ったことが間違ってるとは思えなかった。

「がんばれって言ったりエールきったりしても、ぜんぜん役に立たないじゃん。そんなの自己満足っていうか、ばかみたいじゃん」

「まあ、応援っていうのは、そういうものよね」

「でしょ？　でしょ？　お母さんもそう思うでしょ？　意味ないよね、はっきり言って」

　お母さんは少し考えてから、あたしのために持ってきたはずのトマトジュースを自分で飲んで、言った。

「あんたみたいな子にとってはね」

「どういうこと？」

「応援してもらえないひとには、応援するひとの気持ちなんてぜったいにわからないのよ」

「……なんか、こっちが悪いみたいな言い方じゃん」

「悪いんじゃない？」——さらりと、キツいことを言われた。

「なんで？」

「だって、いまの美奈子だったら、応援する気にならないもん。お父さんみたいなひとが応援する気にならないなんて、あんた、それはそれでたいしたもんじゃない」——もっと軽く、もっとキツく。

お母さんは飲みかけのトマトジュースの缶を手に席を立ち、キッチンに入った。

「あのね、美奈子。応援するっていうのは『がんばれ、がんばれ』って言うことだけじゃないの。『ここにオレたちがいるぞ、おまえは一人ぼっちじゃないぞ』って教えてあげることなの。応援団はぜったいにグラウンドには出られないの。野球でもサッカーでもいいけど、グラウンドは選手のものなの。そこにずかずか踏み込むことはできないけど、その代わりスタンドから思いっきり大きな声を出して、太鼓を叩《たた》いて、選手に教えてあげるの。『ここにオレたちがいるんだぞーっ、おまえは一人ぼっちじゃないんだぞーっ』ってね」

いつだったか、アサミと話したことを思いだした。

人間は二種類――グラウンドで試合をするひとと、それをスタンドから見てるひとに分けられる。

そのときに感じた、納得しきれないひっかかりの正体が、やっとわかった。

応援団だっているじゃん。

そっか、そっか、そーなんだ、と一人でうなずいていたら、いままでばらばらだった考えがやっとひとつにつながったような気がした。雑誌のクロスワードパズルで、縦のカギを順に解いていったら、自然と横のカギの答えがわかった、みたいに。

お母さんはキッチンでトマトジュースの残りを飲み干して、話をつづけた。

「でも、試合してる選手が一所懸命がんばってないと、応援する気なくなっちゃうでしょ。勝ち負けとか、強いとか弱いとかじゃなくて、一所懸命にやってないとね」

「……『なんとなく』じゃだめだよね」

返事の代わりに、お母さんは冷蔵庫のドアを開けて「トマトジュース、もうなくなっちゃったけど」と言った。

「ううん、いい」

「佐々木さんのことは、あんたが考えなくていいからね」

「うん……」

「あ、ファイブミニ一本あるけど、飲む？」

「いらない」

「お父さんね、佐々木さんが正面から借金の申し込みしてきたら、貸しちゃったと思うの。必要なお金のぜんぶは無理でも、まあ、自分のできる範囲で……ヤクルト、飲む？」

「いらないって、なにも」

「でも、佐々木さんが自分から言わないうちは、見てるしかないの。応援してるしかないの。それが、なんていうか、友情だから、お父さんたちの」

あたしはコーンフレークをすくったスプーンをお皿に戻した。

「ねえ、お母さん」

「なに？」

「美容師さんってさあ、応援団っぽくない？　髪型をちょっと変えるだけで、お客さんのこと元気にしてあげたり、気持ちを切り替えさせてあげたり……たいしたことじゃないかもしれないけど、お気に入りのカットハウスが自分の街にあるって、なんか、心強いっていうか、ひとりぼっちじゃないぞっていうか、そんな気しない？」

お母さんは「そう？」と笑いながら答えただけだった。でも、その笑い方は、いつものクールな苦笑いじゃなくて、ほんのちょっとだけ嬉《うれ》しそうに聞こえた。

「そういうカットハウスっていいよね。いいと思わない？　思うでしょ？　テレビとか雑誌とかに出るようなカッコいいお店じゃなくていいし、椅子《いす》が三つしかないような小さなお店でいいんだけど、街のみんなが大好きなお店なの、そういうところで働くのって、いいなあ、マジ……」

お母さんは今度もまた笑うだけだった。

土曜日は、天気予報どおり雨が一日中降りつづいた。お昼過ぎに学校から帰ると、今日は会社が休みのはずのお父さんは入れ違いに出かけていた。
高橋部長――五月にお父さんが送別会を仕切った、若い頃の恩人が、くも膜下出血で病院に運ばれた。

「朝早く、トイレで倒れたんだって。すぐに救急車呼んだんだけど、意識不明で……危ないみたいなの」

お母さんはそう言って、お父さんがあの日話さなかったことを問わず語りに教えてくれた。

高橋部長の送別会、すごく寂しかったんだという。最初は二十人近く集まるはずだったのに、急に仕事が入ったとかなんとかで、けっきょく出席したのは七、八人。会社の上のほうからにらまれてた部長さんらしい。リストラされたのも、常務だか専務だかに嫌われてたから。ふつうは会社が斡旋《あっせん》する再就職先も男の意地ってやつで断って、なんのめどもたたないまま、会社を去ることになった。

「でも、お父さんは部長さんのそういうところがすごく好きだったのよ。新入社員の頃からかわいがってもらってたし、仕事でもスジを通すひとだから、って」

「じゃあ、お父さんも常務とかのウケが悪くなっちゃうじゃん」

「そんなの気にするようなひとじゃないわよ、お父さんは」

「……だね」

送別会は淡々と終わった。三次会まで付き合ったのも、お父さんだけ。みんなが盛り上がったから三十分も新宿駅でエールをきったっていうのは、だから、お父さんの嘘《うそ》。

「部長さんがひとりぼっちで改札を抜けるのを見てたら、もう、たまらなくなっちゃって、気がついたら大声でエールきってた、って」

いかにもお父さん、だ。

鼻の奥がツンとしたから、わざと意地悪に言ってみた。

「けっきょく役に立たなかったわけだよね、お父さんのエールも」

お母さんは「応援なんて、そういうものなんじゃない？」と軽く受け流して、それから、「あ、そうだ」と忘れ物を思いだした声で言った。

「夏のボーナスで車買い替えようかって言ってたじゃない。あれ、ちょっとキャンセルね。あと、伊豆に遊びに行くのも、今年はホテルやめて民宿にするから」

どうして――とブーイング交じりに訊きかけたら、お母さんの目配せで、答えがわかった。

「美奈子には悪いけど、しばらくは手持ちのお金、まとまった金額で残しとかないと。ほら、お父さんの性格だとサラ金に行っちゃうかもしれないでしょ」

「佐々木さんから連絡あったの？」

「いまはないけど、わからないでしょ、これから」

「……そうなったら、やっぱり貸しちゃうと思う？」

お母さんはもう一度、目配せをした。今度は、ちょっとあきれたふうに。

鼻の奥がまたツンとした。

「おかーさんのおーえんって、けっこー役に立つっぽいじゃーん」

ひらべったく、間延びさせて言った。

お母さんは「そりゃそうよ」とすまし顔で答えた。「女のほうが現実的なんだから、なにごとも」


晩ごはんを食べ終えた頃、やっと救急病院から帰ってきたお父さんは、ぐったりと疲れきって、落ち込んでいた。高橋部長はあいかわらず意識不明のままで、今夜がヤマ。おそらく、もう、無理――。

食事には手をつけず、お風呂《ふろ》も「今夜はいいよ」とパスして、コップに注いだ日本酒を水のようにあおる。

「奥さんが言ってたよ。送別会の夜、帰ってきたとき、ほんとうにご機嫌だったって。『明日からがんばらなくっちゃ』って張り切って、ほんとに再就職のこともがんばって、うまいぐあいに小さな会社なんだけど決まりかけてたんだ。それが昨日のことで、『正式に決まったら真っ先に井上に電話してやらなきゃなあ』って布団《ふとん》に入って、それが最後……だったんだ」

ギョロ目が真っ赤になって、声もかすかに震えていた。

「でも、よかったって言うのもおかしいけど、部長さんも最後に気持ちよく寝たんだったら……」とお母さんが言っても、お父さんは首を横に振るだけで、そのまま話は途切れてしまった。

あたしはボリュームを下げたテレビに見入るふりをして、今夜は高校をやめる話は無理だな、とあきらめた。

そのときだった。

「なあ、美奈子」とお父さんが言った。

黙って振り向くと、お父さんは手に持ったコップをにらむように見つめていた。

「おまえ、本気で高校やめて美容師になるんだったら、お父さんときっちり喧嘩《けんか》してからやめろ。いいな。おまえが『やっぱり学校やめないから』って言うまで、お父さん、もう口きかないからな。それでも、どうしてもやめるんだったら、やめろ」

酔っぱらっちゃったんだろうか。高橋部長のことや佐々木さんのことで頭がパニックになったんだろうか。投げやりな言葉のようにも聞こえたし、逆に、投げやりだからこそ心の底からの本音のような気もしないではない。

「おまえの人生なんだ」

お父さんは、低く、うめくように言った。

「たった一度の……死んじゃったら終わりの人生なんだ……」

声を震わせてつづけた。

あたしはリモコンでテレビを切って、立ち上がった。お風呂に入っちゃおう。熱いシャワーを頭から浴びよう。髪が短くなったから、ドライヤーがすごく楽なんだ、最近。

「お父さん、賛成してるわけじゃないんだよね？」

「……反対だ、ずうっと反対だ、そんなの」

「あたし、やめたあと後悔するかもしれない。美容師さんになる夢、挫折《ざせつ》しちゃうかもしれない」

「……するよ、しちゃうんだよ、するに決まってるんだ、だから反対してるんだ」

「でもね、お父さん、あたし言い訳はしないから。ぜったいに、言い訳だけはしないから」

言葉の前半はお父さんに向けて。後半は、あたし自身のために。

お父さんはコップのお酒をあおって、「俺はなあ」と少しもつれた声で言った。「とにかくなあ、俺は……お父さんはなあ、昔から……」

しばらく間が空いたあと、お父さんは「だめだな、今夜は、もうなにも考えられない」とため息をついて、お風呂に行っていいぞ、と手の甲を払うように振った。

洗面所で髪にドライヤーをあてていたら、庭からお父さんの声が聞こえてきた。

「押忍！　高橋部長のーォッ、ご快癒をお祈りしてーェッ……フゥレーェッ、フゥレーェッ、たッ、かッ、はッ、しッ、フレッフレッ、た・か・は・し、フレッフレッ、た・か・は・しっ！」

驚いてリビングに駆け込むと、お母さんは止めるどころか、嬉しそうな顔で着替えの準備をしていた。

お父さんは雨の降りしきるなか、パンツ一丁になって、傘も差さず、はだしの両足を地面に踏ん張って、夜空に向かって吠《ほ》えていた。背筋をピンと伸ばしたまま、声に合わせて膝《ひざ》を屈伸させる。両手を耳の横から前に伸ばし、耳の横に戻って左右に広げ、また耳の横から前に伸ばす。

「ねえ、ヤバいよ、風邪ひいちゃうんじゃない？」

「すぐにお風呂に入ればだいじょうぶよ」

「お風呂、もうお父さん入らないと思って、入浴剤入れちゃったけど……」

あたしとお母さんのお気に入りのバラの香りの入浴剤が、お父さんは苦手なのだ。

「やだ、じゃあすぐにお湯入れ替えなきゃ」とお母さんは小走りにお風呂場に向かった。

リビングのそんなやり取りも知らず、お父さんは庭で叫びつづける。声がかれても、びしょ濡《ぬ》れになっても、高橋部長へのエールを繰り返す。

電話が鳴った。お母さんはバラの香りを消すために浴槽をシャワーで流しているようで、電話の音に気づいた様子はない。

しかたなく、受話器を取った。ウチの裏の大原さん——騒音にやたらと神経質なおばあちゃんから、だった。

非常識だ、と言われた。ひゃくとーばんしようかと思った、とも言われた。あたしは「ごめんなさい」を何度か繰り返し、「これから気をつけまーす」とイヤミ素直に答えて、でも、「すぐにやめさせます」とは言わなかった。大原さんちのおばあちゃんは陰口も大好きだから、これで明日からしばらくの間はご近所で肩身の狭い思いをしなくちゃいけないだろう。かまわない。押して、忍ぶ。黙って、忍んで、でも負けてない。これも「押忍」の心なのかな、なんて。

電話を切って五分もたたないうちに、また着信音が鳴り響いた。

高橋部長が亡《な》くなったことを知らせる電話だった。

お母さんがそれを伝えると、お父さんは雨のなかひときわ高く「押忍!」と吠えて、今度は部長の冥福《めいふく》を祈るエールをきりはじめた。

6

お父さんは約束をきっちり守った。

六月いっぱい、みごとにシカトされた。

ただし、そのうち半分は、お父さんが風邪で寝込んでいたせいもある。雨のなかのエールで風邪をひき、無理して高橋部長のお通夜やお葬式に出席したせいでこじらせた。基礎体力のないひとだったら肺炎になっていたかもしれない、とお医者さんもあきれていた。お父さん自身は「若い頃なら平気だったんだよ、ほんとにトシとっちゃったなあ」とお母さんにこぼしていたらしいけど。

でも、まあ、お父さんにシカトされたおかげで、高校をやめることや将来のことを雑音なしにじーっくり考えることができた。

マジに学校やめていいの——？

マジに美容師になりたいの——？

最初のうちはためらいなく「うん」と答えられたのに、時間がたつにつれてわからなくなってきた。「うん」と答えても、瞬《まばた》きひとつで自信が揺らいで、「……っていうか」と付け加えたくなる。といって、「やっぱ、やめるのやーめた」とは答えたくない自分が、確かに、ほら、ここに、いる。

悩んだ。明け方まで眠れない夜もあった。ごはんがちっとも欲しくない夜も。こんなに一つのことを考え込んだのって、もしかしたら生まれて初めてだったかもしれない。後悔しないためではなく、言い訳をしないための「押忍」の心が欲しかった。

「悩んじゃうってことは、その時点でアウトなんじゃないの？　本気でやりたいんだったら、最初から迷ったりしないんだから」

アサミにはそんなふうに言われた。確かにそのとおりだと思う。どこまで必死に考えても、やっぱり「なんとなく」からは抜けられない。お相撲さんで言うなら、八勝七敗と七勝八敗の繰り返し、みたいな。

でも、あたしはアサミに言った。

「手を抜いた『なんとなく』と、必死の『なんとなく』は、ぜったいに違うんだから」

髪の先っちょを指に巻きつける癖は、何度も何度も空振りしたすえに、いつのまにかなくなった。髪が少し伸びて落ち着いたせいだろう、学校での評判は「意外と似合うじゃん」のほうが増えてきた。

クラス担任の山中先生とじっくり話し合った。お母さんを交えた三者面談もした。オジサンの山中先生はお父さんと同じような「うーむ……」というリアクションだったけど、お母さんは「美奈子が真剣に考えてるのなら、親としても応援したいと思います」

と先生に言ってくれた。

美容専門学校の資料もたくさん取り寄せて、そのうち何校かは授業も見学した。事務室のお姉さんに細かいことをいっぱい質問したけど、どこの学校でも嫌な顔をせずに親切に答えてくれた。

退学届一枚、入学願書一通ですむことを、たーっぷり時間と手間をかけて、そのぶんひとつずつ自分で納得しながら進んでいった。

そして。

七月に入って、やっと結論が出た。


お父さんはムスッとした顔で、あたしの話を聞いた。

「反対は反対だからな、とにかく」

怒っているというより、悲しんでいた。あたしはいままでお父さんに怒られることばかり心配していたけど、そうじゃないんだ、怒られるより悲しまれることのほうがつらくて、なんとなく嬉《うれ》しいものなんだ、と初めて知った。

「シカトしてくれて、ありがと」とあたしは言った。

お父さんは皮肉と思ったのか、それとも照れちゃったんだろうか、「なに言ってんだ」とそっけなく返すだけだった。

でも、あたしは知っている。お母さんがこっそり教えてくれた。お父さんは、あたしとは別口で専門学校の資料を集めていたらしい。入学案内のパンフレットに写った七色メッシュの男の子を見て、ニッポンはもうおしまいだ、と嘆いていたらしい。

「お父さんも美容院とか一度行ってみればいいじゃん。そうしたら、美容師さんって必死に仕事してるんだ、ってわかるから」

半分冗談のつもりで言ったら、お父さんはムスッとした顔のまま、あいかわらずそっけない声で「行った」と答えた。

「マジ？」

「会社の近所の店で、髪、いじってもらった」

「あの格好で？」

「他にどんな格好で行くんだ、バカ」

角刈りにダブルのストライプスーツのイチゲンさん――お店からすれば、ヤクザの嫌がらせにしか見えない、と思う。

お父さんはお母さんのほうを向いて、言った。

「美容院ってのは、アレだな、髭《ひげ》をあたってくれないんだな。サービスが悪いぞ。髪を洗うのだって仰向けになって、おまえ白い布を顔にかけるんだぞ、縁起でもない」

ぶつくさ言って、お母さんにもう一言――「まあ、店の連中、みんなちゃらちゃらした格好だったけど、仕事はまじめにやってたな、うん」


梅雨が明けた。

天気予報によると、今年の夏は、めっちゃ暑いらしい。


一学期の終業式まで待つというのも考えたけど、どうせなら一人で学校を出ていったほうがお別れっぽくていい。

期末試験が終わった翌日、ごくふつうの日に中退することにした。アサミは「ほんと、最後の最後まで形から入るコだよね」とあきれていたけど、「美奈子がマジに美容師さんになったら、あたし、お客さん第一号だからね」とも言ってくれた。

専門学校には九月から入学する。夏休みのバイトも決めた。お母さんは「そんなことしなくていいわよ」と言ってくれたけど、入学金や授業料を少しだけでも自分で負担したかった。なにしろ、我が家の大黒柱はお父さん、だから。佐々木さんがもしも本気で「団長、助けてください!」とすがってきたら、夏のボーナスどころじゃすまなくなりそうだし。

高校生活最後の日の朝、山中先生はあたしを職員室に呼び出して、期末試験の全教科の答案を渡しながら「中間試験よりずっと出来がよかったぞ」と言った。

　進路のことで悩んで、ろくすっぽ勉強しなかったのに。

「集中力がついたんだな」山中先生は嬉しそうに笑う。「ちょっともったいないような気もするけど、この調子でがんばれ」

　あたしは素直に「ありがとうございます」とお礼を言った。褒められたからじゃない。山中先生が、あたしの答案だけ先に採点するよう他の教科の先生にもお願いしてくれたのを、知ってるから。

「専門学校に行ってからも、ときどき様子を教えてくれよな」

「はい……」

「お父さん、まだ怒ってるのか」

「ええ……ちょっと、まだ」

　お父さんのシカトはあいかわらずつづいている。「おはよう」とか「おやすみなさい」の挨拶《あいさつ》はするけど、そのあとの話がつづかない。あたしはもっとおしゃべりしたいし、お父さんも、ときどき、なにか言いたそうな表情を浮かべることがあるけど、お互いに言葉が出てこない。

「まあ、これから新しい世界でがんばることが、いちばんの親孝行なんだからな」

「はい……」

「それで、こないだも話したと思うけど、ほんとうに退学でいいんだな？　とりあえず休学っていう方法もあるんだぞ。いまなら、まだどっちでもいいんだけど」

「退学でいいです」

きっぱりと答えた。

後悔は、たぶんこれから何度もしてしまうだろう。ちらっと思うだけの浅いものから、頭を抱え込んで泣きたくなるほどの深いものまで、たくさん。

でも、言い訳はしない。他の誰かに対しても、あたし自身に対しても。

カッコよすぎーっ——だけど。


昼休みに臨時ホームルームを開いてもらって、クラスのみんなに挨拶をした。山中先生は「中退」じゃなくて「新しい道に進む」という言い方をしてくれた。仲良しのコはもちろん、いままでそんなに親しくなかった同級生にも「がんばってね」と言われた。なんか照れくさくて、嬉しくて、ほんの一瞬だけ「みんなと別れたくないな」と思って、そんなふうに思えたことで、逆にスパッと気持ちよく「バイバイ」が言えた。

教室を出た。後ろは振り向かずにいこーぜ、と決めていた。

「押忍」の心を、忘れずに。なんとなく押忍！　なんとなく押忍！　なんとなく押忍——！　これでいこう、明日からの人生。

空を見上げると、まぶしい陽射《ひざ》しに睫《まつげ》がちりちりと音をたてた。入道雲が何重にもかさなって盛り上がって、ほんとうに、正真正銘の、夏だ。

校門を抜けるのと同時に、鞄《かばん》を空中に放り投げた。胸でナイスキャッチ――のつもりだったけど、鞄は足元に落ちた。

あたしの目は、道路の先に向いて動かない。

お父さんが、いた。団旗を持つ学ラン姿の後輩と、大太鼓をかまえる背広姿のオジサンを左右にしたがえて、道の端に立っていた。

あたしに横顔を向けて、胸を張って、両手を腰の後ろで組んで。太い眉《まゆ》がひくついているのが、遠くからでもわかる。なにかをこらえるように歯を食いしばっているのも、わかる。

あたしは黙って鞄を拾った。顔を上げるとき、瞼《まぶた》によけいな力が入らないよう気をつけた。

髪を短くしておいてよかった。髪が頬に触れたら、その肌触りがやわらかければやわらかいほど、子どもの頃からのお父さんとの思い出がソーマトウのようにたくさんよみがえったかもしれない。

ちらりと見て、確かめた。あのオジサン、間違いない、やっぱり佐々木さんだ。

ってことは、お父さん、お金を貸すのかもしれない。いや、もう貸しちゃってるだろうな。佐々木さんのくたびれた背広からすると、お金、返ってこないかも。

後悔しちゃうよ、ぜったい。

でも、だいじょうぶ、お父さんは言い訳なんかしないだろう。

「押忍！」

お父さんが吠えた。太い声が、校舎に跳ね返ってキンと響いた。今日は喉《のど》の調子よさそうじゃん、なんて。

あたしは歩きだす。

それを待っていたように、大太鼓が、ドーンと一発。

ドーン、ドーン、ドーン、ドーン、ドーン……その音に合わせて、学ラン姿の後輩は大きな団旗をゆっくりと左右に振った。

お父さんは両手を腰の後ろに回して、つま先立つように息をゆっくりと吸い込んだ。

サイコロが、一回り大きくなった。静かに、深々と一礼。上体を起こし、右の拳《こぶし》を腰の脇《わき》につけて、左手もその横に添えて、大きな声で吠える。

「押忍！　井上美奈子のーォッ、旅立ちを祝しーィッ、今後の活躍を祈ってーェッ……」

左腕が、弧を描くように広がる。あたしは奥歯をグッと嚙《か》みしめる。

「フゥレーェッ、フゥレーェッ、みッ、なッ、こッ、フレッフレッ、み・な・こッ、フレッフレッ、み・な・こッ、フレッフレッ、み・な・こッ……」

あたしは胸を張って歩く。

お父さんのほうなんか、見るもんか。

団旗がはためく。太鼓が鳴り響く。

心の中で「押忍！」と気合い入れて、あたしは、あたしの道を歩いていく。ちょっと頼りない足取りかもしれないけど、いいじゃん、まっすぐに、歩くんだ。

青あざのトナカイ

1

時代のせいにした。

「誰がやったって、無理だったんだよ」

吐き捨てるように言って、ウイスキーをグラスに注ぎながら、「不景気なんだからさ……」とつづけた。何度も繰り返してきた言葉だった。十月に店をたたんでから一カ月、ほんとうに、自分でも嫌になるくらい何度も。

ストレートで、ウイスキーを呷《あお》る。あぐらをかいた体が、ぐらり、と揺れる。

唇の端からこぼれて顎《あご》に伝い落ちるウイスキーを手の甲で拭《ぬぐ》って、雅人《まさと》はがらんとした部屋を眺め回した。焦点の合わない目に映る部屋は、家具が減ったわけではないのに、急に広くなった。賃貸のテラスハウスに、二十八歳で結婚して以来七年間暮らしたことになる。「狭い、狭い」が家族四人の口癖だった。「早くお金を貯《た》めて、おうちを買って引っ越そうね」が合い言葉になっていた。いま、2DKのこの部屋は、広すぎるぐらい広い。

ウイスキーをもう一口呷って、今度は、街のせいにした。

「こんな貧乏人だらけの街で商売なんて、最初から無理だったんだ」

やめてよ、そんな言い方——耳に、美紀子《みきこ》の声が刺さる。涙が交じっているように聞こえた。

「だって、そうだろう」

雅人はウイスキーのグラスを床に置き、携帯電話を耳にあてたまま仰向けに寝ころんだ。

美紀子は言いかけた言葉を呑《の》んで、「ねえ」と口調をあらためた。「お父さんはいつでもかまわないって言ってくれてるんだから」

「……いつでもいいんだったら、あわてなくてもいいだろ」

「つまらない屁理屈《へりくつ》言わないでよ」

「考えてるんだよ。一生の問題なんだから、そんなにすぐに決められるわけないだろ」

「だから待ったじゃない、一カ月も。いくらなんでも、もう決めてくれないと、お父さんだって困っちゃうわよ」

話すのが面倒くさくなった。

美紀子の声を聞くのもうっとうしい。

安普請《やすぶしん》の天井をぼんやりと見つめる。二人の子ども——えりなと貴夫《たかお》の顔が浮かぶ。

よく肩車してやった。幼稚園の年長組のえりなは雅人に両手で持ち上げられて、手をいっぱいに伸ばすと天井に触れることができたが、年少組の貴夫には無理だった。天井はふわふわしてやわらかいんだよお、と嘘《うそ》っぱちを言って自慢するお姉ちゃんを、貴夫はいつもうらやんでいた。あと二年……いや、一年もすれば、貴夫も天井に手が届いていたかもしれない。大喜びしたはずだ、きっと。

店をたたんですぐ、美紀子は子どもたちを連れて広島の実家に帰った。しばらく一人にさせてくれ、と雅人が頼んだのだった。

美紀子の父親は、娘婿《むすめむこ》の体《てい》たらくに憤慨しながらも、再就職の口を見つけてくれていた。信用金庫やノンバンクからの借金も、結局、美紀子の実家に肩代わりしてもらった。仙台で一人暮らしをする雅人の母親は、五年前に亡《な》くなった父親の生命保険の受取金の半分近くを開店資金に用立ててくれたが、それを返すことはできないだろうし、母親も期待してはいないだろう。

美紀子が電話をかけてきた用件は、再就職のことだった。その気があるのなら、とにかく一度広島に来て先方に挨拶《あいさつ》をしてほしい、と義父は言っているらしい。義母のほうは、再就職の前に、子どもたちのことを思うなら、さっさと東京の住まいを引き払うべきじゃないか、と――こちらはかなり腹に据えかねた様子で言いつのっているのだという。

うるさいな。

胸の内だけでつぶやいたつもりだったが、つい、声が漏れた。

美紀子はため息をついて、「もうお酒やめてよ」と言った。「まだ夕方よ、いつから飲んでるの？」

「さっきだよ」

「いつまで寝てたの？」

「……さっきまで」

もう一度、もっと深いため息が聞こえた。

雅人は顔の上に腕を置いて、両目を覆《おお》った。なにかを見るのも、もう億劫《おっくう》だった。

一年半――になる。働きづめの一年半だった。「こんなはずじゃない」と思いつづけていたのが、いつしか「こんなはずじゃなかった」と過去形に変わり、いまは「しょせん、こんなものだったんだよ」と薄笑いを浮かべるしかない。

「えりなと貴夫、元気か？」

少し間をおいて、美紀子は「元気よ」と言った。なにか含むところのあるような口調に、「どうしたんだ？」と訊《き》くと、「べつに、どうもしないけど」とかわされた。

「……幼稚園、行かせてるのか」

さらにまた、答えまで間が空いた。

「行かせてもいいの？」

その一言で、電話は切れた。ふた昔前の、電話機に受話器を叩《たた》きつけるときのガチャンという音が、聞こえるはずがないのに、耳に響いた。

雅人は目をつぶったまま、携帯電話を耳からはずす。手探りで電源ボタンを切り、寝返りを打って体を横にして、背中を丸めた。ウイスキーを流し込んだ空《す》きっ腹が、急に、軋《きし》むように痛んだ。

自分が自分を責める痛みなんだろうな、と思う。

わかっている。時代や街のせいにするのは、ずるく卑怯《ひきょう》なことだ。結局、悪いのは自分――なのだ。


フランチャイズ本部の担当者の、ねばつくような声は、いまも雅人の耳の奥に貼《は》りついている。

「立地条件としては悪くないんですよ、ここは。データでもちゃんとそう出てるんです」

三好《みよし》という名前の、いつもサブノートのパソコンを持ち歩いている男だった。

「営業努力だと思うんですよ、最後に差がつくのは。公団の団地があるんですから、こまめにメニューを入れてくれなくちゃ。そこのところの出費をケチってると、自分の首を絞めるだけなんですよ」

　メタルフレームの眼鏡をしょっちゅう掛け直す、神経質な男だった。

「ウチの看板があれば黙ってても電話がかかってくるって時代じゃないんですよ、それはおわかりでしょう？　それなりの姿勢でやってもらわないと……」

　アドバイスという名目の説教の途中に何度も携帯電話が鳴る、忙しい男だった。

「お店の前のバイク、ちゃんと並べて停めるようバイトに指導してくださいよ。っていうか、指導する前にご自分で並べ直せばいいんですよね。これ、何度も言ってることですよ。ほんとにね、こういうところなんですよ、佐々木さんの、こう言っちゃナンですけど、いいかげんなところ」

　いつも紺色のスーツ姿で、老《ふ》けた顔立ちをしていたが、確か、三十五歳の雅人よりも十歳近く年下のはずだ。

「佐々木さん、じつはね、こないだモニターさんに注文してもらったんですよ。バイトの電話応対、五段階で二ですよ、下から二番目。配達の挨拶もできてなかったみたいですし、なんかね、僕、聞いてびっくりしちゃったんですけど、インターフォン鳴らすときにヘルメット脱いでなかったっていうじゃないですか。お願いしますよ、バイトの指導ができないんじゃ店長のいる意味ないでしょう」

　そういうことをアルバイトの学生にも聞こえるようにまくしたてる男だった。

「まずいなあ、ちょっとまずいですよ、この数字。うちのブロックで最悪じゃないかなあ。こういうこと僕が言うアレじゃないんですけど、この数字じゃロイヤリティー納めるの、キツいでしょ。どうします？　佐々木さん、なにか考えてますか？　起死回生っていうか、ちょっとね、まずいですよ、ほんと、まずいなあ、このままじゃ」

三好の訪問日の朝に、決まって下痢をするようになったのは、いつ頃からだったろう。

「ねえ、佐々木さん、先月って旗日《はたび》が何日ありましたっけね。土日と合わせて三連休もあったでしょ、ねえ、書き入れ時ですよね、ふつうはね。それでなんなんですか、この数字。はっきり言いますよ、街に根付いてないんです、街の皆さんに愛されてないんです。それ、ウチの看板のせいじゃないんです、ここのお店っていうか、佐々木さんの人間性の問題ですよ。わかりますよね？　他のお店では売れてるんですから、ほんとに。ウチの看板のせいにしないでくださいよ」

白髪《しらが》もずいぶん増えたのだ、この一年半で。

「そうですか、はい、ええ、わかりました。まあ佐々木さんも考えに考えて決断されたんでしょうし、本部としても、開店の際のご融資分と、いまの在庫の清算をきっちりしてもらえばね、まあ、いいですよ、はい、お疲れさまでした。撤去のほうは本部から業者を回しますので……いえいえ、そうじゃなくて、困るんですよ、勝手にやられちゃうと。だって看板をね、佐々木さんが黙って持っててっちゃって、知らん顔して別の業者さんに売りつけることだってあるわけですから。そうでしょう？　うちらは看板で商売してるんですよ。お宅に看板を使う権利を貸してあげただけなんですよ。やめるんでしたら、それはもうすぐに返してもらわなくちゃ。あと、バイクのステッカーや店まわりのマークなんかも業者のほうですぐに全部剝《は》がしますし……だから、そんなことしなくていいんです、してもらっちゃ困るんですよ、よけいなことしないで、さっさと出ていってくれればいいんですよ」

本部を恨む気はない。

商売にしくじったのは――俺だ。

三好だって、開店前夜は、ぎりぎりまでかかった店の工事に徹夜で立ち会ってくれたのだ。

夜明け頃にようやく店が完成し、看板にかかっていた白いカバーをはずしたときのことは、いまでも忘れられない。

『タイガー・ピザ　旭ヶ丘《あさひがおか》駅前店』――黄色と黒を基調にした、よく言えば目立つ、悪く言えば毒々しい色遣いの看板を見上げて、雅人は思わず目を潤《うる》ませた。

美紀子の反対を押し切って会社を辞めて、半年。資金のことでは故郷の母にも迷惑をかけ、「脱サラはええけど、もうちいと腰を据えて準備したほうがええん違う？」と広島の義母を心配させながらも、とにかく、一国一城の主になったのだ。

感慨にひたる雅人の隣で、三好も「やりましたね、ついに」と嬉《うれ》しそうに言った。

「でも、勝負はこれから、ですからね」

「ええ、わかってます」

「がんばりましょうよ、ここが佐々木さんの夢の砦《とりで》なんですから。私も及ばずながらお手伝いします、相談事があったら、なんでも、いつでも、お呼びください」

「よろしく頼みます」

「こちらこそ！」

固い握手を交わしたのだ。

がっしりと。

それを懐《なつ》かしいと思ってしまうことが、むしょうに悔しい。

2

十一月の終わり——みぞれ交じりの冷たい雨が降りしきる日曜日の昼過ぎに、玄関のチャイムが鳴った。
コタツに入ってうたた寝をしていた雅人は、酒臭いあくびとともに体を起こした。ゆうべも一人で深酒をした。ずいぶん酔ってから広島の美紀子に電話をかけた記憶はあるのだが、なにをしゃべったかはわからない。電話は向こうから切れた。携帯電話を耳から離したとき、耳たぶの後ろに冷え冷えとした風が流れたような気がしたことだけ、妙にくっきりと覚えている。

二日酔いの頭痛で足元をふらつかせながら、玄関に出て、ドアを開けた。

「よお、ひさしぶり」

三河屋酒店の若旦那《だんな》だった。

顔を合わせるのは確かにひさしぶり――店をたたんで以来のことだ。

「これ……精算してみたら、佐々木ちゃんに返さなきゃいけないってわかったんだ」

店名を染め抜いた前掛けのポケットから茶封筒を出して、「半端《はんぱ》な金額だから、振り込んだり書留で送ったりするのもナンだしな」と笑う。

四月に一年全納で支払ってあった、商店街の親睦《しんぼく》会費だった。毎月千円。十一月から来年三月までの五千円、封筒に入っている、という。

「わざわざすみません」といったん受け取りかけたが、なんだかそれもセコくて情けないような気がして、手を引っ込めた。

「いいですよ、これ。忘年会の足しにでもしてください」

「そういうわけにはいかないって」

「いや、ほんと、いいんです。ずっと皆さんにはお世話になったんですから」

「だったら、佐々木ちゃん、忘年会に来るかい？　会費六千円だけど、特別ゲストってことで、この五千円ポッキリでいいよ、うん、今年は俺が幹事だし」

特別ゲスト——悪気はないはずの一言が、耳の奥にざらりとさわった。

若旦那も、さすがに客商売で鍛えた勘で察したのだろう、少し気まずそうな顔になって「それもちょっと変かな」と言った。

悪いひとではない。親睦会——旭友会《きょくゆうかい》の寄り合いのときはいつも、新参者《しんざんもの》の雅人になにかと世話を焼いてくれていた。「若」と付いていても、歳《とし》は四十代半ば。角刈りの髪には白いものもちらほら交じって、年が明けると上の息子は高校受験だ。それでも、「若」は「若」、喜寿《きじゅ》を迎えてもカクシャクとした父親に「旦那」の座をなかなか譲ってもらえないのだと、酒が入るとしょっちゅう愚痴る。

雅人は黙って頭を小さく下げ、封筒をあらためて受け取った。五千円を「はした金」とは、正直、言えない。

若旦那は用がすんでも戸口に立ったまま、「今日は冷えるよなあ」と肩をすくめた。「シベリアにすごい寒気団が来てるんだってな、明日はもっと寒いらしいぜ」

偵察なのかもな、と思った。商店街の店主たちは、こぞって噂話《うわさばなし》が大好きだ。わずか一年半で店をたたんだ世間知らずの若造——寄り合いの酒の肴《さかな》にはもってこいの話だろう。

「佐々木ちゃん、奥さんは？」

ほら、来た。

「ちょっと広島の実家のほうに……」

「子どもさんといっしょに？」

「ええ、二人とも」

「ああ、そう、ふうん、ああそうなんだ、じゃあ男ヤモメの週末ってやつかあ」

大げさにうなずきながら、ちらちらと、雅人の表情と、部屋の中の様子をうかがう。

言わせたい言葉はわかる。どうせ、あらかたのいきさつは知っているんだろう、とも思う。ごまかしてもしかたないし、怒ってドアを閉めてしまうのも大人げないし、なにより、人恋しさが、負い目交じりのわずらわしさに勝《まさ》った。

「……散らかってますけど、よかったら、お茶でも」

若旦那は驚いた顔になり、さらに笑みを浮かべかけて、それをあわてて引き締めながら腕組みをした。

「うん、まあ……それもいいけど……配達の途中なんだよなあ、俺」

足元に目を落としてから、顔を上げる。マンガに描くなら、頭上で豆電球がパッと光ったようなしぐさだった。

「佐々木ちゃん、今日は忙しいのか？」

「いえ、べつに……」

「じゃあ、配達に付き合ってくれよ。車の中で話せばいいだろ。ほら、こういう話って、意外とツラを付き合わせないほうがしゃべりやすいもんなんだしさ」

「はあ？」

「まあ、とにかく車に乗ってからだよな、詳しいことは。俺、先に行ってるから、さっさと支度してこいよ、なっ？」

急に張り切った若旦那は、表通りに停めた軽トラックに向かって、雨の中を傘も差さずに走っていった。

玄関に呆然《ぼうぜん》とたたずんだ雅人は、我に返ると、やれやれ、と苦笑した。相談事を受ける兄貴分――になりきっているのだろう。そういうひとだ、若旦那は。部屋に戻る。脱ぎ散らかした服の山を崩して皺《しわ》の少なそうなワークシャツとコーデュロイのパンツを選び、においを嗅《か》いでから、まあいいか、と着替えた。

玄関に掛かっていたウインドブレーカーをついいつものように羽織りかけて、舌打ち交じりに脱いだ。配達用に買い揃《そろ》えた『タイガー・ピザ』のロゴ入りのウインドブレーカーだった。袖《そで》にトマトケチャップの染《し》みがついていた。アルバイトの誰かが調理場で汚してしまったのだろう。

ため息を呑《の》み込んで、ウインドブレーカーをまた壁のフックに掛けた。背中にプリントされた、口を大きく開けて吠《ほ》える虎《とら》の横顔が、「バーカ」と言っているように見えた。

「上着なしで寒くないのか？　風邪ひくぞ」

「……だいじょうぶですよ」

「暖房、あんまり効いてないだろ。ドアを開けたり閉めたりするからな、なかなか暖まらないんだ」

話すそばから若旦那は車を停め、注文伝票を手にドアを開ける。まだ新しい二世帯住宅だった。先月新築して田舎から両親を呼んだばかりの家なのだという。

「なにか手伝いましょうか？」と雅人が言うと、若旦那は「だいじょうぶだいじょうぶ」と荷台に回り、一升瓶が六本入ったプラスチックケースを下ろした。

「酒ってのは意外と重いんだから、素人《しろうと》には無理だよ、腰を痛めるのがオチだ」

助手席の雅人にも聞こえるように大きな声で言って、ロング缶のビールが二ダース入った段ボール箱を日本酒のケースに積み重ねる。

とっさに暗算した。缶やケースの重さを考えず、酒の重さを水と同じだとしても、ビールだけで十二キロ、日本酒が十キロ——合計二十二キロの荷を、若旦那は軽々と両手で持ち上げて、小走りに家に向かう。

その背中を見送りながら、雅人はさっき呑み込んだため息をゆっくりと吐いた。いったん胸に戻ったぶん、湿り気と、重みと、苦みが増してしまった。

商店街の長老たちからは「三河屋の『若』は、まだまだ一本立ちはできねえよ」と子ども扱いされているが、若旦那は商店街一の働き者だ。年中無休、毎晩終電の時刻まで店を開けていて、昼間は店番に御用聞きに配達、旭友会の世話人の一人でもあるし、地区の消防団の団長も務めている。日本酒やワインの勉強会にもこまめに出かけ、店を旦那に任せて東北や関西の蔵元を日帰りで訪ねることも多い。今年の夏には、七夕祭りの打ち上げの席で、近いうちに店のホームページを開くんだとも話していた。

そんな元気のよさが、まぶしい。一所懸命に打ち込む仕事があり、仕事に打ち込んだあとの未来がひらけていることが、たまらなくうらやましい。

「おう、お待たせ」

車に乗り込むと、すぐに発進させる。今日は夕方までに、あと二十軒配達しなければいけないのだという。

「商売繁盛ですね」

「貧乏暇なしってやつだよ。不景気だからな、とにかくちっちゃな稼ぎでも拾っていかないと、どうにもなんねえよなあ」

「ええ……」

「まあ、今日びの商売の厳しさは、佐々木ちゃんのほうが身に染みてわかってると思うけどな」

若旦那は、ハハッ、と笑う。笑われて少しほっとした。同情や気づかいが目に見えない針になって刺さる痛みは、もうたくさんだった。

「粘りきれなかっただけですよ」

雅人は言った。素直に負けを認めたほうが、いい。

「いや、でもなあ、へたに粘って傷口を深くするってのもあるんだから、見切りをつけるのも勇気だよ、勇気。ウチなんかは自前の土地で商売して、バイトも使ってないから、まだ気楽なもんだけど、佐々木ちゃんのとこなんか、黙って座ってるだけでも毎月金が出ていくんだから……大変だったと思うよ」

若旦那の言うとおりだった。

注文の電話がほとんどかかってこない夜、アルバイトの連中は手持ちぶさたにテレビを観《み》たり、携帯電話でメールをやり取りしたりする。それを見るたびに、みぞおちがきりきりと軋《きし》んだ。時給六百五十円が人数分、なにもしなくても飛んでいく。アルバイトの連中が悪いわけではないのはわかっていても、ふざけるな、と思った。いいかげんにしろ、と怒鳴りつけたかった。

むだな時間のために金を払うのが惜しくて、悔しくて、しょうがなかった。三十分に一度は店の前を掃除するように命じ、一晩に何度も配達用の原付バイクを洗わせた。注文の品を間違えるとしつこく説教して、新米のアルバイトがバイクで物損事故を起こしたときには、謝り方が物足りなかったので胸ぐらを摑《つか》みそうになった。

器が小さかったのだ、と認める。アルバイトは誰も長続きしなかった。俺だって、俺みたいな奴《やつ》に使われるのはごめんだな、とも本音で思う。

昔は、ひとに使われるだけの人生が嫌だった。勤めていた会社に辞表を出したのは三十三歳になったばかりの頃だった。なんの見通しもなかったが、とにかく一国一城の主になりたくて、家族の反対や上司の忠告を押し切って会社を辞めたのだった。

いまは逆だ。ひとを使う仕事は、もうこりごりだ。誰かに命じられた仕事を黙々とこなすだけのほうがずっと楽なんだと、こうして痛い目に遭ってから、ようやく気づいた。

「なあ、佐々木ちゃん」

若旦那はバスの走る広い通りから抜け道に入って、車を徐行させながら言った。

「こんなこと俺が言ったら気を悪くするかもしれないけどさ、商売の失敗は向こう傷なんだよ。わかる？　攻めて負けるのは恥ずかしいことじゃないんだって、ウチの親父、よく言ってるんだ」

雅人は黙って小さく――かたちだけ、うなずいた。攻めようが守ろうが、前に進もうが逃げだそうが、負けは負けだ。慰めはいらない。

「いや、べつに慰めてるわけじゃないんだけどな」

若旦那は言う。さすがに勘が鋭い。商売で生きているひとと付き合うと、サラリーマンの腹芸《はらげい》なんてたかが知れてるよな、と思い知らされる。一年半のにわか商売人の日々で得た、数少ない収穫のひとつだ。

「俺、正直言って、うらやましいよ」

「……なにが、ですか？」

「怒るなって。変な意味じゃないんだからさ。まあ、結果は店をたたんじまったわけだけど、佐々木ちゃん、脱サラで勝負したわけじゃないか。勝負したっていうことがさ、うん、それだけで価値があると思うんだよな」

雅人は横を向いて、「負けると意味ないですよ、そんなの」と吐き捨てるように言った。そう答えるのが最初からわかっていたように、若旦那は苦笑してうなずき、「でもな」とつづける。

「俺なんか……勝負するチャンスさえないんだから……」

「そうですか？」

「そりゃそうだよ、佐々木ちゃんだって知ってるだろ、ウチの親父のこと。客あしらいまでは俺に任せても、いまでも仕入れは親父を通さないとどうにもならないし、帳簿だって決算のとき以外はなかなか見せてくれないんだぞ。隠居とか代替わりとか、そんなこと、あのジジイ、これっぽっちも考えてねえんだから」

「お元気ですもんね」

「元気よすぎるってのの、ほんと。俺だってさ、若い頃からいろいろ考えてたんだよ。店売りするだけじゃなくて、地酒バーなんて意外といけるんじゃないかとか、ワイン専門の支店をつくったらどうだとか……ぜーんぶ親父につぶされちゃったけどな」

「手を広げちゃうと難しいんですかね、やっぱり」

「理屈じゃねえんだよな、親父なんかは。酒屋は酒屋らしくしてりゃいいんだ、酒屋には酒屋の分《ぶん》ってのがあるんだ、それを踏みはずしちゃいけねえんだ、って。けっきょく、親父に逆らえないまんま、もう五十が見えてきちゃったよ。いまさら親父がくたばっても、この歳で新しいこと始めるのも、どうもなあ、元気が湧《わ》かねえよなあ……」

　車は団地の前で停まった。若旦那はビニールの雨合羽《あまがっぱ》を着込んで車を降りた。雅人が「手伝いましょうか」と声をかけても、今度もまた「だいじょうぶだいじょうぶ」と笑うだけだった。

　若旦那は荷台から台車を下ろして、ビールのケースや日本酒の紙パックを積んでいく。商品には雨除《あまよ》けのシートを掛けたが、自分は傘を差さず、作業の途中で脱げた雨合羽のフードもそのままで、台車を押して団地に向かった。

　車の中に残った雅人は、なんともいえない居心地悪さに、尻《しり》をもぞもぞさせた。

　あのひとは、ずうっと「息子」なんだよなあ、とあらためて思う。

三河屋の旦那《だんな》は、傍目《はため》にも頑固一徹の、職人気質《かたぎ》のひとだ。地酒の品揃えがこの地域で群を抜いているのも、旦那が若い頃から培《つちか》ってきた全国各地の蔵元との人脈あってこその話だった。

三河屋だけではない。駅の東口に三十軒ほどの店が集まった旭ヶ丘駅前商店街に、チェーン店はほとんどない。昭和初期からつづく青柳《あおやぎ》豆腐店は毎朝四時から豆腐をつくり、昼間でも陽の差さない学問堂書店のガラス戸には〈文藝春秋　本日発売〉の短冊《たんざく》が貼《は》られ、明石《あかし》理髪店の店先では赤・青・白の三色模様のスタンドがぐるぐる回り、深煎《ふかい》りコーヒーが自慢の旭茶房は真空管ステレオでジャズを流して、夕方四時になると刺身の特売を始める魚勝の大将のだみ声が通りに響き渡る。テレビの情報番組もしょっちゅう取材に来る、いかにも商店街らしい商店街――宅配ピザのチェーン店など似合わない商店街だったのだ。

もうちょっと若向きの商店街に店を出したほうがいいんじゃないか、とは思わないでもなかった。十年前に再開発された西口には、駅に直結したショッピングセンターがある。駅前ロータリーに面した店も、お洒落《しゃれ》なたたずまいのものが多い。

店舗のテナント契約を結んだあとも、正直、迷いは残っていた。

だが、「だいじょうぶですよ」と三好は言ったのだ。「この商売は、電話がすべてなんですから。どこに店があろうと関係ないし、それにいままでこの手の店がなかったってことは、新しい需要を掘り起こせるってことでもあるんですから」と、自信たっぷりに。

ほら、また、ひとのせいにしてるぞ――苦笑して、膝《ひざ》を組み替えた。

エンジンを切った車の中は急に冷え込んだが、外はもっと寒いのだろう、フロントガラスがうっすらと曇ってきた。

雨がやみそうな気配はない。雨の日曜日は宅配ピザの書き入れ時だった。買い物に出るには億劫《おっくう》でも、バイクでの配達が危険なほどの雨脚ではない、ちょうどこんな降り具合が最高だった。夕方になると、ひっきりなしにかかるはずの電話に備えてアルバイトを一人電話に貼りつかせ、晴れた平日より念入りに交通安全を神棚にお祈りして、配達のアルバイトに「早めに飯食っとけよ、六時過ぎたらピストンになるからな」と声をかけて……けっきょく、その期待はいつも空振りに終わってしまうのだった。

若旦那が戻ってきた。雨合羽のフードを脱いだまま、押すよりも速いのだろうか、空になった台車を折り畳んで提げて、水たまりの水を撥《は》ね上げながら駆けてくる。ほんとうに働き者だ。「働き者」というのは、一種の権利なのかもしれない。汗水流せるだけの仕事が与えられているのは幸福なことなんだろうな、とも思う。「日本人は働きすぎだ」と評論家や学者がさんざん批判していたのは、何年ぐらい前だっただろう。失業率が五パーセントになったこの時代にも、彼らは「日本人は余暇の過ごし方がへたくそだ」と言いつのるのだろうか……。

若旦那が雅人の家族のことを切り出したのは、配達が終わりかけた頃だった。「立ち入った話になっちゃうけどさ」と遠慮がちに前置きして、これからどうするつもりなんだ、と訊《き》いてきた。「奥さんや子どもさんだって、ずっと実家に帰ってるわけじゃないんだろ？」

少し迷ったが、野次馬根性ならそれでもいいや、と開き直って、正直に答えた。

「もう東京には帰ってこないと思います」

「奥さん？」

「ええ……子どもたちも」

「……どういうこと？」

「田舎の広島で、再就職先が見つかりそうなんです。女房の親の関係なんですけどね、悪くない条件なんです。東京でハローワークに通っても、まずありえないような」

「よかったじゃないか、じゃあ」

「ええ……そうなんですよ、そうなんですけどね……まあ、だから、最終的にはそこに世話になるとは思うんですけど……」

「踏ん切りがつかない、って？」

黙ってうなずいた。東京に居残らなければならない理由など、なにもない。とぼしい銀行預金を切り崩しながら一人暮らしをつづけていても、なんの意味もない。

ああそうか、と思いだした。ゆうべ酔って広島に電話をかけたときに美紀子に言われた言葉が、いまになってよみがえってきた。

広島がどうしても嫌なら——と美紀子は言ったのだ。仙台でもいいから、とにかく再就職を考えてよ。

その言葉にどう答えたのかは、わからない。思いだしても、たぶん嫌な気分になるだけだろう。

「佐々木ちゃん、最近商店街に買い物に来てないだろ。みんな心配してたんだけど……まあ、そういう事情なんだったら、なんとなくわかるけどさ」

「……買い物はコンビニですみますから」

「いつもなにやってるんだ、昼間は」

「適当にどこかに出かけてますよ。パチンコに行ったり、電車に乗って新宿あたりをぶらついたりして」

「じゃあ、なんだ、大怪我したあとのリハビリみたいなものか、いまは」

そうかもしれない。傷ついたのだ、もう、ずたずたに。自分ならやれるはずだ、うまくできるはずだ、という——いまにして思えばなんの根拠もなかったプライドが、致命傷を負ってしまったのだろう。

「そういえば、佐々木ちゃん、おたくの店の後がま、知ってる？」

「決まったんですか」

「決まったもなにも、もう工事始まってるよ。クリスマスに合わせて開店セールを打つつもりなんじゃないのか？」

洋菓子店が入るのだという。都心のホテルで修業を積んだ職人が独立して開いた店らしい。

「ケーキ屋さん、ですか……」

「まあ、ウチの商店街には同業者もいないし、若いお客さんが歩いてくれるようになれば、俺たちにとってもありがたい話なんだけどな。でも、どうなんだろうなあ、ケーキってのもそんなに利幅《りはば》の大きなものじゃないし、西口には似たような店が何軒もあるからな」

「オーナー店長なんですよね」

「ああ。佐々木ちゃんとそんなに変わらない年格好だったな。工事にも朝から晩まで立ち会ってるよ。昨日は、奥さんや子どもさんも連れてきてた。やっぱり嬉《うれ》しいんだろうなあ」

気持ちは、わかる。わかりすぎるぐらいわかるから、そっぽを向いて、「店を開くまでは誰でもできますからね」と言った。

若旦那はなにも言わなかった。ちょっと困ったふうに笑ったのが気配でわかったが、それだけ、だった。

雅人も顔の向きを元に戻すきっかけを失ってしまい、黙って、窓の外をただ見つめる。冷たい雨が降りつづく街は、静かに夕暮れを迎えていた。

サラリーマン時代は、日曜日の夜がいちばん嫌いだった。夕方六時半に『サザエさん』が始まった頃から、気分が沈んでくる。折り合いの悪い課長や、すぐに重箱の隅をつついてくる取引先の部長の顔を思いだすと、明日からまた仕事かあ、とため息が漏れる。えりなや貴夫といっしょに風呂《ふろ》に入って、顔はにこにこ笑っていても、心の中では何度も何度も、もう辞めたいなあ、とつぶやいていたものだった。

『タイガー・ピザ』の頃も、日曜日は嫌いだった。いや、好き嫌いのレベルではなく――怖かった。今週こそ注文の電話がたくさんかかってくる、かかってこなければ困る、日曜日に暇な宅配ピザなんてどこにもない、今夜稼げなければアウトだ、電話はまだか、まだ鳴らないのか、どうしたんだ、今夜もまた空振りなのか……。

店をかまえていた一年半、日曜日に子どもたちを連れて遊びに出かけたことなど、一度もなかった。

3

十二月に入ってほどなく届いた美紀子からの手紙は、挨拶《あいさつ》抜きで〈酔っていないときに読んでください〉と書き起こされていた。

〈ゆうべ、えりながひさしぶりにオネショをしてしまいました。貴夫も、せっかく直っていた爪嚙《つめか》みが、また始まっています。

おじいちゃんやおばあちゃんの前では、二人とも絶対にパパの話はしません。子どもなりにわかっていて、気をつかっているのだと思います。

そろそろ決断をしてくれませんか？　このままでは、えりなと貴夫がかわいそうだから。「パパはお店の後片付けが終わったら広島に来るんだからね」と言っても、貴夫はともかく、えりなは、なんとなく、いまのあなたの様子を察しているようです。

再就職の話はまだ消えていません。しかし、父は、正直なところ、あなたに少しずつ失望しているようです。母も同じで、こんな状態のままで再就職の話をつないでいても、結果的に父の顔がつぶれることになっては困る、と心配しています。

お金のことが負い目になっているのだとしたら、それはもう気にしないでください。

あのお金は、どうせ私たちが家を買うときに援助してくれるつもりだったので、父も母も、案外さばさばしたものです。むしろ、仙台のお母さんのことを思うと、やはり一日でも早く再出発すべきではありませんか？　いまのような状態が来年になってもつづいているというのでは、仙台のお母さんもかわいそうだと思います。

私は、どこに住んでもいいです。あなたが東京でもう一度がんばるのなら東京に帰るつもりだし、広島で再就職してくれるのなら、本音ではそれが一番嬉しいし、仙台でお母さんと同居するというのなら、できるだけ、その方向で考えたいと思っています。

でも、いまのあなたを見ていると、再出発の場所を考える段階ではなくて、ほんとうに再出発してくれるのかどうか、不安でしかたありません。

お願いです。いまのままでは子どもたちが一番かわいそうだと思います。いつまでも落ち込んでいても、しょうがないんじゃないですか？

あなたが「しばらく一人にしてくれ」と言うので、私たちは言うとおりにしました。お店を始めるときも、処分するときも、私たちはあなたの決めたことに従ってきました。

今度は、あなたが約束を守る番なんだと思います。

どうしても広島で再就職してくれとは言いません。ただ、えりなと貴夫のパパとして、そろそろ前に進んでくれませんか？（せめて、そういう話が電話でもできるように、お酒はやめてください）

とにかく一度、広島に来てください。これからのことを、一方的な報告でもいいから、聞かせてください。それとも、私たちが東京に行ったほうがいいですか？　ただ、もしそうなったら、父も母も、もうあなたのことは見限ってしまうと思いますが……〉

手紙の用件は、そこまで——だった。

短い追伸があった。

〈貴夫は、去年のサンタさんがよっぽど嬉しかったみたいで、「今年も来てくれるかなあ」と言っています〉

責める言葉も決断を迫る言葉もない追伸の一文のほうが、胸に刺さった。

去年のクリスマスは、『タイガー・ピザ』全店で、サンタクロースの衣装でピザを配達するというキャンペーンを打った。本部と店舗が折半《せっぱん》する衣装のレンタル代は意外と高くつき、それに価《あたい》するほど売り上げが伸びたわけではなかったが、店の営業時間が終わったあと、せっかくだからとサンタに扮《ふん》して家に帰り、寝入ったばかりのえりなと貴夫を驚かせて、喜ばせたのだった。

今年のクリスマスは、どうなるのだろう。どこで過ごすのか、家族といっしょなのかどうか、いまはまだなにもわからない。

便箋《びんせん》を畳み直して封筒に入れた。飲みかけだったウイスキーのグラスについ伸ばしかけた手を、のろのろと引っ込めた。半歩前進。なんてな、と自分をせせら笑ってみた。寝ころんで、コタツに潜《もぐ》り込む。めくり忘れて、九月と十月のページのままだったカレンダーをぼんやりと見つめる。九月半ばの日曜日に、えりなの字で〈うんどうかい〉とあった。まだひらがなを書けない貴夫は、おねえちゃんの字を花びら付きの大きな丸で囲んでいた。

その日——だったのだ。

仕事を抜け出して、子どもたちの幼いかけっこをこっそり応援したその日、雅人は店をたたむことを決めたのだった。

よく晴れた日曜日だった。絶好の運動会日和《びより》に、雅人は朝から店に出ていた。えりなは「パパは日曜日はお仕事で忙しいから」というのをあたりまえのこととして受け容《い》れて、去年のように、なんとかちゃんはパパといっしょに親子競技をするのに、とぐずって泣きべそをかいたりはしなかった。今年が初めての運動会になる貴夫も、日曜日にパパと遊べない寂しさに、もう慣れていた。

出がけに「ママにビデオ撮ってもらうから、あとで観てね」と言って手を振った二人の後ろで、美紀子は雅人をじっと見つめ、黙って何度もうなずいた。

梅雨が明けた頃から、店の経営状態はにっちもさっちもいかなくなっていた。週末のたびに、ここで一発逆転のきっかけぐらいはつかまないと、と意気込んでは現実の厳しさに打ちのめされていた。九月に入ってから眠れない夜がつづいた。だから——美紀子にも、予感や覚悟はあったのかもしれない。

朝九時に店に出て、最初にかかってきた電話は、アルバイトの女の子からだった。風邪をひいたので休ませてほしい。車の行き交う音が、声の後ろに聞こえた。「今日はいい天気だもんなあ」と雅人が言うと、電話は向こうから切れた。

店から最初にかけた電話は、朝十時過ぎ。一時間待っても顔を出さないアルバイトの男子学生の携帯電話を鳴らした。寝ていた、らしい。ゆうべは明け方までダチと飲んでたんで、すみません。そういうことが理由になると思っている連中と、一年以上も付き合ってきたのだ。いまからソッコーでシャワー浴びて飯食っちゃいますから、昼前にはラクショーで着きます。仕事より朝飯を食うことのほうが大切で、シャワーを浴びたあとにはどうせ髪のセットにも手を抜かないだろう。

「もう来なくていいよ」と雅人が言うと、「休みっスか？」と声をはずませて聞き返す。

「辞めてもらうから、来なくていいんだ」

「……ちょっと待ってくださいよ、店長。シャレきついっスよ」

「クビだよ」

「マジ？　それ、マジに言ってんスか？」

「明日から来なくていい」

「……店長、それヤバいっスよ、解雇予告とかって知ってます？　はっきり言って、俺、マジに訴えちゃいますよ。慰謝料とか貰《もら》っちゃいますよ、いいんスか？　あと、俺、オモテスジだけじゃなくて、ウラのスジにも先輩いるんスけど、そっちに話振っちゃうと、マジ、店、焼かれちゃいますよ」

面倒くさくなって、雅人のほうから電話を切った。

手持ちぶさたに店にいるバイト三人に、店の前の掃除とバイクの手入れを命じて、厨《ちゆう》房《ぼう》の椅《い》子《す》に腰を下ろした。

疲れちゃったよなあ、と声に出さずにつぶやいて、深いため息をついた。

最初の目論見《もくろみ》では、日曜日は——ましてや子どもたちの運動会がある日曜日などに、朝から店に出るはずではなかった。経験豊かで人間的にも信頼のおけるアルバイトを店長代理に据えて、せめて昼間だけでも店を任せて、えりなや貴夫と遊んでやるつもりだった。

夕方に店に電話を入れて様子を訊《き》き、「だいじょうぶですよ、こっちはしっかりやってますから」と言われたら、喜んで子どもたちと風呂に入る。「店長、お願いします、もう注文の電話が殺到してさばききれないんです」と助けを求められたら、もっと喜んで、出かける支度をする。夜十一時に仕事が終わるとレジを閉めて一日の売り上げを確認し、ガッツポーズとともに本部に売上票をファックスする。そのあとは、月に一度ぐらいは働きづめのアルバイトたちをねぎらうために居酒屋か焼肉レストランに連れていって、他愛《たあい》のない話で盛り上がる……。

夢だったな、ぜんぶ。肩を落とし、うつむいて、目をつぶる。

アルバイト一人分の人件費が惜しくて、年中無休で働きどおしだった。同じ一年半でも、サラリーマンの頃より働いた時間はずっと多く、プレッシャーははるかに重く、収入は三分の一に下がったきり挽回《ばんかい》できなかった。

宅配ピザをどうしてもやりたかったわけではない。トマトとチーズが混じり合ったピザの味は、正直なことを言えば、好きではない。独立して一国一城の主になるために、ただそれが手近だった、というだけだ。

最初から甘かった。根本的なところで間違っていた。

昼前に、ぶらりと店を出た。アルバイトには「ちょっと、そのへんを散歩してくるから」と言って、自分でもそのつもりだったのだが、歩きだすと足が勝手に幼稚園のほうに向いた。

店から幼稚園までは車でも十分近くかかる距離だったが、その道のりをどんなふうに、なにを考えながら歩いたのか、まったく記憶に残っていない。

いまにして思えば、もしもあの日幼稚園に足が向かなければ、駅ビルの屋上にのぼっていたかもしれない。入場券を買って駅に入り、ホームの端にたたずんだかもしれない。それとも、留守宅に戻って、ベルトか紐《ひも》を探しただろうか。

幼稚園に近づくと、にぎやかな音楽が聞こえてきた。貴夫がときどき口ずさんでいるアニメの主題歌だった。名前は知らない。店をかまえてから、子どものテレビにはすっかり疎《うと》くなった。

手狭な園庭は万国旗で飾られ、一周百メートルに満たないほどのトラックを、応援の家族が何重にも取り巻いていた。

人垣の外に立ってトラックを覗《のぞ》き込むと、ちょうど年少組のかけっこが始まるところだった。三組目に、貴夫がスタートラインに立った。二十メートルあるかないかの直線コースを、四人で競走する。貴夫は四人の中でいちばん体が小さかったが、逆にいちばんすばしっこそうにも見える。

がんばれ――心の中で叫んだ。

負けるな――祈った。

年長組の席から、えりなが立ち上がって貴夫に手を振っているのが見えた。ふだんはケンカばかりしているくせに、こういうときには、やはり、きょうだいだ。ここからは見えないが、美紀子もどこかでビデオカメラをかまえて応援しているのだろう。

赤い旗を持った先生が、スターターの位置に立った。

「位置について、よーい……」

旗を頭上に掲げて、「どんっ！」で勢いよく振り下ろす。

子どもたちはいっせいに駆け出した――貴夫を除く三人が。

先生のすぐそばにいた貴夫は、旗が振り下ろされる勢いに身がすくんでしまい、スタートを切れなかった。我に返って、あわてて左右を見回して走りだしたが、もう追いつける距離ではなかった。

観客の拍手を浴びて、貴夫は顔を真っ赤にして走る。観客は皆、にこにこ笑っている。「がんばれ、ほら、がんばれ！」とてのひらをメガホンにして声をかけるおじさんもいた。

ほほえましい光景だとは思わなかった。とびきり残酷な光景だ、これは。

ゴールインを見届けることなく、雅人は踵《きびす》を返して園庭を出ていった。

負けた。嚙《か》みしめた。俺は負けたんだ。漏れそうになるため息をこらえて、眉間《みけん》に力を込めた。

店をたたもう。これ以上傷が深くならないうちに、ギブアップしよう。

パパ、負けちゃったんだよ……。

もう認めるしかない。受け容れるしかない。勝負をした。負けた。誰のせいでもなく、自分の力が足りなかったから、惨敗《ざんぱい》を喫した。それだけのことだ。言い訳はできない。

えりなや貴夫の記憶に、店のことはどれくらい残るのだろう。パパが負けたことの重みと苦みは、これからどんなふうに子どもたちの胸に影を落とすのだろう。

もしも将来、二人が「自分の力で勝負してみたい」と、安定した人生を自ら捨てる決意を固めたら、俺は「がんばれ」と言ってやれるのだろうか……。


子どもたちには、店をたたむことを詳しくは話さなかった。

一人になりたい――わがままだとはわかっていても、屈託のない子どもたちの声を聞き、笑顔を見ると、居たたまれなかった。

広島にしばらく出かけることも、店の後片付けに出かけている間に、美紀子から子どもたちに話してもらった。

夜遅く家に帰って「どうだった?」と訊くと、美紀子は目に涙を浮かべて、言った。

「えりなは、お店のことも、あなたが落ち込んでることも、ぜんぶわかってるみたい」

「そうか……」

「貴夫は、おばあちゃんに会えるって喜んでただけなんだけどね」

しょうがないなあ、と笑うと、潤《うる》んだ目でキッととにらまれた。

「……悪い。嫌な役目やらせちゃって、ほんとに、悪かった」

返事はなかった。雅人をにらみつけるまなざしも動かない。気まずさに目をそらすと、追いかけるように美紀子は言った。

「子どもの前で親が見栄《みえ》を張るのって、なんかおかしくない？」

「見栄じゃないよ。どんなにごまかしたって、負けは負けなんだから」

「だったら、ちゃんと自分で話せばよかったんじゃないの？　パパはお店を一所懸命がんばったんだけど、残念だけど、もうお店をつづけられなくなったんだ、って」

「……そんなこと言えるわけないだろ」

「なんで？」

「なんで、って……」

「けっきょく、負けたところを見せたくないんでしょ？　見栄を張ってるのと同じじゃない、そんなの」

違う——。

雅人は目をそらしたまま、強くかぶりを振った。

「俺のことはどうでもいいんだ」とうめき声で言って、「俺の見栄とかはどうでもいいんだよ」と念を押し、また首を横に振る。

「じゃあ、なんなの？」

「えりなも、貴夫も、まだちっちゃいんだよ、学校にも通ってないんだよ、そんなちっちゃな子どもに親の負けた姿なんて見せたくないんだよ。パパはお仕事いつもがんばってて、みんなのために毎日働いて……他人と比べてどうこうじゃなくて、子どもの前でがんばってる姿を見せるのは親の役目だろ？　義務なんだよ。いまの、こんな情けない姿なんて、見せないほうがいいんだ。子どもたちも見ないほうがいいに決まってるんだから」

一息に言った。間違っているとは思わない。親の負けた姿を見たい子どもなんてどこにもいないし、親の負けを嚙みしめた子どもの顔を見たい親だって、世界中どこを探したっていないはずだ。

美紀子は、納得はしていない様子だったが、小さくうなずいて受け容れてくれた。

「子どもだけじゃないんだ」と雅人はつづける。「おまえにだって、見せたくない、こんなところ」

「でも……」

「わかってくれよ、いまの俺、自分でもわかるんだ、どうしようもない奴《やつ》だよ。立ち直るとか、やり直すとか、そういうのを考える気力もないんだ、いまは。自分でも自分のことが嫌なんだよ、頼む、一日でも早く広島に帰ってほしいんだ、俺の顔見ないでほしいんだ、頼むよ、ほんと、こんな情けないところをおまえや子どもたちに見られてるんだと思うと、もう、それだけで、頭おかしくなっちゃいそうなんだから……」

美紀子はしばらく考えてから、わかった、と息だけの声で言ってうなずいた。それ以上は、もうなにも言わなかった。

いまがどん底なんだ——と思っていた。どん底の状態から、少しずつでもいい、這《は》い上がるために、一人になるつもりだった。

だが、一人になって、雅人は知る。どん底の地点で踏ん張るはずの両足は、ずぶずぶとさらに沈んでいく。どん底の底は、まだ見えない。

4

クリスマスまであと一週間という頃、三河屋の旦那《だんな》が亡《な》くなった。前夜はふだんどおりに床に就き、朝になってもなかなか起きてこないので若旦那の奥さんが寝室に入ったら、布団《ふとん》の中で息絶えていたのだという。

大往生と呼ぶには少し早い。それでも、頑固一徹の旦那は、最後の最後まで現役で店を守ったまま逝《い》ったのだ。

翌日の午後、雅人に電話をかけてきた青柳豆腐店の長男は、「まあ、もう佐々木さんには義理はないと思うけど、いちおう伝えるだけは伝えておくから」と通夜や告別式の日程を手短に告げたあと、「ウチの親父もショックで寝込んじゃったよ」と寂しそうに笑った。

青柳豆腐店は、老夫婦が二人で切り盛りしている。じいさんは三河屋の旦那と義兄弟の契《ちぎ》りを交わしていたということだが、どちらが兄貴分になるのか、いずれにしても青柳豆腐店のじいさんも八十歳近いことは確かだ。

「世間さまより、ずうっと遅いテンポだけど、それでもちょっとずつ代替わりしていくんだろうなあ……ウチの店だって、五年後まで残ってるとは思えないしな」

青柳豆腐店には「若旦那」はいない。三河屋の若旦那と雅人のちょうど真ん中あたりの歳《とし》になる長男は、電器メーカーに勤めるサラリーマンで、旭友会の寄り合いには父親の名代《みょうだい》として顔を出しても、店を継ぐ気はなかった。

だから、毎朝六時前にはできたての豆腐が並ぶ商店街一の早起きの店は、じいさんが亡くなると、つぶれる。三河屋の若旦那は寄り合いの二次会や三次会でしきりに「もったいない、もったいない」と言っていたが、逆に長男のほうは雅人をつかまえては「脱サラって、どうなの？　俺にはその気持ち、よくわかんないけど」と首をひねるのだった。

「若旦那、どうでした？」

雅人が訊くと、長男は「あたふたしてたよ」と笑った。「お通夜の段取りで、さっそく組合や旭友会のおやっさんたちに説教されたりしてさ、あれじゃあ泣いてる暇なんてないだろうなあ」

「いきなり、ですもんね」

「ああ……口では親父さんのことをうっとうしがってたけど、やっぱり頼りにしてたし、正直なとこ、困ってるんじゃないのかなあ。これからが大変だよ、これからが」

まだ電話をかける先があるから、と長男は話をそこで切り上げた。

雅人は携帯電話をコタツの天板《てんばん》に置いて、電話がかかってくるまで読んでいた雑誌のページに折り目をつけた。最新号の求人情報誌だった。コンビニエンスストアで雑誌を買ったついでに履歴書も買っておいたが、広島で義父が用意してくれた再就職先にまさる条件の求人は、やはり一件も見つかりそうにない。

雑誌を閉じて、煙草《たばこ》を一服してから、洋服ダンスの奥にしまってある喪服を出した。

ゆうべは自宅で身内だけの仮通夜を営み、今夜が本通夜、明日が告別式。場所はいずれも駅の西口からバスで二十分ほどの斎場だった。

青柳豆腐店の長男が言うとおり、確かにどうしても顔を出さなければいけないというほどの義理はない。香典も、惜しくないと言えば嘘《うそ》になってしまう。それでも――旦那に別れを告げるというより、「息子」の立場から解放された若旦那の様子を見るために、出かけてみよう、と思った。

夕方五時過ぎに家を出て、東口の商店街を通らない道順を選んで、西口に回った。シヨッピングセンターに入っている文具店で不祝儀袋《ぶしゆうぎぶくろ》を買い、レジで筆ペンを借りて名前を書いた。香典は、さんざん迷ったすえ五千円にしておいた。親睦《しんぼく》会費の戻ってきたぶんが、けっきょく、そのまま出ていったことになる。

買い物を終えても、まだ六時前だった。お通夜は七時から。早く着きすぎて商店街の連中の噂話《うわさばなし》の種になるのも面白くないので、黒ネクタイをはずし、ショッピングセンターをぶらついて時間をつぶすことにした。

七フロアある売り場は、どこもクリスマスの飾り付けをして、にぎやかにクリスマスソングが流れていた。マネキンにサンタの服を着せた店もあるし、大きなクリスマスツリーを設《しつら》えた店もある。

ショッピングセンターでは、買い物の金額に応じて点数が加算されるポイントカードを発行している。歳末セールのこの時期は獲得するポイントが二倍になり、上はサイパン旅行から下は五百円の金券まで、バラエティ豊かにポイントを交換できる。決して物珍しくはないが、相も変わらぬ福引きで歳末セールを盛り上げるだけの東口商店街よりは、ずっと気が利《き》いている。

駐車場も、ここなら駅ビルに隣接したパーキングビルを使える。たしか買い物二千円で二時間無料になるはずだ。商店街のはずれの青空駐車場を三台ぶん確保しているだけの東口商店街は、こういうところでも西口に負けている。

去年の五月、初めて旭友会の寄り合いに出たときは、長老たちが上座《かみざ》を譲り合う儀式めいたやり取りのせいで始まるのが五分遅れ、ビールを飲みながらの話し合いはほどなく「まあ、あとは追々《おいおい》、ということで」となって、予定より三十分も早くお開きになった。数字やグラフがぎっしり詰まったレジュメを手に、ときどき怒号も飛び交ったサラリーマン時代の課内会議とは比べものにならない、いいかげんな会合だった。

近場のスナックに場所を移した二次会では、誰もが雅人に会社を辞めた経緯や家族のことを根掘り葉掘り訊いてきた。ビジネスとプライベートの線引きなど、まるでない。スナックのママとデュエットでカラオケも歌わされた。焼酎《しょうちゅう》の水割りの一気飲みも強いられた。ただの宴会だ。そのくせ酔いが回ってくると、口々に「配達のバイクが商店街を走ると危ないんじゃないか」だの「看板の色づかいが派手すぎるから、夜は早めに灯を落としてもらわないと」だのと、小姑《こじゅうと》めいたことを言われた。

時代遅れの、閉鎖的な商店街だ。慣れてくると付き合うコツも覚えたし、決して悪いひとたちではなかったが、最後まで、どこかしっくりこないものを消すことはできなかった。

それでも、三河屋の旦那が亡くなり、青柳豆腐店も決してこの先何年も店がつづくわけではないんだと思うと、なんともいえない寂しさを感じる。

三河屋の若旦那は「旦那」に格上げされたあと、店をどんなふうに変えていくのだろう。ずっと親父さんに頭を押さえつけられてきたのだから、思いっきり自分のやりたいことをやってくれればいい――そう期待する思いと、同じぐらい、あまり変えてほしくないな、とも思ってしまう。

身勝手なものだよな、とフロアを歩きながら笑ったとき、雑貨店から出てきた若い男が驚いた顔をして雅人に声をかけた。

「店長……ですよね？」

顔を上げると、男は「やっぱ、そうだ」と嬉《うれ》しそうに言って笑った。

店で使っていたアルバイトの学生だった。名前は思いだせない。二、三カ月で辞めてしまった、あまり働きのよくない男だった。

「あれぇ？　忘れちゃってます？　俺のこと」

「……悪い、名前がちょっと」

「山本ですよ、山本カズ、ほら、あの頃『山本』ってもう一人いたから、店長、俺のこと『カズ』って呼んでたじゃないですか」

「ああ、そうか……うん、思いだした」

「ほんとっスかあ？　なんか俺って、記憶に残んない奴、みたいな？」

屈託のない――なさすぎる笑い方を見ていると、少しずつ昔のことがよみがえってくる。

無断欠勤が三度つづいて、怒鳴りつけてクビにしたのだった。世の中をなめるな、と言ってやった。こんな甘っちょろい根性で生きていけると思うなよ、とも言った。吐いた言葉はすべて、自分に返ってきたことになる。

「……元気そうだな」

「まあ、とりあえずって感じですけど。店長、ちょっと瘦《や》せた、みたいな？」

「店、つぶれたんだ」

「マジッスか？」

「十月にな、赤字つづきだったから」

笑いながら言ったのは、せめてもの意地だった。

カズもへらへらと笑い返すだろう、と思っていた。そのほうがいいよな、とも。

だが、カズは顔をゆがめ、感に堪えたように「そうだったんですか……」と目を伏せた。お芝居のようには見えなかった。

「なんか、それ、すごい悔しいっスね」

「そうか？」と雅人はわざと軽く返す。

「だって、やっぱ、悔しいっスよ、短かったけどお世話になった店だし」

だったら、もうちょっと真面目《まじめ》に仕事してくれりゃよかったんだ。声に出さずに吐き捨てて、歩きだそうとした。

「あ、ちょっと待ってくださいよ、店長。一瞬待って、一瞬」

「……なんだ？」

振り向くと、店からギフト用の紙バッグを提げた若い女が小走りに出てきた。

カズの連れ――見覚えのある顔だった。

向こうも雅人に気づいて、「あ」と声をあげた。

カズが早口に「ほら、店長さんだよ、『タイガー・ピザ』の」と言うと、彼女は「あ」の顔のまま小刻みにうなずき、頭をぺこりと下げた。

思いだした。彼女も店で働いていたアルバイトだった。名前は忘れた。電話注文をしょっちゅう間違えるそそっかしい子で、カズよりも早く、一カ月そこそこで辞めてもらったのだった。

「あの……」カズは少し照れくさそうに言った。「俺ら、『タイガー・ピザ』でバイトしてた縁で、こーゆー感じっつーか、なんつーか……」

「一緒に働いてたんだっけ？」

「ええ。まあ、ほとんど入れ違いって感じだったんですけど」

「付き合ってるなんて気づかなかったよ、ぜんぜん」

首をひねって言うと、カズは女の子と顔を見合わせて苦笑した。

「店にいた頃は、そんなのじゃなかったんスよね。辞めてからっつーか……こいつが先にクビになって、落ち込んじゃったのを、俺、リキ入れて励ましてたんスよ。したら、俺までクビになっちゃったじゃないスか。ひとのこと言えねーだろって、似た者同士ってやつっスか？　なんか、そんなこんなで、まあ、こーゆー感じに……」

話すにつれて、カズの顔はどんどん照れくさそうになってくる。隣の女の子——やっと思いだした、たしか、なんとかショウコという名前だった。ショウコも、ちょっと恨めしそうな上目遣いで雅人を見て、それでも、出会いの場をお膳立《ぜんだ》てしてくれた店長に少しばかりは感謝の気持ちもあるのか、まぶしそうに目を瞬《しばた》いていた。

「まいったな」と雅人は笑った。「なんか、そういうのって、まいっちゃうよなあ……」と肩を揺すりながら、目をすっと横にそらした。

赤字つづきの日々だった。腹を立てどおしの一年半だった。できれば「なかったこと」にしてしまいたい苦い思い出ばかりだ。それでも——一つぐらいは、誰かの人生に役に立ったと思えることがあってもいい。

カズはショウコに、店がつぶれたことを話した。ショウコは「えーっ、マジ？　それ」と声をあげ、さっきのカズのように感に堪えた顔になる。

じゃあな、と雅人は二人に笑いかけて、また歩きだした。

「あの……店長」

カズに声をかけられ、これで最後だ、というつもりで振り向いた。

「俺とかが言うのって変ですけど、あの……元気出してくださいね、マジ、俺らあそこでバイトしてたこと忘れませんから」

悪い奴《やつ》ではないのだ、みんな。

「だったら別れたりするなよ。お二人さん、仲良くな」

笑ってやった。顔の向きを戻して、大股《おおまた》に歩いた。カズとショウコの視線をしばらく背中に感じていたが、やがてそれも人込みに紛れて消えた。

5

お通夜は、予想していたよりずっとにぎやかだった。祭壇には酒樽《さかだる》が山のように供えられていたし、喪服の上に蔵の法被《はっぴ》を羽織った地方の造り酒屋の一行もいた。

旭友会の面々は受付のテントのそばに、石油ストーブを囲んで陣取っていた。会釈《えしゃく》だけで通り過ぎようとしたら、ワンカップの日本酒を手にした魚勝の大将に「ちょっと、ピザ屋さんもこっち来て、話聞いてくれよ」と呼び止められた。皆、険しい顔だった。旦那の死を悼《いた》むのとは微妙に違う、なにか揉《も》めているような、憮然《ぶぜん》とした表情だ。

しかたなく話の輪に入ると、ごぶさたの挨拶《あいさつ》をする間もなく、魚勝の大将が酒臭い息を吐き散らかして言った。

「おたくの後がま、ひでえ奴だぜ、おい」

「はあ?」

「ほら、ケーキ屋だよ、なんとかっていう、舌嚙《か》みそうな横文字の」

横から八百善のおかみさんが「ル・ヴェール」と忌々《いまいま》しそうに言うと、みんないっせいに顔をしかめる。

話のいきさつは、なかでは比較的冷静な表情だった青柳豆腐店の長男が教えてくれた。

「明日の告別式なんだけど……商店街でやることになったんだ。ほら、三河屋さんの三軒先に碁会所があるだろ、あそこを借りて、ちょっと手狭なんだけど、やっぱり旦那《だんな》さん、商店街の『顔』みたいなひとだったんだから……」

旭友会のおやっさんたちの発案だった。東口商店街を支え、商店街をこよなく愛してきた旦那なのだから、せめてそれぐらいのことはさせてもらわないと商店街の人情が疑われてしまう——若旦那にも直談判《じかだんぱん》して、了解を取り付けたのだという。

「金はよぶんにかかっちゃうけどな、やっぱりそれがスジだろう、って魚勝の大将が言ったんだ。若旦那も、わかってくれたよ」

「そりゃそうだろ」魚勝の大将は憮然とした顔で言った。「急なことだったから俺もキツくは言わなかったけどよ、こういう混《ま》ぜ事《ごと》のときには、俺たちに相談してくれなきゃよ。もっと早くわかってりゃ、今夜のお通夜だって商店街でビシーッとやれたんだだから」

すでに昨日から、商店街は喪に服している、らしい。クリスマス・セールは一時中止にして、有線放送の音楽も消している。ふだんのBGMはモダン・ジャズ一本槍《やり》の旭茶房でさえ、昨日今日と『アメイジング・グレース』を何度も流したし、魚勝は鯛《たい》の仕入れをキャンセルして、明日は臨時休業を決めている。

ところが——明日は『ル・ヴェール』の開店日だった。今日の午後から、店の前には仕入れ業者や主人の修業先だというホテルからの開店祝いの花輪が並んでいる。

魚勝の大将をはじめとする旭友会の有志一同は、せめて告別式の間と出棺のときだけでも紅白の花輪を片づけてくれないか、と主人に申し入れた。もしできるなら開店を一日遅らせてくれたら、もっとありがたい、とも。

「……どうだったんですか？」

雅人が訊《き》くと、大将は酒を呷《あお》って、「どうもこうもねえよ」と、だみ声をさらにつぶして吐き捨てた。「それはできません、だってよ」

雅人は思わず低くうなった。「ひでえ話だろ？　役所じゃねえんだからな、それくらいの融通を利《き》かせなくて客商売ができるかってんだ」と大将に言われても、うなずくことも首を横に振ることもできない。

旭友会の心意気も、わかる。だが、クリスマス・シーズンに合わせて店を開いた『ル・

ヴェール』の主人の気持ちも、痛いほどわかる。

「花輪はウチの倉庫で預かるからって言ったんだよ。動かすのも、ウチの若い衆使えばいいんだから、って」

荒井建材の親方が話に割って入り、それを引き取って、旭茶房のマスターがつづけた。

「開店をあさってにずらしてくれればな、はっきり言って、初手《しょて》から商店街に貸し一つだろ。向こうにも悪い話じゃねえんだよ。開店を一日延ばしたぶんの損なんて、俺たちがみんなでケーキ買えばすぐに取り戻せるんだ。ウチの店でも、今度から『ル・ヴェール』のケーキを出してもいいんだよ。これから長い付き合いになるんだから、そういうのって、目先の損得やメンツよりだいじなことだと思うんだけどなあ……」

それでも、『ル・ヴェール』の主人は、頑として譲らなかった。

魚勝の大将は酒を呷り、据わった目でまくしたてる。

「俺たちだって、新しい店ができるのを歓迎してるんだよ。亡《な》くなった三河屋の旦那もな、佐々木さんの前で言うのってナンだけど、宅配ピザってのは電話一本で注文するだけだろ、買い物のお客さんが増えるような店じゃないよな。でも、今度はケーキ屋だから、若い客や家族連れが寄ってくれるようになれば商店街ぜんたいが活気づく、って楽しみにしてたんだよ、ほんとに。俺たちも応援するさ、明日一日だけ、三河屋の旦那のために譲ってくれれば、あとはもう、俺たちみんなで店を盛り立ててやれるんだ。そうだろう？　でもな、もうだめだぞ、あの野郎、ああ、俺はもう許さねえ、あんちきしょう、旭友会からも叩《たた》き出してやるし、商店街の鼻つまみ者にしてやって……」

よほど悔しかったのか話の途中から地団駄《じだんだ》を踏みはじめた大将を、まあまあ、となだめながら、青柳豆腐店の長男は雅人に言った。

「どうしても、開店は明日じゃないとだめなんだってさ。しょうがないよな、こっちが無理を通すわけにもいかないし」

「大安《たいあん》とか、そういうのですか？」

雅人が店を開いたときは、フランチャイズ本部の指示で――ピザにお日柄は似合わないと思いながらも、大安吉日《きちじつ》を選んだのだった。

「違う違う」

長男はかぶりを振って、少し複雑な笑顔になった。

「明日は、息子さんの誕生日らしいんだよ。約束してたらしいんだ、誕生日にお店を開くんだ、って」

「……そうなんですか」

「俺と魚勝の大将がさっき話をつけに行ったときも、息子さん、小学校の一年生か二年生なんだろうなあ、ランドセル背負ったまま、店の中でお母さんといっしょにショーケースを拭《ふ》いてたんだ。そういうところ見ちゃうとさ、やっぱりなあ、こっちの都合だけを押しつけるわけにもいかないよなあ……」

雅人はまた、思わずうなった。長男も、わかるだろう？　というふうに小さく笑う。

「こら、ピザ屋に豆腐屋、おまえらが納得してどうするんだ、馬鹿野郎」

声を荒らげた大将は、「仏さんの前だよ！」と八百善のおかみさんに一喝されて、酒を取り上げられてしまった。


逃げるように焼香の列に並んでからも、雅人は喉《のど》の奥で低くうなりつづけた。魚勝の大将と『ル・ヴェール』の主人の、どちらの言いぶんが正しいのか――いや、「正しい」「正しくない」で分ける話じゃないんだろうな、と思い直した。

俺なら、どうするだろう。息子との約束を選ぶか、商店街との今後の付き合いのほうを優先して考えるか――。

わからない。

魚勝の大将たちの単純さが、うっとうしくもあり、くすぐったくもある。

開店前から商店街を敵にまわしてしまった『ル・ヴェール』のことを心配しながら、本音の奥深くでは、どうなることやら、と冷ややかに笑っている自分もいる。そのくせ、本音のもっと奥のほうでは、顔を知らない『ル・ヴェール』の主人の一徹さに気《け》おされても、いる。

ゆるんだ。

焼香の順番はまだしばらく先だったが、僧侶《そうりょ》の読経《どきょう》が終わり、祭壇の前の空気が少し

若旦那が、いた。鼻の頭を真っ赤にして、泣いていた。正座をしているせいだけでは

なく、がっしりした肩幅が少し縮んでしまったように見える。

焼香を終えた老人が若旦那の席に寄って、しっかりしろ、というふうに肩を軽く叩い

た。若旦那はハンカチで目元を押さえながら頭を下げ、老人が立ち去ると、がっくりと

肩を落とす。

悲しんでいるというより、途方に暮れている。もうちょっと、見栄《みえ》でもかまわないか

ら、跡継ぎの貫禄《かんろく》を見せたほうがいいような気もするが、そういう素直さが若旦那の

「若」の所以《ゆえん》なのかもしれない。

このひとは勝負をしないのかもしれないな、と思った。代が替わっても、三河屋はい

まのままの商売をつづけるのだろう。旦那が店の実権を譲らなかったせいで勝負できな

かったのではなく、旦那がいてくれたから勝負をしないですんでいた、のだろうか。

じゃあ、あと五年早く旦那が亡くなっていたら――？

あと十年早かったら――？

祭壇の中央に飾られた旦那の遺影は、いったい何年前の写真を使ったのだろう、雅人

が知っている顔よりずっと若々しい。若旦那のお兄さんだと言われても通じそうなほど

だった。

いまの若旦那の歳《とし》で、すでに旦那は一国一城の主だった。たしか、三十かそこらで店を開いて、若旦那が高校を出る頃まではさんざん苦労をしたらしい。「せがれには俺の真似《まね》はできゃしねえよ」と、いつの寄り合いだったか、酔った旦那の言葉を聞いたことがある。「せがれや孫には、あんな泥を食うような思いはさせたくねえよなあ」――長老どうし、そうだそうだ、とうなずきながら酒を酌《く》み交わしていたのだった。

三河屋は旦那の店だ。「地酒なら三河屋」という評判も、西口に酒のディスカウントショップができても揺るがない地元との信頼関係も、すべて旦那がゼロから築き上げてきた。その遺産を、若旦那はただ受け継げばいい。叩き上げの初代に比べると、楽ではあるだろう。だが、たぶん、若旦那はそれを「幸せ」だとは呼ばないだろうし、といって、受け継いだすべてをなげうって、自分一人の力で「幸せ」を探すことはしないだろう。

焼香の順番が来た。型どおりに焼香をして、若旦那をちらりと見た。目は合わなかったが、若旦那のすぐ後ろにいる息子を初めて間近に見た。まだ中学三年生のはずなのに、髪を茶色く染め、細身のスーツを着込んだ、いかにも遊び慣れた風体《ふうてい》の少年だった。おじいちゃんの死をさほど悲しんでいるふうには見えないし、おじいちゃんの死に落ち込むお父さんの姿になにかを感じ取っているようにも思えない。

あの息子が、今度から「若旦那」と呼ばれるようになるのだろうか。おじいちゃんの苦労もお父さんの重圧も知らない「若旦那」は、店を任せられたなら、商売のスタイルをためらいなく変えてしまいそうな気がする。勝負をして、そう簡単に勝てるとは思えない。それでも、いまの若旦那は、息子の負けを責めるより、むしろうらやましがるかもしれない。

焼香台から離れ、旭友会のいる一角を通らずに斎場をあとにした。

夜空はきれいに晴れ渡っている。明日もいい天気だろう。三河屋の旦那が商店街に別れを告げるのにも、新しいケーキ屋が開店するのにも、ぴったりの天気――なのだろう。

バスで駅の西口まで戻り、跨線橋《こせんきょう》を渡って東口に出た。商店街を歩くのは、店を引き払って以来のことだった。

年中無休の三河屋も、さすがに今夜はシャッターが下りて、〈忌中〉の紙も貼《は》られていた。閉店間際《まぎわ》の魚勝では、おかみさんがホースの水で土間を洗うそばで、若い衆がトロ箱を片づけていた。見慣れない顔だった。また知り合いの魚屋か寿司《すし》屋か割烹《かっぽう》の息子を修業で預かっているのだろう。大将の家は娘さん二人で、婿《むこ》養子を狙《ねら》って次々に知り合いから若い衆を預かっているという噂《うわさ》だ。

夜八時を回って、商店街のほとんどは店じまいしていたが、煌々《こうこう》とした明かりが通りにまで漏れている店が二軒あった。

一軒は、明日の告別式の祭壇を業者が大あわてでつくっている碁会所。

そして、もう一軒は、かつての『タイガー・ピザ』――『ル・ヴェール』だった。

四階建のビルの一階。二階から上はマンションになっていて、三階に住んでいる口うるさいばあさんが、チーズの焦《こ》げたにおいがくさいだのバイクのエンジンの音がうるさいだのと、しょっちゅう文句をつけてきたものだった。

ビルの前で足を止めた。ビルは通りから五メートルほどセットバックして、そこが駐車場のスペースになっている。かつて配達用のバイクが並んでいたそこには、いま、開店祝いの花輪が並んで、全面ガラスの向こうに山荘ふうの内装が仕上がっていた。

家族が、いる。主人と、奥さんと、息子が一人。三河屋の若旦那が言っていたとおり、雅人と同世代の――だから、一国一城をかまえるには少し若い家族だった。

主人は厨房《ちゅうぼう》でクッキーかなにかをつくっている。奥さんは板張りの壁にアクセサリーを飾り付けていて、息子はショーケースを磨いて……奥さんが、雅人に気づいた。

雅人は小さく会釈《えしゃく》をした。奥さんも怪訝《けげん》そうに、頭を下げる。

そのまま立ち去るつもりだったが、奥さんは、なにかにハッと気づいたように、あわててドアを開けた。

「すみませーん、お店、明日からなんです。よろしくお願いしまーす」

客を一人でも増やそうと、張り切っているのだろう。

雅人は苦笑してうなずき、歩きだした。

何歩か進んだところで、今度は男の声で呼び止められた。白い調理服を着た主人が店から出てきたのだった。

「あのー、すみません、失礼ですが……ここの商店街の方ですか？」

商売用の笑顔とは微妙に違う、どこか探りを入れるような頬のゆるめ方で、訊いてきた。

一瞬答えに詰まったら、主人は「三河屋さんのお通夜、ですよね……」と遠慮がちに雅人の黒ネクタイをてのひらで指し示した。

しかたなくうなずき、どこまで自己紹介するか迷っていたら、主人はコック帽を脱いで、恐縮しきった様子で頭を下げた。

「このたびは、どうもすみませんでした。なにとぞ、許してやってください……」

戸惑う雅人に、主人は一方的に詫《わ》びの言葉を並べたてた。三河屋の旦那のお通夜に顔を出せなかったこと、明日の開店を延ばせなかったこと、花輪を片づけられないこと、とにかくすべて、商店街の皆さんにはあらためてお詫びのご挨拶《あいさつ》をするので、明日のわがままについてはどうか勘弁してもらいたい、と——その場に土下座でもしそうな様子で、ひたすら詫びつづける。

雅人はたじろぎながら、「いえ、もう、そんなのは……」と答えにもならない言葉を返すしかなかった。

主人はようやく顔を上げる。あらためて見てみると、ケーキ職人としてはともかく、商売人としては頼りなげな、いかにも気の弱そうな顔立ちの男だった。

旭友会の申し入れをはねのけたときは、ありったけの意地と勇気を振り絞ったのだろう。どうしても譲れないと思って突っぱねて、それでもしだいに不安になって、後悔もして、商店街の連中が通りかかるのをずっと待っていたのかもしれない。

魚勝の大将の話は、いつも大げさなのだ。なんでも話半分に聞かなきゃだめだったんだよな、と苦笑すると、急に胸が熱くなった。

「息子さんの誕生日なんですよね、明日は」

雅人は言った。自分でも少しびっくりするほど、おだやかな声が出た。

「ええ……そうなんです」

「最初から、その日に合わせて開店するつもりだったんでしょ？」

「……約束してたんです、ずっと前から。息子も楽しみにしてて……ぼくとお店は同じ誕生日になるんだねって、あの、一人っ子なんですよ、だから、そういうのもあって……すみません、こっちの都合なんです……ほんとに……」

「わかります」

「花輪も、片づければいいんでしょうけど、明日は修業でお世話になったホテルの皆さんも来てくれるんです……花輪もいただいてるんで……不謹慎かもしれませんが、飾らないわけにはいかなくて……」

「わかりますよ、ほんとに」

たいして慰めや励ましにはなっていなくても、詫びと弁解を聞いてもらう相手がいただけでもよかったのだろう、主人はほっとした顔になって、「今後ともよろしくお願いいたします」と頭を深々と下げた。

「がんばってください」

つまらない言葉だったが、他に言いようがなかった。

がんがん稼いで、儲《もう》けてください——。

一世一代の勝負に、あなたは勝ってください——。

ぼくのぶんも——。

言葉をいくつか胸に浮かべ、違うよな、とまとめて打ち消した。最初から、口にするつもりはなかった。打ち消すために浮かべた。まだ乾ききっていないかさぶたをわざと剝《は》がすようなもの——痛いけれど、不思議と気持ちいいのだ、これが。

主人は店のほうを振り向いた。笑顔だった。店の中から様子をうかがっていた奥さんもほっとした顔になり、それを待っていたように、息子が紙を一枚持って店から駆けだしてきた。

「これ……よろしければ、どうぞ」

主人は雅人に言って、隣に立った息子さんの肩を叩《たた》き、ほら、とうながした。

息子は恥ずかしそうな顔をして、とことこと雅人に近づき、紙を両手で差し出した。

「よろしくお願いしまーす」

舌足らずの声が、歳はだいぶ違うのに、貴夫の声に重なった。

ありがとう、と笑って紙を受け取った。

「明日の朝刊にも折り込み広告で入るんです」と主人が言う。

「サンタさんの絵、ぼくが描いたんだよぉ！」と息子は得意げに胸を張った。

Ａ４サイズの紙にコピーされた、手書きのチラシだった。開店記念で、明日から三日間、ケーキや焼き菓子、全品半額。クリスマスケーキは千五百円から予約受付中。〈期間中千円以上お買い上げ　ＯＲ　クリスマスケーキご予約の方には、特製トリュフ（四個入り）をプレゼント〉──と、マンガの吹き出しにメッセージが記されていた。話しているのは、でっぷり太ったサンタクロース。なるほど、いかにも子どもが描いた、へたくそだが温《ぬく》もりのあるサンタさんの笑顔だった。

「ボク、何年生？」

「三年生！」

元気のいい男の子だ。

頭を軽く撫《な》でてやって、主人にもう一度、「がんばってください」と言った。

「ありがとうございます。今後とも、なにとぞよろしくお願いいたします」

主人は丁寧にお辞儀をして、息子と手をつないで店に戻っていった。

雅人はチラシを折り畳んでコートのポケットに入れて、歩きだす。貴夫に会いたくなった。えりなにも会いたいし、美紀子にも会いたい。

一人では、もう、いたくない――。

6

ひさしぶりに酒を一滴も飲まない夜を過ごした。コタツに潜り込むのではなく、きちんと布団《ふとん》を敷いて寝たし、夕食のコンビニの弁当には、別売りの生野菜サラダも付けた。

寝るまでの間に何度か携帯電話を手に取って、メモリー登録してある美紀子の携帯電話の番号を画面に呼び出したが、けっきょく電話はかけなかった。

夜の電話は、理屈などないのだが、話す言葉がすべて愚痴や泣き言になってしまう。昼間、できればよく晴れた空の下で、遠くを眺めながら口にしたい言葉というのは確かにあるはずだし、そういう言葉を言いたいんだ、とも思う。

夢も見ずにぐっすり眠った。

肌寒さとまぶしさに、目を覚ました。ゆうべの晴れ渡った夜空がそのまま青空に変わった、十二月の東京ならではの、キン、と音のするような朝だ。

起きて最初に部屋の窓を開け、たっぷりと時間をかけて部屋の掃除や洗濯をした。いつものシャワーではなく、熱いお湯をバスタブに張って、丁寧に体を洗う。

三河屋の旦那《だんな》の告別式は午前十一時からだった。出棺が正午。『ル・ヴェール』の開店時刻も同じく正午だから、記念すべき幕開けの、その出端《でばな》をくじくような格好で霊柩《れいきゅう》車《しゃ》が店の前を通ることになる。いや、それ以前に、『ル・ヴェール』から碁会所までは百メートルも離れていない。ほんの目と鼻の先で、紅白の花輪と白黒の花輪が並び、ゆうべのお通夜の参列者の数から考えれば、碁会所に入りきらないひとたちは『ル・ヴェール』のあたりまであふれてしまうかもしれない。

たまんないよなあ……と、洗面所の鏡の前で髪を整えながら首をひねった。霊柩車を見かけるのって逆に縁起がいいとか、そういう言い伝えって、なかったたっけ。なにかの本で読んだような気もしたが、それを『ル・ヴェール』の主人に教えてやったところで、たいした意味はないだろう。

まあ、でも、思い通りにいくことばかりじゃないんだからな、商売は——。

負けた男ならではの台詞《せりふ》だよな、と自分で自分を笑った。鏡に映る笑顔は、意外と悪くなかった。

「もしもし？　俺だけど……」と最初の一言を口にしただけで、美紀子は「ちょっと元気になってない？」と笑った。

「そうでもないけどな」

「でも、お酒飲んでないし」

「ゆうべ、わりとよく眠れたんだ」

開け放した部屋の窓から見上げる空は、ほんとうに、パソコンのペイントソフトで色をつけたようにきれいな青だ。

「すっきりしてるものね、声が。ほんと、なんか今日は元気いいみたい」

「……自分じゃ、よくわからないけどな」

「ココロの傷がやっと治った、って感じ？」

苦笑いでいなした。傷はまだ、青あざぐらいは残っているだろう。それでも、流れ出る血は止まった――のかもしれない。

「ねえ、教えてよ。なにかいいことあったの？」

少し考えて、「べつに、なにもないよ」と答えた。

ただ――なんというか、ただ……。

「えりなと貴夫に代わろうか？」

通り道をすっと空けるように、美紀子は言ってくれた。

「いるのか？」

「うん、もう朝から家の中を走りまわってる。おばあちゃん、バテちゃうんじゃないかな」

「……なあ」

「うん？」

「子どもたち、大きくなっても店のことを覚えててくれるかな」

「えりなはだいじょうぶなんじゃない？　貴夫も、たぶん、ぜんぜん忘れちゃうってことはないと思うけど」

「店を引き払う前に、一度、子どもたちを連れていけばよかったかな」

美紀子は黙って笑った。自嘲《じちよう》めいたジョークだと思われたかもしれないが、本音だった。胸に溜《た》まっていたものを出したのではなく、口にしたあとで、ああ、これが俺の本音なのかもな、と気づく種類の。

がらんとした店を見せてやればよかった。パパはここで一所懸命がんばって、負けちゃったんだよ、と教えてやればよかった。教訓になるかどうかはわからない。負けた父親のことを子どもたちがどう思うのかも、わからない。もしかしたら父親の敗北が、子どもたちの将来を臆病《おくびょう》にしてしまうかもしれない。

それでも——なんというか、それでも……。

「代わろうか？」と美紀子が言う。

「いや、いいよ」

雅人は答え、壁の時計に目をやった。午前十時半。昼過ぎの新幹線に乗れば、遅くとも夕食の頃には美紀子の実家に着くだろう。

「でも、貴夫、ゆうべもパパの話してたの。ちょっとだけ声を聞かせてあげれば？」

「……あとで、高い高い、してやるから」

「え？」——美紀子の声は、しゃっくりのように裏返った。

「広島で就職するかどうかはわからないけど、とにかく一度、お義父《とう》さんときちんと話をしてみる」

美紀子は、今度は息が喉《のど》につっかえてしまったようだ。

「ウチのあとに美味《うま》そうなケーキ屋が入ったんだ。チョコレートかクッキーでも買っていくから」

そのまま、電話を切った。最後まで美紀子のため息を聞かずにすんだのは、何週間ぶりだろう。

勢いをつけて立ち上がり、下着や靴下の替えをバッグに詰めていった。途中でその手を休め、青あざはどのあたりに残ってるんだろうか、と胸を軽く撫でてみた。

再就職先が決まれば消える、というものではないのだろう。時間が癒《いや》してくれる、というのも少し違うような気がする。

ずうっと、一生、残るのかもしれない。しかたない。負けは、負けだ。

だが、「負け」と「終わり」とは、違う。

違っていてほしい——と思う。


予想どおり、三河屋の旦那の告別式は、参列者の大半が道路に出なければ収拾がつかない、ずいぶん騒々しいものになってしまった。

人垣の後ろに立つ雅人を見つけた青柳豆腐店の長男は、苦笑交じりに近づいてきて、「まいっちゃうな」と小声で言った。「狭すぎるんだよ、どう考えたって」

「ですよね……」

「まあ、でも、こういう葬式ができるっていうのも、古い商店街のいいところなのかもな」

「青柳さん、今日も会社休んだんですか」

「まあな、これで有給休暇、三日も遣っちゃったけど、しょうがないだろ。跡取りじゃなくても長男なんだから」

豆腐店のじいさんは、長老仲間の特権で、棺のすぐそばに座っている。「今朝も四時から豆腐をつくったんだ。さすがに今朝は無理だと思ったんだけどな」と長男は言って、「じいさんたちの根性は、なんだかんだ言って、たいしたもんだよな」と自分の言葉に自分でうなずいた。

「それより、佐々木さん、どっか行くの？」

ノーネクタイのジャケット姿にボストンバッグを提げた雅人は、「ちょっと、女房の実家に」と答えた。

「あ……そうか、奥さんと子どもさん、いま里帰りしてるって言ってたな」

ほら見ろ、三河屋の若旦那にしゃべったら一発で知れ渡っちゃうんだ、と肩をすくめてうなずいた。

「詳しいことはよくわかんないけど、うん、でも、子どもさんはパパに会えて喜ぶんじゃないか？」

「だといいんですけどね……」

「だって、ほら、クリスマスなんだし、サンタさんみたいなものだろ」

サンタクロースとはちょっと違うな、と思った。子どもたちの喜ぶプレゼントを配ってまわるサンタには、まだなれない。

「トナカイですよ」と雅人は言った。

「なに、それ、必死こいてソリをひっぱるだけのトナカイ、って?」

長男はあきれ顔で返し、「でも、そうだよなあ、親父なんてみんなトナカイみたいなものだよなあ」と、また自分の言葉に大きくうなずいた。

「……トナカイが前に進まなきゃ、サンタさんだって困るでしょ」

言葉に込めた深さをどこまで読み取ったのか、長男は、ははっ、と笑うだけだった。

雅人も、まわりの参列者を気づかいながら小さく笑い返し、通りの先のほうに目をやった。『ル・ヴェール』の開店祝いの花輪が見える。あと十分ほどで正午――開店の時間だ。

「魚勝の大将、まだ怒ってるんですか?」

「怒ってるって、なにが?」

「『ル・ヴェール』のこと……」

ああ、あれか、と長男はまた笑って、そばにいた年かさのひとに軽くにらまれた。

「だいじょうぶだよ、すぐに頭に血がのぼるぶん、根に持つようなひとじゃないから」

「ですよね……」

「大将だって、店の新規開店ってのがどんなにたいせつなのか、ちゃんとわかってるんだから。まあ、新年会で説教に付き合ってやって、カラオケでも歌えば、もう心配いらないって」

「鳥羽一郎ですよね、どうせ……」

あのひと演歌に弱そうだけどな、と『ル・ヴェール』の主人の顔を思い浮かべた。

「佐々木さんだって歌ったじゃないかよ、めちゃくちゃな節回しでさ。上手い下手じゃなくてさ、ああいうのがいいんだよ、商店街ってのは」

しゃべっているうちに、雅人の歌を思いだしたのか、長男はくくっと息を詰めて笑い、さっきのひとに、今度はかなり険しい顔でにらまれてしまった。

出棺を待たずに碁会所の前の人垣から離れ、『ル・ヴェール』に向かった。

白黒の花輪から、紅白の花輪へ――。

意外と、この光景は三河屋の旦那にとってなによりのはなむけになるのかもしれない。

東口商店街は、これからどんなふうに変わっていくのだろう。告別式のときもあいかわらず途方に暮れていた若旦那のその後や、『ル・ヴェール』のその後を、客として見届けてみたい気もする。そういうのって、ちょっと未練がましいかな、とも思うのだが。

店の前には十数人の行列ができていた。みんな手にチラシを持っているから、サクラというわけではなさそうだった。

正午まで、あと二分。店の中では主人と奥さんが、最後の準備をしている。

今日から、だぞ――。

いまから、なんだぞ――。

知らず知らずのうちに肩に力を込め、バッグの取っ手を強く握りしめていた。

女子大生ふうの女の子が二人連れで、行列の尻尾《しっぽ》についた。

よし、いいぞ、と声が漏れそうになった。

店の外観を眺め渡して、『タイガー・ピザ』のたたずまいと重ねた。消えてしまった夢の砦《とりで》に、いま、やっと、素直に別れを告げられそうな気がした。

準備を終えた主人と奥さんは、緊張しきった顔でショーケースの前に立った。そして、厨房《ちゅうぼう》のほうからは息子も、よそゆきの服を着て、奥さんの隣で「気をつけ」をする。

学校を休ませたのだろうか。かまわない。親父の一世一代の晴れ舞台だ。誰にも頼ることのできない勝負が、いまから始まるのだ。それを我が子に見せないで、どうする……。

えりなの顔が浮かぶ。貴夫の顔も。もうすぐ帰るからな、と大きくうなずいた。

正午――主人はドアの鍵《かぎ》を開けた。奥さんは客に向かって最敬礼して、息子は「いらっしゃいませーっ！　美味《おい》しい、美味しいケーキでーす！」と声を張り上げた。

その声を聞いたとき、胸がきゅっと絞られるように痛んだ。

青あざは、ここなんだな――。

雅人は行列の後ろについて店に入った。

主人は雅人に気づくと、ゆうべはどうも、というふうに会釈《えしゃく》をした。雅人は親指を立てた握り拳《こぶし》を目の高さに掲げる。がんばってください、のメッセージを、主人は恐縮したお辞儀で受け止めてくれた。

「ケーキ、美味しいですよお！　本日開店でーす！　よろしくお願いしまーす！」

店の外に出た息子の甲高い声が、晴れた空に吸い込まれていった。

三月行進曲

1

妻の敦子《あつこ》には反対された。

「よけいなことはしないほうがいいんじゃないの？」――僕も、本音の半分ではそう思う。

だが、本音の残り半分が、敦子というより僕自身の不安やわずらわしさを押しやってしまう。

「やらなきゃいけないと思うんだ」

力んで言った。これも、敦子にではなく、むしろ自分自身に向けて。

「どうして？　少年野球の監督って、そんなことまで仕事に入ってるわけ？」

「仕事なんかじゃないよ」

「だったら……」

「でも、やらなきゃいけないんだ」

敦子は納得できない顔で「お人好《ひとよ》しなんだから」と言う。「っていうより、おせっかいなんじゃないの？　そういうの」

僕は少し考えてから、「かもな」とうなずいた。確かにおせっかいだ。よけいなお世話で、自己満足にすぎなくて、もしかしたら逆効果になって、すべてをぶち壊してしまうかもしれない。

それでも――「やらなきゃいけないと思うんだ」と繰り返した。

「有給休暇まで取って？」

「夕方には帰ってくるから、半休扱いでなんとかなるよ」

「その半日を家族のためにつかってみようか、って発想にならない？」

「……悪い、ほんと」

「切符もこっちで買ってあげるって、すごいよねえ、至れり尽くせりじゃない。そのお金で家族旅行したら楽しいと思うけどなあ、わたしは」

とがった声ではない。あきれたように笑いながら言ってくるから、よけい胸に深く突き刺さる。

敦子にも、一人娘の可穂《かほ》にも、申し訳ないとは思っているのだ、いつも。

去年の四月から団地の少年野球チームの監督を務めて、もうすぐ丸一年になる。〈野球経験のある人、ぜひお願いします〉という監督募集のポスターを見て、軽い気持ちで引き受けたのだが、いまどきの少年野球は予想以上に厳しい世界で、週末の午前中はたいがい練習や試合でつぶれてしまった。午後からは時間が自由になるといっても、遠出は難しい。おととし買ったキャンピングセットを、去年はけっきょく一度も使えなかった。監督の任期は二年。この調子なら、今年のキャンプも無理かもしれない。

「わたしはいいけど、可穂がかわいそうだと思わない？」と敦子に何度も言われてきた。「女の子がパパといっしょに遊びに行ってくれるのなんて、あと一、二年よ。貴重な時間なのに、こんなのでいいの？」と脅すように言われたこともある。

可穂は来月——四月に、小学五年生になる。確かに、家族揃《そろ》って遊びに出かける機会は、決して無限に残っているわけではない。

さすがにちょっとヤバいかなあと思って、春休みの週末は練習を休みにして、家族で泊まりがけの旅行に行こうと話していた、その矢先——だったのだ。

ため息を頭に付けて、敦子は言った。

「もう一度訊《き》くけど、いい？」

僕が「ああ……」と応《こた》える声も、ほとんどため息になった。

「家族旅行、ほんとに無理なの？」

僕はなにも言わない。黙っていることが、返事になってしまう。

完全に不可能というわけではないが、八割がた、アウトだろう。そうでなくても仕事に追われる年度末だ。予定外だった半日の休暇をとるぶん、土曜日出勤で遅れを埋め合わせなければならない。

「可穂は……もう寝てるよな、さすがに」

「十一時過ぎてるんだもん。それに、ちょっと風邪気味だって言ってたし」

「明日は早く帰って、きちんと謝っとくよ」

「わたしから言ったほうがいいと思う」

「そうか？」

「わたしにも覚えがあるけど、こういうときって、言い訳をだらだら並べられると、かえって腹が立っちゃうんだよね」

「……うん」

「このまえね、可穂、言ってた。パパはやっぱり男の子が欲しかったんだろうね、って」

まっすぐには責めてこない。咎《とが》める言葉はいつも、いったん脇《わき》に回り込んでから、こっちに向かってくる。

敦子の性格というより、女だから、なのだろうか。こんなふうに言いたくはないが、「ねちねち」という言葉がいちばん似合う。

不平や不満があるなら——その負い目がこちらにあるときには特に、もっと感情をまっすぐにぶつけてくれればいいのに。俗っぽいホームドラマの夫婦喧嘩《げんか》の場面のように、金切り声を張り上げたり、泣き落としにかかったり、ティッシュペーパーの箱を投げつけたりしてくれたほうが、こっちもずっと気が楽になるのに。

……身勝手だ。自分でも認める。最近、こういう身勝手な理屈をしょっちゅう頭の中でこね回すようになっている。そのことも、認める。

「ほんとに悪いと思ってるよ。でもな、やらなきゃいけないと思うんだ、俺は」

僕はさっきと同じ言葉を、さっきより強い口調で言った。

敦子は深いため息をついて、小さくうなずくだけで、もうなにも言わなかった。

自分の部屋に入って、会社帰りに買った時刻表を繰った。朝一番の『のぞみ』で東京を発《た》つのでは間に合わない。飛行機も、伊丹《いたみ》空港や関西空港からの乗り継ぎを考えると、ちょっと難しい。

夜行バスを探した。あいつら、ぶつくさ言うかな、と三人の少年の顔を思い浮かべた。東京駅の八重洲《やえす》口を夜十一時前に出発するバスに乗れば、大阪駅には翌朝七時前に着く。駅の食堂で朝食を食べさせて、阪神電車に乗り換えて、梅田から各駅停車で二十三分、特急なら十一分で——甲子園だ。

開会式が始まるのは九時だったが、できればその前の球場のざわめきを味わわせてやりたい。僕自身も、開会式前の緊張感を味わってみたい。いままではテレビでしか知らなかった。テレビの前に座っているだけでも胸がぎゅっと締めつけられるような、尻《しり》が自然と持ち上がってしまうような、わくわくしすぎて逆に逃げだしたくさえなるような……そんな独特の緊張感が、大好きだった。

バスの時間をメモ書きして、机の上に飾った写真に目をやった。お揃いのユニフォーム姿の少年が七人、前列中央の僕を囲むように並んでいる。『富士見台クリッパーズ』引退の記念写真だ。最後の市民大会で準優勝したときの楯《たて》は、僕の右隣にしゃがんだキャプテンのヤスヒロが胸に抱いている。優勝していれば大きなトロフィーが記念写真を彩《いろど》ってくれたはずだが、それはもう、いまさら言ってもしかたのないことだ。

ヤスヒロの顔は寂しそうだった。野球帽を目深《まぶか》にかぶって、まなざしは、カメラではなく、少し先の地面に落ちている。

後列の両端には、ジュンとケイジがいる。微妙な角度で外に向いた二人の顔は、互いにそっぽを向いているようにも見える。

やれやれ、と苦笑した。

三人とも、クリッパーズの主力選手だった。監督の贔屓目《ひいきめ》を差し引いても、しっかり鍛えていけば、中学や高校でもかなりの活躍が期待できる。

キャプテンでキャッチャーで四番バッターという、絵に描いたようなチームのまとめ役のヤスヒロは、学校でも児童会長をつとめていた。

年間二十試合近い対外試合のすべてに先発したエースのジュンは、わがままで傲慢《ごうまん》なところはあるが、野球の力は群を抜いている。通算の防御率は一点台前半だった。守備陣のしっかりしたチームにいたら、無敗で引退できていたかもしれない。

出塁率七割を超える一番バッターのケイジは、陸上選手としても有望で、市の記録会では百メートル走で優勝した。難点は守備。他に適任の選手がいなかったのでショートを守らせていたが、とにかくエラーが多かった。中学に入れば外野手に転向したほうがいいだろう。

甲子園に連れていくのは、この三人だった。

春のセンバツの開会式を見せてやる。あと三週間――小学校の卒業式の三日後の夜に出発する。

小学生と中学生の狭間《はざま》の思い出になる、はずだ。

集合時間と場所を、その夜のうちに三人の携帯電話にメールで送った。小学生が携帯電話を平気で持ち歩くご時世がいいのかどうかはわからないが、便利になったことは確かだ。

三人それぞれにメッセージも添えた。

ヤスヒロには――〈もう落ち込むなよ〉。

ジュンには――〈もうちょっと素直になったほうがいいと思うけどなあ〉。

ケイジには――〈決心はまだ変わらないのか?〉。

もう日付は変わっていたが、ほどなくヤスヒロから返信メールが来た。

〈バスにトイレは付いていますか?〉

正直、拍子抜けした。あれだけ落ち込んでいるのに、つまらないことを……と思いかけて、でも子どもにとってはトイレのことはたいせつなんだろうな、と苦笑交じりにうなずいた。

ヤスヒロのメールには、こんなことも書いてあった。

〈持参していくものがあったら教えてください。それから、母が明日、監督の家にご挨拶《あいさつ》に行きたいと申しています。明日の夕方、お電話をしてからうかがうと思います〉

まじめな子どもだ。勉強もよくできる。敬語は丁寧すぎるほどだし、漢字変換に頼らなくても「監督」や「挨拶」ぐらい楽に書けるはずだ。

卒業までの一年間、ヤスヒロはほんとうによくチームをまとめてくれた。新米の監督にとっては、なにをするにも頼りになる存在だった。おとなと小学生という関係をふと忘れてしまったときさえ、何度もあった。

だからこそ――いまのヤスヒロを、なんとかしてやりたい、と思う。

やがて、ジュンからもメールの返事が来た。

〈ケイジのバカ、ほんとに来ないよね？　もしもケイジが来たら、すぐ帰るから（↑マジ）〉

やれやれ、と笑ったら、まるでタイミングを合わせたかのように、ケイジの返信も着いた。

〈絶対に行かないとダメですか？〉

苦笑いに、ため息が交じる。「こいつらもなんとかしてやらなきゃなあ……」と、つぶやきも漏れた。

いまどきの小学生は、ほんとうに宵っ張りだ。朝九時半から始まるクリッパーズの練習でも、体が温まるまでは生あくびを嚙《か》み殺している子どもが多い。

最初のうちは「親が甘やかしすぎてるんだよ」と、あきれ顔で敦子に話していた。

「ウチは絶対、可穂をあんなふうにはしないからな」

二学期に入った頃から、それが微妙に変わった。少しずつ扱いづらくなった可穂を見ていると、「四年生でこれなんだから、六年生になると親の言うことなんか聞かなくなるんだろうな」と、悔しさ半分で子どもの夜更《よふ》かしを納得した。

いまは、さらに微妙に変わった。ヤスヒロとジュンとケイジが教えてくれた。

昼間の時間をひとりぼっちで過ごした子どもは、夜になっても眠りたがらない。目をつぶって、暗闇《くらやみ》の中でほんとうのひとりぼっちになってしまうのが怖いからなのだろう。

勝手に、そう決めている。まんざら見当違いでもないはずだろう、と子どもの頃の自分を振り返って思う。

携帯電話の電源を切って、ベッドに横たわった。若い頃は敦子と二人で寝ていたセミダブルのベッドを、このマンションに引っ越してきた五年前から一人で使っている。三人家族に４ＬＤＫの我が家――「部屋数が余っている」と表現するより、「家族の数が足りない」と言うほうが、自分の気持ちにぴったりくるようになった。少年野球を通じて何人もの少年と付き合うようになってから、のことだ。

大きなしぐさで寝返りを打って、「息子かあ……」とつぶやいた。

子どもは一人でいい、と夫婦で決めていた。敦子は体がじょうぶなほうではなかったし、嫌な発想だが、二人の子どもを育てるよりも一人ですませたほうが、経済的にも楽になる。

いまも、その考えを悔やんでいるわけではない。僕も敦子も三十代の終わりにさしかかった。可穂が男の子だったら、と思うのは、「後悔」や「寂しさ」とは違う種類の感情のような気がする。

2

ヤスヒロはクリッパーズの六年生の中でただ一人、私立中学を受験した。

試験日は二月初めだったが、六年生が引退する一月の市民大会まで、元気いっぱいにキャプテンを務めてくれた。準優勝に終わって悔しがる選手たちを一人で励まして、選手を代表して僕に「いままでお世話になりました！」と深々と頭を下げ、バッテリーを組むジュンに「中学に入ったらライバルだからな」と宣言していた。それは同時に、俺は絶対に私立に受かるからな、という宣言でもあったのだろう。

「受かったら、ソッコーでカントクに電話しまーす！」

そう約束していたのに、電話は来なかった。

二月半ば、ヤスヒロの通っていた塾の折り込み広告が新聞に入っていた。志望校に合格した子どもたちがVサインの写真とともに一人ずつ紹介された中に、ヤスヒロの顔もあった。

〈学校と塾と少年野球で大変だったけど、根性でがんばりました！　なせばなる！〉

元気いっぱいの声が聞こえてきそうなコメントを苦笑交じりに読んで、「なんだよ、あいつ、電話もよこさないで」とぼやくと、敦子に「あたりまえでしょ」と笑われた。

「あなたは野球チームの監督っていうだけなんだから」――「だけ」の部分にちょっとトゲを感じたが、それは、まあ、確かにそうなのだ。

「約束してたんだけどなあ……」

「子どもなんてそんなものでしょ、大のおとなが真《ま》に受けててどうするのよ。都合のいいところだけ見て、男の子は元気でいいなあ、とか思い込まないほうがいいんじゃない？」

不承不承ながらうなずくと、敦子は笑みを消した顔でつづけた。

「幻想を持たないほうがいいと思うよ」

「……幻想なんて、大げさだよ」

「じゃあ、憧《あこが》れでもいいけど」

トゲが、また刺さる。

監督になったばかりの頃は、子どもたちのことを僕が話すと、敦子も「男の子ってそうなの？」「やっぱり女の子とは感覚が違うんだね」と興味深そうに聞いてくれていたのに、それがしだいに変わった。「男と女を比べるのって、やめてくれない？」と言われたのは、夏の終わりだった。秋が深まるにつれて、敦子はクリッパーズの話を嫌がるようになった。年末には「男の子がそんなにいいんなら、小学校の先生にでも転職すれば？」とも言われた。

「いまの六年生が中学に入ったあとも、たまには会いたいな、なんて思ってる？」

僕に言わせたい言葉とカウンターパンチの言葉の見当はつくから、黙って聞き流した。

敦子もそれ以上はなにも言わなかった。子どもたちの失敗や笑い話を聞かせたあとの僕は、いつも遠くを見つめるまなざしになっている——らしい。

塾の広告に写真が出たあとも、ヤスヒロからの連絡はなかった。「よくがんばったな」と携帯電話でメールを送ってやっても、返信はない。訝《いぶか》しさと寂しさを半分ずつ感じながらも、わざわざこっちから電話をかけるのもためらわれたし、年度末が近づいて会社の仕事も忙しくなっていたので、結局そのまま音沙汰《おとさた》なしの日々がつづいた。

二月終わりの記念撮影のとき、ひさしぶりにヤスヒロと会った。ちょっと瘦《や》せたな、と感じた。口数も少なくなったし、誰かのジョークに笑うときの笑顔も、なんとなくぎごちない。「中学、合格したんだな」と声をかけたが、反応は鈍い。こんなときに照れるような子ではないのに、目深に帽子をかぶり直して「はあ、まあ……」と小さく頭を下げるだけだった。

理由は次の日にわかった。

「ご相談したいことがあるんですが」と夕食時に電話をかけてきたヤスヒロの母親が、近くのファミリーレストランで話してくれた。

母親は「お恥ずかしい話ですけど……」とか細い声で前置きして、ぐったりと疲れきった様子で何度もため息を挟みながら、ヤスヒロが私立中学の受験に失敗したことを打ち明けたのだった。

ヤスヒロが受験した中高一貫校は、そこそこの進学校だが超難関というほどではない。塾の模擬試験の合否判定でも、よほどのことがないかぎり合格間違いなしという判定がつづいていた。ところが、本番で、その「よほどのこと」が起きてしまったのだ。

負けず嫌いで、自他ともに認める仲間たちのリーダーだ。悔しさなのか、恥ずかしさなのか、プライドなのか、ただの見栄《みえ》だったのか、とにかく——ヤスヒロは、現実を受け容《い》れることができなかった。

「あの子、塾に報告に行って……合格したって言っちゃったんです」

嘘《うそ》を守るために、嘘を重ねた。

「友だちにも、受かったから、って……最初に嘘をついちゃうと、もう、正直に打ち明けるきっかけがなくなっちゃって……」

自分のついた嘘に、呑《の》み込まれた。

日がたつにつれて、体と心のバランスが崩れてきた。下痢がつづき、朝になると吐き気もして、唇の横に吹き出物がたくさんできて、何日か前には、おねしょまでしてしまった。

おねしょの話を聞いたとき、僕は思わず息を呑んだ。グラウンドでチームをまとめる元気なヤスヒロの姿が、ぐらりと揺らいだ。

どこか別の中学の二次募集を受けることはできなかったのか――。

やるせなさを隠しきれずに、勢い込んで訊《き》いた。

母親は小さくうなずいてから、なにかを断ち切るように、かぶりを振った。

僕と同じことは母親も考えていた。実際に願書を取り寄せた学校もいくつかあったが、父親が猛反対した。つまらない私立に行くぐらいなら公立でいい、ましてや嘘をごまかすために無理やり私立に行くなんて言語道断だ……。

練習や試合の見学に来ていたときの父親の顔を思い浮かべた。個人的に言葉を交わしたことはなかったが、見るからに意志や正義感の強そうな、角張った顔をしたひとだった。

父親は「正直に言えないような弱虫でいいのか」とヤスヒロに迫った。「このままだと、おまえは嘘つきのひきょう者だぞ」ともハッパをかけたらしい。

正論だ。まったく正しい。だが、正しすぎて、たじろぎながら鼻白《はなじろ》んでしまった。それは、こっちが無関係で無責任な立場だから、なのだろうか。

「本人もわかってるんです。どっちにしても四月からは友だちと同じ学校に通わなきゃいけないんだし、制服もそろそろ注文しないと間に合わないし……だから、昨日、記念撮影のときに正直に言うんだ、って……そう決めてたんです……」

帽子を目深にかぶったヤスヒロの顔が、また、揺れた。

家に帰ったヤスヒロは、夕食の時間になっても部屋に閉じこもったきりだった。母親も無理には声をかけなかった。

「本人の口から打ち明けるのが無理なら、わたしのほうから友だち一人ずつに説明するしかない、と思ったんです」

だが、父親はそれを許さなかった。事情を訊くと母親を叱《しか》りとばし、その勢いのままヤスヒロの部屋に乗り込んで、ベッドに寝ころんでいたヤスヒロの腕をつかんで、頰を平手で張った。

ときどきあること――らしい。

「途中からは、ヤスヒロを放ったらかしにしちゃって、主人とわたしの喧嘩《けんか》になっちゃったんです」

母親は「いつものパターンなんですよ」と、初めて、寂しそうに笑った。

僕もあいまいに頰をゆるめかけると、不意に、話の矛先《ほこさき》がこっちに向いた。

「監督さんは、どう思われます？　わたしと主人、どっちが正しいんですか？」

口ごもる僕に、母親は問いの角度を微妙に変えて、重ねて尋ねた。

「監督さんだったら……どうします？」

わからない。こっちのほうが、もっと。

母親もはっきりとした答えを求めていたわけではないのだろう、「すみません、困っちゃいますよね、そんなの訊かれても」と謝って、「でも」とつづけた。

「ヤスヒロは、監督さんのこと、すごく信頼して、尊敬してるんです。嘘やお世辞じゃないんです、ほんとなんです。わたしにいつも話してくれるんです、監督さんのこと。だから、あの子、監督さんの言うことだったら素直に聞くと思うんですよ」

父親の存在が話からすっと消えたことに、気づいた。心の奥深くに、困惑しながらもそれを喜ぶ自分がいることにも。

「ちょっと、ヤスヒロくんと話してみますよ」と僕は言った。「なにを」のところを省いた言葉だったが、母親はほっとしたように肩の力を抜いた。

「すみません、ほんとうはこんなことお願いするなんておかしいんですが……」

恐縮する母親に、「だいじょうぶですよ」と笑顔で返した。「ヤスヒロくんの性格は、よくわかってますから」

心のさらに奥深く――うんざりした敦子の顔が浮かんで、シャボン玉のようにはじけて消えた。


その夜から、ヤスヒロと何度もメールをやり取りした。私立に受からなかったことは、打ち明けるもなにも、いずれ必ずわかってしまう話なのだ。自分で友だちに話すにせよ母親に任せるにせよ、まずはとにかく元気を取り戻してほしかった。

追い詰めるなよ、と自分に言い聞かせて、メールの文章を練った。いままで使ったことのない絵文字も交ぜて、励ましの言葉を送りつづけた。ヤスヒロの父親とは違うやり方で接したかったし、接しなければいけないんだとも思った。

俺があいつの父親なら――。

俺の息子がヤスヒロのような状態になってしまったら――。

ヤスヒロのメールは、最初のうちは三本に一本の割合でしか返ってこなかったが、しだいにキャッチボールのような往復ができるようになった。メールの内容も、単純な受け答えから始まって、少しずつ胸の内をさらしてきた。

〈勇気を振り絞りたい〉とヤスヒロは書いていた。つづけて、〈勇気のスイッチみたいなものが欲しいんです〉。

僕は返信のメールに〈その気持ち、よくわかるぞ〉と書いた。ヤスヒロの心の弱い部分や逃げ腰のところを、すべて受け容れてやりたかった。

ヤスヒロは父親のことも書いてきた。外見の印象どおり、曲がったことやずるいことの大嫌いなひとらしい。「嘘をつくな」「ひきょうなことをするな」と幼い頃からずっと言われてきた。ヤスヒロは、父親に嘘を叱られたことよりも、父親の教えを守れなかったことのほうを、悔しく、恥ずかしく、情けなく思っているようだった。

僕はしばらく考えてから、こんな返信メールを送った。

〈人間は嘘をつくのがあたりまえ。そんなに自己嫌悪《けんお》になるなよ〉

一晩おいて返ってきたヤスヒロのメールには、〈監督がお父さんだったらよかったのに〉とあった。頬に汗を垂らしながら笑っている絵文字が、文末に添えられていた。

僕は息を大きく吸い込んで、返信メールを書き送った。

〈甲子園に行かないか？〉

そして、もう一言。

〈俺も昔からずっと、一度センバツの開会式を見たいと思ってたんだ〉

返事はすぐに来た。メールではなく、電話で——驚いた声で。

「カントク、それ、マジなんですか？」

「ああ。俺も仕事があるから、開会式だけ見たら、すぐに東京に帰るけど」

「甲子園まで行って？」

「テレビで見るより、ホンモノを見たいと思わないか？　絶対に感動するよ、保証する」

「……って、カントクも甲子園で見るの初めてなんでしょ？」

「うん、まあ、そうなんだけど、テレビで見ても感動するんだから、実際に見たら、もっと感動すると思うんだよな」

理屈としては、いささか強引だった。それでも、甲子園に憧れていたことは嘘ではない。野球を覚えた小学二年生から、県予選の三回戦を突破できずじまいだった高校時代まで、ずっと。

春のセンバツでも夏の選手権でも、開会式は、いい。テレビで入場行進を見ていると胸が熱くなった。いつか自分もあんなふうに行進するんだ——想像するだけで興奮して、いてもたってもいられなくなって、テレビの前でグローブの手入れを始めたり、シャドーピッチングをしたり、素振りの真似《まね》をしたり……。

その気持ちをヤスヒロにも味わわせてやりたい。野球が大好きな子どもは、誰だって甲子園が憧れの場所なのだ。

「お母さんには、ちゃんと説明するから」と僕は言った。

ヤスヒロはまだ気が乗らない様子だったが、つづけて「勇気をもらえるよ、絶対」と言ってやると、小さく「うん」と応《こた》えた。

電話を切ったあと、かすかな苦みが喉《のど》の奥に残った。

息子ができたら、野球をやらせるつもりだった。レギュラーだろうと補欠だろうと、それはどうでもいい、ただ野球の好きな少年でいてくれれば嬉《うれ》しい。ジャイアンツのファンになってくれれば、もっといい。東京ドームに何度でも連れていってやる。ママに留守番を頼み、男同士でスタンドに並んで座って、白球の行方《ゆくえ》を見つめるのだ。

そして、息子が元気をなくしてしまったときには——甲子園に連れていってやろう、と決めていた。

敦子にも可穂にも話していない、ささやかな、もうかなわない夢の話だ。

3

ジュンとケイジは、富士見台団地の同じ棟に住んでいる幼なじみだった。

小学校に上がる前からの名コンビ――といっても、五分と五分の付き合いではない。わがままで自己中心で、なにかとお山の大将になりたがる性格のジュンと、感情を表に出さず、口数の少ないケイジ。たいがいのことはジュンが勝手に「おい、やるぞ」と決めて、ケイジを無理やり引っ張っていく。小学四年生に進級すると同時にクリッパーズに入ったときもそうだった――ジュンと絶交したあと、ケイジが打ち明けてくれた。

「ほんとうは、野球って、あんまり好きじゃないっていうか……サッカーとかバスケのほうが好きだし、っていうか、マラソンとか、やってみたかったし……」

ぼそぼそと、歯切れが悪くても、これがケイジのせいいっぱいなのだ。「おまえバカじゃねーの、野球できない奴《やつ》なんて男じゃねーよ、男のカスだよ、ウンコだよ」ぐらいのことは平気で言い放つジュンの押しの強さには、とてもではないが勝てない。

練習中も二人は対照的だった。黙々と努力して少しずつ上手《うま》くなっていったケイジに、ろくすっぽ練習しないのに才能は群を抜いているジュン。無口でも四年生や五年生に優しいケイジに、同じ六年生だろうと補欠のメンバーをあからさまに見下《みくだ》すジュン。二人を見ていると、少年野球の監督の難しさを、つくづく感じる。おとなとしてなら、ケイジのほうがずっと好感が持てる。しかし、試合に勝つことを考えると、ジュンはやはりチームの大黒柱なのだ。

ジュンは、エラーや凡退をした仲間に、いつもいらだっていた。励ますことも慰めることも……それ以前に、ひとの失敗を許すことができない少年だった。

試合に負けるときのパターンは、いつも決まっている。きっかけはバックのエラー。最初のうちはキャッチャーのヤスヒロになだめられていても、それが重なると、もう冷静さを保つことができない。マウンドに駆け寄ろうとするヤスヒロを追い払い、ベンチすら見ようとせず、三振を狙《ねら》って力任せにバッターをねじ伏せにかかって、コントロールを乱して自滅してしまうのだ。

試合が終わっても、ジュンの怒りは収まらない。応援の親がいる前では黙っているが、子どもたちだけになると、足を引っ張った仲間を一人ずつつかまえて、罵倒《ばとう》したり小突いたりする。四球を連発した自分自身の反省の言葉は、いっさいない。誰かがそこを言い返しても、「ひとのせいにするなよ、バーカ、下手くそ」で終わる。甘やかされて育ったのは、ときどき応援に来る両親の様子を見ていてもわかる。父親の影が薄く、母親は人前でも平気で「ジュンちゃん、ジュンちゃん」と息子を呼ぶひとだ。

このままではいけない――ずっと思っていた。チームの監督というより一人のおとなとして、なんとかしなければ、ジュンのためにもよくない。

「おまえならどうする？」と敦子に訊《き》いたことがある。話を聞いただけで「わたし、そういう子って大嫌い」と顔をしかめた敦子は、「どうせ話してもわからないわよ、性格が曲がってるんだから」と一言で切り捨てた。僕も、そうだろうな、と認める。

「試合に出さなきゃいいじゃない。痛い目に遭えば、ちょっとはわかるかもしれないし」

それは僕も考えていた。試合前、ケイジたちを脅すように「おまえら、たまには俺の足引っ張らずにやってみろよな」と言うジュンを見て、先発メンバー表を一から書き直したくなったことも何度かあった。

だが、結局その荒療治はできなかった。控え投手との力の差がありすぎる。応援に駆けつけた親の気持ちを思い、試合に勝つために練習をつづけてきた選手の気持ちを思うと、監督が「勝ち」を放棄するわけにはいかないのだ。

「試合の勝ち負けより、もっとたいせつなことがあるんじゃないの？」

敦子のまっとうすぎる正論を、「そういうのは親や学校の仕事だろう」とかわした。

少しずるい言い方だったよな、といまでも思う。

負ければ引退という一月の市民大会、ふだん以上にジュンは入れ込んでいた。本来ならシーズンオフの冬の試合ということで、夏場はさぼりどおしだった柔軟体操や遠投をしっかりこなし、肘《ひじ》にひっかかるから嫌いだと言っていた長袖《ながそで》のアンダーシャツも新調して、最後の大会に臨んだ。一回戦、二回戦と順当に勝ち進み、準々決勝と準決勝は二試合連続シャットアウト。夏の大会ではベスト4止まりだったが、念願の優勝が見えてきた。

決勝戦の前、ジュンは「カントク、ちょっと来てよ」と僕をベンチ裏に呼びつけた。なにか思い詰めたような顔をしていた。「緊張してるのか？」とからかってやると、「そんなんじゃねーよ」――いつもながらの生意気な口のきき方で言って、前置き抜きで本題を切り出したのだ。

「ケイジ、スタメンからはずしてよ」

不意を衝《つ》かれてきょとんとする僕に、「だってそうじゃん」とつづける。「あいつエラー多すぎると思わない？　準決勝だって三つだよ、三つエラーしてんだよ、あいつ。はっきり言って、ショートゴロってヤバいもん、ほとんどヒットと同じになっちゃうもん。いらねーよ、あんなショート」

唖然《あぜん》とする僕をよそに、悪びれもせず「俺が言ってやってもいいよ、ケイジに」とまで言う。

「……そんなこと、しなくていい」

「だったら、カントク、マジにあいつはずしてくれる？　はずすよね？　ふつー誰だって。俺もさあ、ケイジとダチだから我慢してたんだけど、もうマジ限界、キレかかってるもんね。あんなのいたら優勝できないっての」

ジュンは自分の言いたいことだけ言って、「つーことで、よろしくっ」と立ち去った。

僕は黙って、その背中を見送った。

腹立たしさはあった。呼び止めて、きつく叱ってやりたい気持ちもあるし、それは監督としての役目なのだとも思う。それでも、ジュンの背中を見つめる僕のまなざしには、わがままなエースを頼もしく思う微笑《ほほえ》みも溶けていたはずだ。

男の子なんだから、少々ヒンシュクを買うぐらい自己主張しなくちゃ——。

僕は身勝手なジュンのことが決して嫌いではなかったのだ。


円陣を組んだ選手たちに、先発メンバーを発表した。ケイジは一番、ショート。ジュンの険しい視線に気づかないふりをして、僕は二番以下のメンバーを淡々と読み上げた。準決勝までと変わらない不動のラインナップだ。迷いはない。ボールペンの動きがわずかに止まったのは、むしろ、三番バッターのところにジュンの名前を書き入れるときだった。

試合は決勝戦にふさわしい、ひきしまった投手戦になった。六回が終わって〇対〇。ケイジは四度あったショートゴロを無難に処理した。他の野手がエラーをしたときは、ヤスヒロがジュンをなだめすかし、ハッパをかけて、傷口が広がるのを防いだ。ジュンのピッチングも尻上《しりあ》がりに調子が出てきて、マウンドに立つ姿はふだんより一回り大きく見える。あとは、一点をもぎ取るだけだ。

最終回――七回表の攻撃は、ケイジからだった。うまくセーフティバントを決めた。ノーアウト一塁。セオリーなら二番バッターのカズオが送りバントをするところだが、ケイジには俊足がある。初球から盗塁を決めて、ノーアウト二塁。動揺した相手ピッチャーはカズオにもストレートの四球を出してしまい、ノーアウト一、二塁という大きなチャンスになった。

だが、そのチャンスは、一瞬にしてしぼんでしまう恐れもある。併殺が怖い。しかも三番のジュンは、力みもあるのだろう、それまでの三打席とも内角球をひっかけたサードゴロに倒れていた。

打席に向かうジュンをベンチに呼び戻して、耳打ちした。

「バント、できるな」

「ええーっ?」――予想どおりの反応だった。

「ケイジを三塁に進めろ。ヤスヒロに任せるんだ」

四番のヤスヒロは当たっている。その前の打席でも右中間を割る二塁打を放った。

「バントだ。三塁線に転がして、サードに捕らせろ」

「……俺、打つよ、打てるって、あんなクソみたいなピッチャー」

「だめだ、バントだ」

三塁までケイジが進んでくれれば、ヤスヒロはヒットを打たなくてもいい。少々浅めの外野フライでもじゅうぶんタッチアップできるし、ボテボテの内野ゴロでも、なんとかなる。

「じゃあさあ、カントク、俺、流し打ちする。チームバッティングっての？　右狙いで打てればいいんでしょ？　打たせてよ、マジ」

「バントだ」

ジュンは舌打ちしてなにか言い返しかけたが、「勝ちたいんなら、バントしろ」と強い口調で命じた。

ジュンは、後ろ姿に不満を貼《は》りつかせて打席に入った。相手チームの監督もバントを警戒して、三塁手をベースのすぐそばまで前進させた。かまわない。ジュンの力なら、三塁線に勢いを殺した打球を転がせるはずだ。三塁手がダッシュして塁を空けてくれれば、カバーリングのショートよりもケイジの足のほうがずっと速い。たとえ三塁で封殺されても、ケイジはスライディングも上手いので、ゲッツーまでは取れないだろう。二塁にランナーが残ってくれれば、まだ、なんとかなる。

頼んだぞ、と打席で大きく構えた背番号1を見つめた。信じてるぞ、と帽子をかぶり直して、腕組みをした。送りバントのサインだ。

初球――高めのボール気味の球を、ジュンは強引に叩《たた》いた。バットを振り切った。強い打球が、ワンバウンドして三塁手の真正面に飛んだ。

ほとんど動かずに打球をキャッチした三塁手は、片足でベースにタッチして、すぐさま二塁に送球した。ケイジがスライディングの体勢に入ることもできない、あっという間の併殺だった。

ツーアウト一塁。勝ち越しの大きなチャンスがつぶれた。わがままな少年の、サインを無視した一振りのせいで。ベンチに白けた空気が漂うなか、一塁ベースに立つジュンは、すねたようにそっぽを向いていた。

ベンチに引っ込めてやりたい。腹が立ってしかたない。だが、七回裏の守備のことを考えると、ここでエースを失うわけにはいかない。

悔しさともどかしさに唇を嚙《か》んでいたら、パーン！　と気持ちよく抜けた音が聞こえた。ベンチとスタンドから歓声があがる。ヤスヒロの放った打球が、レフトの頭上をライナーで越えていったのだ。

起死回生の三塁打になった。二塁を回るところまでは全力疾走だったジュンも、打球の行方を見届けると白い歯を見せてゆっくりとホームインした。自分のやったことも忘れて、ケロッとした顔でベンチに戻り、「ヤスヒロと勝負してくれてラッキーだったよな」と笑う。

サイン無視を叱《しか》る出端をくじかれてしまった。確かに、結果的にはジュンの併殺打が幸いしたのだ。ジュンが送りバントを決めていれば、向こうはヤスヒロを敬遠して満塁策をとったかもしれない。そうなったら五番のカオルがヒットを打てたかどうか……。

ヤスヒロを三塁に置いたカオルは、あっけなくピッチャーゴロに倒れた。「ほらな」と、得意げなジュンの声が聞こえた。

結局リードは一点にとどまったが、残りはあと一イニング。アウトを三つ。ジュンは余裕たっぷりに「三者三振でいくかなあ」と右肩を回しながらマウンドに向かった。「へたにゴロ打たせたら、ヤバいからなあ」――誰にともなく言い捨てた言葉にむっとしたとき、ベンチを出るケイジの姿が目に入った。

一瞬、迷った。勝つために万全を期すのなら、ショートには守備の得意な五年生のリュウタを入れる、という作戦もある。いますぐリュウタにウォーミングアップをやらせれば、ピンチに陥ったときからでも投入できる。

僕は腕組みをして、ベンチに座り直した。胸に溜《た》め込んだ息をゆっくりと吐いて、リユウタのほうには顔を向けなかった。

意地を張った。自分でも認める。そして、その意地が監督として間違っていたということも——認めるしかない。

先頭バッターの打球は三遊間に飛んだ。ヒット性のコースだったが、ケイジはうまく回り込んで打球に追いついた。

よし、いいぞ、と思った直後、相手チームのベンチがどっと沸いた。

ケイジの一塁への送球が暴投になってしまったのだ。ファーストミットはもちろん、バックアップに走ったヤスヒロが伸ばしたキャッチャーミットからも遥《はる》かに遠い、大暴投だった。

バッターランナーは二塁まで進み、ジュンは悔しそうにマウンドの土を蹴《け》った。ケイジがマウンドに近寄って、「ごめん」と詫《わ》びたが、ジュンは振り向きもしない。守備位置に戻るケイジは見るからに萎縮《いしゅく》していたし、ジュンはいらだちを露骨に態度に出していた。

つづくバッターは、いちばん恐れていたストレートの四球。

さっきのクリッパーズと同じノーアウト一、二塁のチャンスを得た相手チームは、セオリーどおり送りバントを決めた。ワンアウト二、三塁。ヒットが出れば逆転サヨナラだ。

満塁策を考えて、すぐに打ち消した。敬遠の指示を出しても、ジュンが従うとは思えない。幸い下位打線に入っているし、土壇場でのジュンの底力を信じてやりたかった。むしろ手を打つのなら、ショートだ。リュウタに大急ぎでキャッチボールをさせれば、まだ、間に合う。

それでも、僕は動かなかった。腕組みをしたまま、ケイジをじっと見つめた。

ジュンは確かに、たいしたピッチャーだった。つづくバッターを、スクイズバント狙いの駆け引きをする隙《すき》さえ与えず、三球三振に切ってとった。あと一人。有終の美を飾る優勝まで、あとアウト一つ。

試合を決めた打球は、ショートに飛んだ。当たりそこねの簡単なゴロ——だったのに、二塁ランナーが視界に入ったのか、ケイジに、は打球をグローブの先ではじいてしまった。あわててボールを拾い上げたケイジに、ケイジジュンは「投げるな！」と叫んだ。

だが、ケイジは不安定な姿勢のまま、三塁ランナーがすでに駆け抜けたあとのホームベースに向かって、投げた。

送球は大きく逸《そ》れた。

バックネットに当たって止まったボールにヤスヒロが追いついたのとほぼ同時に、逆転の二塁ランナーがバンザイのポーズでホームインした。

六年生の最後の試合は、そんなふうにあっけなく、後味《あとあじ》悪く終わったのだった。

ゲームセットの瞬間からずっと、ジュンは黙りこくっていた。閉会式でヤスヒロが準優勝の楯《たて》を受け取るときも、足元の土をスパイクのつま先で蹴りつづけていた。ケイジもうつむいた顔を上げず、ヤスヒロが肩を叩いて励ましても、力なく首を横に振るだけだった。

式が終わると、バックネット前に選手たちを集め、円陣を組ませた。試合の反省や慰めは、もういい。六年生はこれでチームを引退するのだ。「お疲れさま」とねぎらってやろうとした、そのとき――ジュンが初めて口を開いた。

「よお、ケイジ。今日はおまえのせいで優勝できなかったんだからな、おまえ、マジ、反省しろよ」

ケイジはうつむいたまま、肩をすぼめた。ヤスヒロがすぐに「もういいじゃんよ、やめろよ」と割って入ったが、ジュンはかまわずつづけた。

「引退しても、俺が特訓してやるからよ。おまえ、中学に入ったら外野やれよ、足速いんだし、そのほうが向いてるって。俺もさー、おまえショートだと、マジ、キツいもん。外野だよ、外野。ノックしてやるから練習しろっての」

それを聞いて、僕の胸の中で張り詰めていた糸が、ほんのわずかゆるんだ。なるほどな、と苦笑いも浮かぶ。わがままで傲慢《ごうまん》なジュンの、せいいっぱいの励ましなのだろう。

ケイジは少しだけ顔を上げた。正面から目が合うのを避けるように、ジュンはそっぽを向いた。照れてるんだな、と僕がまた浮かべかけた苦笑いは、途中で止まった。

「……野球なんて、もう、やらない」

ケイジが低い声で言ったのだ。

ジュンは驚いてケイジに向き直り、「なに言ってんだよバーカ」と唇をとがらせた。「野球部入るしかねーだろ、おまえはよお」

ケイジの返事は——無言のパンチになって、ジュンの頬をとらえた。

4

子ども同士の喧嘩《けんか》だ。「暴力」と呼ぶほどのものでもない、ただのぶつかり合いだ。一発ぶたれたジュンはあっけなく泣きだしてしまい、ケイジは走って帰ってしまったが、幼なじみの二人だ、きっとすぐに仲直りできるだろう。

それでも——家に帰ってからも、割り切れなさが胸に残ったままだった。「日曜日を一人でつぶして不機嫌な顔しないでくれる?」と敦子にも言われた。

夕食にはまだ早い時刻だったが、ビールを冷蔵庫から出して啜《すす》るように飲んだ。苦みと炭酸の刺激ばかり、舌や喉《のど》に残る。

監督として決勝戦を振り返ってみると、悔やむことばかりだった。おとなとして考えても、ケイジを最後まで使ったことがよかったのかどうか、もうわからなくなってしまった。

敦子と可穂は二人でデパートに行ってきたらしい。買い物のついでに貰《もら》ってきた雑貨のカタログを広げて、この色がいいとかこういうのはセンスがないとか、おしゃべりを飽きもせずにつづけている。同じリビングにいても、敦子と可穂のおしゃべりにはなかなか入っていけない。考えごとをしているときに、女の子の声は耳にキンキン響いて、うるさい。

「ちょっと本屋にでも行ってくるよ」

ソファーから立ち上がると、敦子は「いまから?」と聞き返した。

「すぐ帰るよ。散歩がてらだから」

「あ、じゃあ……可穂も連れてってもらえば? パパにマンガでも買ってもらえばいいじゃない」

一瞬——ほんとうに、ほんの一瞬だけ、面倒だな、と思った。顔には出なかったはずだし、可穂が「行きたい」と言うのなら、もちろん喜んで連れていくつもりだった。

だが、カタログから顔を上げた可穂は、僕と目が合うと、少し寂しそうな微笑みを浮かべて、「かったるいから、いいよ」と言った。

敦子も僕の本音を見抜いたのか、察したのは可穂の本音のほうだったのか、「そうね、もう遅いしね」と、しつこくは誘わなかった。カタログに目を戻した二人がすぐにおしゃべりを再開すると、僕は逆に部屋を出るきっかけを失ってしまい、「じゃあ、まあ、俺もべつにいいか」とひとりごちて、ソファーに座り直した。

飲みかけのビールを一口啜り、居心地の悪さをやり過ごす手だてを考えていたら、携帯電話が鳴った。

ジュンから、だった。

「どうした？　ケイジと仲直りできたか？」

浮かびかけた苦笑いは、途中で止まった。

「カントク、あいつに土下座させてよ」

ジュンは言った。迷いもてらいもなく、悪びれた様子もなく、声を僕の耳にねじ込むように。

「だってそうでしょ、あいつが殴ったんだもん、暴力じゃん、俺なんにもしてないのに、めちゃくちゃじゃん、犯罪じゃん、あいつが土下座するまで、俺許さないもん、はっきり言って、警察だよ、そう思わない？」

「……ケイジと話したのか？」

「さっき会ったよ。俺、あいつが謝るんなら許してやろうと思って、わざわざ行ってやったの。わかる？　すげー親切だと思わない？」

「どうだったんだ、それで」

「ってゆーか、もう、あいつバカ、クソバカなんだもん。あいつ、絶対に中学の野球部に入らないんだって。なに考えてんだ、っつーの。アタマくると思わない？　あんなに下手でも、俺、許してやるって言ってやってんのにさ、バカだよ、マジ、バカなんだよね、あいつ。だからもう、俺、ケイジのバカ許さないから、死ぬまでイカってるから、カントクが責任とってさあ、土下座させてよ、あいつに。俺ほんとにマジ、許さないからね……」

あきれはてて、うんざりして、それでも言葉だけはとりあえず「わかった、わかった」と返して、電話を切った。

「クリッパーズの子から？」

敦子が声をかけてきた。

「ああ、ピッチャーのジュン……話したことあるだろ、まいっちゃうんだ、わがままで」

敦子は、ふうん、とうなずいて、僕の顔を見ずに言った。

「あなたはお父さんでも学校の先生でもないんだからね」

早口の、抑揚のない声だった。

「友だちでもないと思うし」——もっと早口に付け加えて、可穂とのおしゃべりに戻った。

「……それくらい、わかってるよ」

ワンテンポ遅れた僕の声は、あさっての方向に飛んだファールの打球のように、誰にも受け取ってもらえずに転がっていくだけだった。

翌日から、携帯電話やメールでケイジと何度かやり取りをした。

野球が嫌いになったわけではない——らしい。ただ、最後の試合のエラーがよほどショックだったようで、「野球だったら、まわりに迷惑かけちゃうから」と言う。中学に入学したら、陸上部に入るのだという。陸上の短距離走なら自分一人の競技だから、失敗しても誰にも迷惑をかけない。

そのほうがいいかもな、と僕も思う。しっかりした指導者につけば、野球よりも陸上のほうが、一流になれる可能性はあるだろう。

だが、僕は、ケイジがチームの誰よりもまじめに練習をしていたことも知っている。僕が監督になってからの一年間で、見違えるように野球がうまくなったことも、ちゃんとわかっている。そして、どんなにエラーをしても、ケイジは野球が大好きなのだ、と信じている。

じってきた。

「おまえのいちばんやりたいものをやればいいんだから」と、電話でも言った。最初のうちは「陸上部に入る」の一点張りだったケイジの答えに、しだいに迷いが交
メールで送った。

〈よく考えて決めろよ〉

〈野球部に入ると、ジュンがいるから〉

メールに書いてきたその一言が、本音の本音なのだろう、と思う。

ジュンのほうはあいかわらずだ。

「あいつが土下座するまで許さないから」の地点から一歩も動こうとしない。

そのくせ、毎日のように「ケイジのバカ、カントクになにか言ってきた？」「土下座したら許してやるって、言ってくれたの？」と僕に訊《き》いてくる。

意地っ張りな奴《やつ》だ。わがままで、傲慢で、ひねくれていて……ほんとうに困った奴だ。

だから、僕は二人に言ってやったのだ。

甲子園に行かないか――？

話がまとまるまでには、予想外の時間がかかった。

親からは、いろいろなことを言われた。

三人だけ特別扱いすると他の子がひがんでしまうんじゃないか、ひがまれるだけではすまずに四月からいじめられてしまうんじゃないか、と心配していたのはケイジの母親。夜行バスは疲れるから一泊にしたほうがいいんじゃないか、せっかくだから大阪や神戸の観光もさせてやりたい、これはジュンの母親。親がついていかずに万が一の事故が起きたら誰が責任をとるんだ、とヤスヒロの父親は母親経由で伝えてきた。ウチは往復の交通費を自分で出しますから、とも。それぞれにそれぞれの考え方があり、価値観があり、エゴがあって、お人好《ひとよ》しな言い方をするなら、息子に寄せる愛がある。

親とのやり取りでは辟易《へきえき》することも多かったが、逆に、なんとも言えないうらやましさも感じた。

本人たちの態度も、最初はなかなか煮えきらなかった。

「中学のことと甲子園って、やっぱり関係ないと思うんですけど」とヤスヒロは急に後《しり》込《ご》みしてしまったし、「中学に入ったら野球やらないんだし、甲子園に行ってもべつに意味ないいんじゃないんですか？」とケイジはいじけたことを言い出すし、ジュンはジュンで「ケイジのバカも一緒なの？　マジ？　俺、あいつが行くんなら行きたくねーっ」と駄々をこねる。

ほんとうに面倒くさかった。仕事の交渉のほうがずっと楽だと思ったし、「あなたって、そんなにおせっかいな性格だったっけ？」と敦子に冷ややかに言われるのも面白くなかった。放り出してしまうのは簡単だったし、もしかしたら三人の子どもたちも、そっちのほうが喜んだかもしれない。

それでも、僕は粘り強く話をつづけた。最後の最後は「なあ、行こうよ、せっかくなんだから」と頼み込むような格好にもなってしまった。

なぜ――？

うまく言えない。

敦子に訊かれたときも、筋道を立てて説明することができなかった。おかげで、そうでなくても最近ぎくしゃくしていた夫婦仲が、いっそう難しくなってしまった。

敦子は子どもの頃に読んだマンガの話を持ち出した。

お人好しでおせっかいな里親の話――だった。親を亡《な》くして施設に預けられていた主人公の少年は、子どものいない夫婦に引き取られる。里親の夫婦は息子ができたことが嬉《うれ》しくてたまらず、ベタ可愛《かわい》がりするのだが、少年はそれに戸惑い、わずらわしさを感じて、亡くなった実の親の面影を追い求めつづける、という物語だ。

「それと同じよ」と敦子は言う。「親父と息子の気分で張り切るのはわかるけど、空回りしてもしょうがないでしょう？」

返す言葉に詰まる僕に、さらに一言――。

「あ、でも、逆なのかな。あなたのほうが主人公の男の子で、わたしと可穂が里親なの。

そっちのほうがリアルかもね」

妊娠中の超音波検査で、生まれてくる赤ん坊が女の子だとわかったとき、僕はなにを思っただろう。大きなおなかをした敦子に、どんな言葉をかけただろう。いまでも、ときどき、そのことを考える。

細かいところは覚えていない。まさか落胆や失望を顔に出したとは思わないのだが、敦子に言わせると、「あなたは百パーセント大喜びしていなかった」となる。「妊娠中って、めちゃくちゃ勘が鋭くなるんだから、ちゃんとわかるの」

出発まであと一週間という夜、敦子はまたその話を蒸し返してきた。

「あなたはね、ほんとうに心の底から男の子が欲しいわけじゃなくて、息子がいたらなあ……っていう、『もしも』の話がしたいだけなのよ」

「そんなことないって」と打ち消しても、「あ、る、ん、で、す」と譲らない。「なんで『もしも』の話なんかしなきゃいけないんだ？」と訊いても、「自分のことなんだから自分で考えてよ、ひとに訊かないでくれる？」と切り返される。

「じゃあ、誰とそんな話をしてるっていうんだよ」僕の声もとがる。「俺、はっきり言って、会社の奴らには、可穂の自慢ばっかりしてるんだぞ。一人娘にデレデレのおとーさん、なんだぞ。『もしも』の話なんてしたことないし、する気もないよ」

嘘《うそ》ではない。フリップ式の携帯電話を使っていた頃は、フリップの内側に可穂のプリクラも貼《は》って、会社の若い連中にしょっちゅうからかわれていたのだった。

「わかってるけどね、それは」

敦子は言う。言ったあとで、「だろ？」と念を押す僕にカウンターパンチをくらわすように、「『もしも』の話をする相手って、自分なんじゃないの？」と寂しそうに笑った。

「可穂が男の子だったとしても同じだと思うけど。今度は、娘がいたらなあ……っていう、『もしも』の話が始まるの。だから、赤ちゃんの性別がわかったときは、やっぱり百パーセントは大喜びできないの」

「……そんなの、ないものねだりじゃないか」

「そうよ」

「俺、そこまでガキじゃないぞ」

「ガキになっちゃったんじゃない？　クリッパーズの監督さんになってから。忘れかけてた『もしも』の話を思いだしちゃったの」

正しい、とは言いたくない。勝手に決めつけるなよ、と吐き捨てて話を打ち切ることもできる。だが、敦子の言っていることは、間違っているわけではなかった。

話が途切れたあと、敦子は急にしおらしくなって、「ごめんね」と詫《わ》びた。「わたしの体がもうちょっとじょうぶで、二人目の赤ちゃんも産んでれば、よかったんだよね」

「……関係ないよ、そんなのは」

「でも、『もしも』の話をずうっとたどっていったら、もしも別のひとと結婚してたら、っていう話にもなるよね」

「ならないって。いいかげんにしろよ」

さすがにいらだってソファーから立ち上がり、敦子をにらみつけた。

敦子の目は赤く潤《うる》んでいた。

「わたしも……ときどき考えるけどね、もしもあなたと結婚してなかったら、って……」

虚空《こくう》をぼんやりと見つめながら、つぶやくように言った。

5

出発までの数日間は、半日の休暇を埋め合わせるために仕事に追われた。三人にもこまめにメールや電話を入れて、気まぐれな子どもたちが土壇場で心変わりしないよう、細心の注意をはらった。

俺はなにをやってるんだろうなあ、と思う。おとなが媚《こ》びてどうするんだよ、という気もしないでもない。それでも、とにかく——甲子園なのだ。

出発日の夕方になって、ようやく仕事にケリがついた。定時で帰れば風呂《ふろ》に入ってから出かけられるな、と安心していたら、ヤスヒロの父親から電話がかかってきた。会社のすぐそばまで来ているのだという。

「出発前に一言ご挨拶《あいさつ》をしておきたい、と思いまして……」

声に微妙な翳《かげ》りを感じた。

喫茶店ではなく、界隈《かいわい》ではいちばん早く店を開ける居酒屋で会うことにした。「すみません、お忙しいのに」と恐縮する父親の声が、少しほっとしたようにも聞こえた。

オフィスのホワイトボードに〈25日　夕方4時出社予定〉と書き込んで、居酒屋に向かった。

一足先に居酒屋のカウンターでビールを飲んでいた父親は、僕を見ると椅子《いす》から立ち上がり、あらためて丁寧に挨拶をした。まじめなひとだ。ヤスヒロはそういうところを父親から受け継いだのだろう。だが、いつもは見るからに意志の強さを感じさせる角張った顔立ちが、今日は一回り小さく見える。

「ちょっと痩《や》せましたか？」

乾杯のビールを一口飲んで訊くと、父親は頰を軽くさすって、「どうでしょうねえ、そうかもしれませんねえ……」とぼそぼそと答え、そのままの口調で本題を切り出した。

「監督さんは、子どもをぶったことはありますか？」

唐突すぎる問いかけに、思わず息を呑《の》んだ。すぐに答えられることだし、すぐに答えなければ意味のないことだったが、こわばってしまった舌はビールをもう一口飲むまでゆるんでくれなかった。

「いえ……あの、ウチは女の子一人ですから、そういうことは……」

「じゃあ、もしも息子さんだったら、どうしてます？　体罰してましたか？」

わからない。首をかしげながら、「時と場合によっては……するかもしれませんね」と答えた。自信はない。いままで考えたこともなかったし、「女の子だったら」「男の子だったら」と分けるのも、なんだかちょっとおかしい気がした。

だが、父親は「ですよね、そうですよね」と勢い込んでうなずいた。「時と場合によっては、体で教えるしかないんですよ」

「……ヤスヒロくんと、なにかあったんですか？」

「ゆうべね、もう、アタマにきちゃって」

平手打ちのジェスチャーをして、「情けなくなるんですよ、ほんと、あいつを見てると」とビールを呷《あお》る。

受験の失敗をまだ打ち明けられないことが——情けない。

勇気のスイッチが欲しくて甲子園まで出かけるというのも——情けない。

「だってそうでしょう？　そんなの関係ないじゃないですか。監督さんにもご迷惑かけて、わざわざ夜行バスで泊まりがけで出かけて……踏ん切りだのきっかけだのって、知ったふうな理屈を並べ立てても、結局は臆病《おくびょう》なだけなんですよ、自分の負けを認めるのが怖いんですよ、情けないと思いませんか？　私ね、ヤスヒロはそういう子どもじゃないと信じてたんですよ。負けは負けでいいんですよ、人間誰だって負けることはあるんだから。でも、そこからじゃないですか、男の価値っていうか、真価が問われるのって。私、そこだけはきっちりヤスヒロに教えてきたつもりだったんですよ、正々堂々っていうのはいちばん大事じゃないですか、男として。だからもう、がっくりきちゃってねえ……」

一息に言って、言葉どおり、両肩を落としてため息をつく。もともと酒はあまり飲めないひとなのかもしれない。頬が早くも赤くなっていた。

「すみません」僕は小さく頭を下げた。「僕がよけいなことしちゃったのかもしれません」

「いや、そうじゃないんですよ、そんなつもりで言ったわけじゃないんです。ただ、まあ、なんて言うか……子どもって、自分を甘やかしてくれるおとなを敏感に見分けるじゃないですか。監督さんがそうだってことじゃないんですけどね、やっぱりね……」

父親がビールと一緒に喉《のど》の奥に押し戻した言葉は、だいたい見当がついた。

沈黙がしばらくつづいた。

ヤスヒロが僕によこしたメールを思いだす。監督がお父さんだったらよかったのに

——あいつは、そう書いてくれたのだ。

「ねえ、監督さん」

父親は僕に声をかけてからジョッキに残ったビールを飲み干し、店員に焼酎《しょうちゅう》のお湯割りを注文した。

「女の子って、どうなんですか？」

「はあ？」

「ウチね、男二人なんですよ。ヤスヒロと、今度四年生になる弟と。だから、家の中なんてぐちゃぐちゃですよ。ヤスヒロがもっとちっちゃな頃なんて、兄弟で毎晩運動会ですからね、下の階のひとにしょっちゅう苦情を言われて……」

「元気でいいじゃないですか」

「女の子って、やっぱりおとなしいんでしょう？」

「まあ、そうですね、特にウチは一人だし」

「いいですよね、娘ってね」

父親は頰づえをつき、まぶしそうに目を細めて虚空を見つめた。表情からはさっきまでの険しさが薄れ、代わりに寂しさが宿る。

「男の子って、難しいですよ。娘のほうがぜんぜん楽だなあって思いますよ」

「そうですか？」

た。

「意外ですか？」

オウム返しのように聞き返され、「ええ、まあ」とうなずくと、おかしそうに笑われた。

「女の子しかいないひとは、みんなそう言うんですよ。同じ男なんだから親父と息子は付き合いやすいだろう、って……。でも、ぜんぜん違いますよ、はっきり言って、とんでもない大間違いですよ。娘のほうがいい、絶対に楽なんですよ、ほんと」

お湯割りが届いた。そちらさんは、と店員は僕にも目で尋ねてきた。ジョッキにはもうビールはほとんど残っていない。少し迷って、同じお湯割りを頼んだ。シラフで話したくないことは、シラフで聞かれたくもないはずだ。

父親は頬づえをついたままお湯割りを啜《すす》り、カウンターの一点を見据える目を瞬《しばた》きながらつづけた。

「比べちゃうんですよ、息子だと」

比べる相手は他人ではない、自分自身なのだ、と言った。

「いまの私じゃないですよ、ヤスヒロと同じ、小学六年生の頃の私です。自分と比べてね、俺だったらこうする、俺があいつの頃はこうだった、あいつは俺より気が弱い、俺とは違う、俺のほうがずっとあいつより……ってね」

わかるような気はする。「息子」を、たとえば「会社の新入社員」に置き換えれば、それは誰にでもある心理なのかもしれない。

「でも、それはフェアじゃないんですよね。息子は現実を生きてて、親父は思い出の中の自分を見てるんだから、美化もしちゃうし、言い訳もできるし……息子に勝ち目はないんですよ、どうしたって。わかってるんですよ、わかってるんだけど、だめなんですよ、比べちゃうんですよ、息子の悪いところや弱いところばっかり見えちゃうんですよね、ほんと……」

急に繰り言めいた口調になった。お湯割りを啜ったあとの吐息も深くなる。

「昔の私なら……やっぱり、ヤスヒロと同じように、受験のこと誰にも言えなかったかなあ……そんな気もしないわけじゃないんですけどね……どうなんだろうなあ……どうなんだろうなあ……」

ないものねだりをしている男が、ここにもいた。


帰宅したときには、もう午後九時を回っていた。風呂に入る時間の余裕はなく、服を着替えるのがせいいっぱいだった。

帰りが遅くなった理由を説明しようとしたら、きっと言い訳がましい切り出し方をしてしまったのだろう、敦子はそっけなく「それはもういいから」と言った。「そんなことより、お酒臭いわよ。バスの中って空気がこもるんだから、歯磨きぐらいしていったほうがいいんじゃない？」

「……なあ」

「なに？」

「可穂と来ないか」

「どこに？」

「甲子園。朝イチの『のぞみ』でもいいし、飛行機でもいい。途中からになっちゃうけど、それでも、開会式の雰囲気は味わえるから」

敦子は心を動かすそぶりすら見せなかった。「悪いけど、ぜんぜん興味ないから」と言って、「可穂もね」と付け加える。

酔い醒《ざ》ましの冷たい水をグラスに二杯立て続けに飲んで——べつのなにかも一緒に醒めてしまうのも感じながらリビングを出て、可穂の部屋に入った。

ヘッドホンで音楽を聴いていた可穂は、僕に気づくと「やだぁ、ノックしてよ」と音楽を止めずに唇をとがらせた。

ヘッドホンはずせよ、と手振りで伝えたが、「聞こえてるからいいよ」と返された。

「……パパと甲子園に行ってみないか？　明日の夕方には帰れるから」

「え？　なに？　聞こえない。もっとおっきな声でしゃべってよ」

CDラジカセの脇《わき》に、CDの空ケースが置いてある。ジャケットには、僕の知らない顔、知らない名前の若い男二人組が写っている。アニメの主題歌を集めたCDをドライブのたびに繰り返し聴かされたのは、もう、昔話になってしまったのだろう。

「ねえ、いまなにか言った？　聞こえなかったから、もう一回言って」

僕は苦笑して、かぶりを振った。四月から、可穂は五年生になる。早い子だとそろそろ初潮を迎えてもおかしくない、と敦子はいつか言っていた。こんなふうに部屋に入ることも、それほど遠くないうちに許されなくなってしまうのだろう。

可穂はヘッドホンをはずし、「どうしたの？」と怪訝《けげん》そうに訊いた。

僕は苦笑いの顔のまま、「パパ、いまから出かけるから」と言った。「明日には帰ってくるけど、仕事があるから、晩ごはんには間に合わないかもな」

「べつにいいよ。行ってらっしゃーい」

軽く応《こた》えてヘッドホンを耳に付け直しかけた可穂に、「ごめんな」と詫びた。「春休み、どこにも連れてってやれないけど……」

可穂は黙って笑った。ちゃんとわかってるから、というふうにも、最初から期待なんかしてなかったから、というふうにも、娘に媚びるのってむなしくないかなあ、というふうにも、パパがんばって、というふうにも見える、微妙な笑顔だった。

娘はいまでも、じゅうぶんに遠い。これからいっそう遠くなっていくだろう。「女の子はいいですよねえ、いいですよねえ」と呂律《ろれつ》のまわらない声でうらやんでいたヤスヒロの父親には、この気持ちは、きっとわからない。息子を持つ父親の背負うもどかしさが、ほんとうは僕にはわかっていないように。

待ち合わせ場所は、団地の最寄り駅だった。

約束の時間より早く来ていたジュンは、「言い出しっぺのカントクが遅れてどーするんだよ」とさっそく憎まれ口をたたく。

リュックサックの腹がぱんぱんにふくらんでいた。中に入っているのは――グローブが二つと、真新しいボール。

「甲子園って広いから、通路とかでキャッチボールできるよね?」

「係のひとに怒られちゃうぞ」

「一球だけだってば。甲子園でキャッチボールしたってての、やっぱ、記念になるじゃん」

見当はついていたが、「誰とキャッチボールするんだよ」と訊いてみた。

ジュンはうつむいて、へへッ、と笑う。僕の予想は、たぶん正解だったのだろう。

マリナーズの帽子の上から、頭を軽く叩《たた》いてやった。これが「男の子の都合のいいところしか見ていない」っていうことなんだろうな、とは思ったけれど。

ヤスヒロは約束の時間ちょうどに、母親の運転する車で駅に来た。母親はわざわざ車から降りてきて、丁寧すぎるほど僕にお礼を言って、ヤスヒロには聞こえないよう小声でつづけた。

「今夜は、主人もお世話になりまして……ほんとうにすみません」

ついさっき、二軒目の店でくだを巻いている父親から電話があったのだという。監督さんにガツンと言ってやったぞ――「口だけ荒っぽくなるんです、酔っぱらっちゃうと」と母親は苦笑した。

「ゆうべヤスヒロくんを叱《しか》ったって、おっしゃってましたけど……」

「ええ。でも、あとになってから主人のほうがすごく気にしちゃって、今朝もヤスヒロの顔を見られなくて、いつもより三十分も早く家を出ちゃったんです」

いまも帰りづらくて酒を飲みつづけているのだろう。「だったら最初から体罰なんかしないでよ、っていつも言ってるんですけど」と母親はため息をつき、けれどすぐに気を取り直して、「父親と男の子って、よくわからないんですよね」と頬をゆるめた。

「ヤスヒロくんのこと、お父さん、すごくかわいがってらっしゃるんですね」

母親は、さあ、どうなんでしょうか、と首をかしげた。

「でも、わかりますよ、話してると」

「厳しいくせに、ちょっと親バカのところもありますから」

そうそう、と僕は笑ってうなずく。

酔いがまわってからの父親の話は、息子の自慢と愚痴が交互に繰り返された。ヤスヒロは「私なんかより、ずうっと出来のいい奴《やつ》」で、なおかつ「私から見ると物足りないんですよ、性格が弱い奴ですから」。僕は話のひとつひとつに、きちんと相槌《あいづち》を打った。声をあげて「へえ、そうなんですか」と驚き、「まあまあ、そうおっしゃらずに」と背中をさする手振りをした。べつに気をつかったわけではなかった、と思う。

「監督さんにくれぐれもよろしく、と主人も申しておりましたので、ほんとうに、よろしくお願いします」

母親はまた深々と頭を下げた。

恐縮して一歩あとずさった僕は、ジュンと話しているヤスヒロの背中に目をやった。

二人は中学の話をしていた。なにも知らないジュンは「私立なんてガリ勉の奴しかいねーんだから、おまえなら一年からレギュラーだよ」と言う。ヤスヒロは、「うん……」とも「ああ……」ともつかない低い声で応《こた》えるだけだった。

母親もそのやり取りに気づいたのだろう、もう一度、今度は黙って、僕に頭を下げた。

「ヤスはいいよなあ、俺なんて中学に入ってからも、ケイジの下手くその面倒見なくちゃいけないんだからさあ」

ジュンは大げさにため息をついて——願望交じりの一言を、言った。

ケイジはなかなか姿を見せなかった。土壇場になって気が変わってしまったのだろうか。すでに待ち合わせの時間は十分も過ぎて、ヤスヒロの母親もひきあげた。夜行バスの発車時刻と、私鉄とJRを乗り継いで東京駅まで向かう時間を考えると、いつまでもここで待っているわけにはいかない。

最初のうちは「あいつ、トロいからさあ、いまごろあせって家を出てんじゃねーの？」と笑っていたジュンも、しだいに口数が少なくなってきた。

「カントク」ヤスヒロが言う。「ケイジのケータイに電話してみれば？」

「ああ……そうだな」

ジャケットのポケットから携帯電話を取り出すと、ジュンが「いいよ、俺が電話してみるから」と言った。僕とヤスヒロが応える間もなく自分の携帯電話を耳にあて、僕たちに背中を向けて歩きだす。

電話がつながったのかどうかは、わからない。声が聞こえない。足も止まらない。顎《あご》が動いているようにも見えるが、後ろから、しかも薄暗いなかでは、はっきりとしない。

「ケイジいたか？」

僕が声をかけても無視したまま、さらに歩きつづける。

「なにやってんだよ、ジュン、おまえ、返事ぐらいしろよ」

ヤスヒロはひさしぶりにキャプテンらしい強い声を出して、「カントク、ちょっと走って行ってきていいですか?」と僕を振り向いた。

うなずきかけた僕は、あわてて「いや、いいよ、ここで待っててくれ」と答え、ジュンと逆の方向に歩きだした。大股《おおまた》で歩いて素早く距離をとり、手に持っていた携帯電話のアドレス帳からケイジの電話番号を呼んだ。

まさか——とは思う。だが、その「まさか」は、ジュンの性格を考えれば大いにありうることでもあった。

呼び出し音が耳に流れ込んだ。

「まさか」は、「やっぱり」になった。

電話がつながる。着信番号表示で僕からの電話だとわかっていたのだろう、ケイジはしゃべらない。応答の声すら出さず、探るような沈黙で応える。かまわない。電話を受けてくれたのだから、まだ可能性はある。

「もしもし、ケイジか? いま、どこなんだ。そろそろ電車に乗らないと、バスに間に合わなくなっちゃうんだけどな」

返事はなかったが、電話はまだつながっている。

「ちょっと聞いてくれよ。いまな……笑っちゃうんだけど、ジュン、おまえと電話してるんだぞ。さっき電話鳴ったりしてなかったか?」

ほんとうに負けず嫌いで見栄《みえ》っ張《ぱ》りな奴なのだ、ジュンという少年は。

「あいつ、おまえと仲直りしたいんだ。謝りたいけど、そういうのカッコ悪いと思ってるから、謝れないんだよ。でも、謝らないとケイジが来ないのも知ってるし、俺やヤスヒロが電話をかけて、ケイジがまだ怒ってるっていうのを聞くのも嫌だし……わけがわからなくなって、困ってるんだ」

ジュンはいま、暗がりに向かって歩きながら、このお芝居をどうまとめればいいのか悩んでいるのだろう。バカだな。しょうがない奴だな、あいつ。

「なあ、ケイジ」

「……なに?」

「ジュンはおまえに来てほしいんだよ。一緒に甲子園に行きたいんだ。できれば中学でもケイジと一緒に野球をやりたくて、だからあいつ……」

グローブのことを話してやろうと思ったが、それはルール違反のおせっかいのような気がして、やめた。

「とにかく来いよ。いま、どこなんだ?　ほんとにもう時間がないから、急げよ」

「でも……」

「ケイジが来てくれないと、あいつ、謝れないだろ。謝るチャンスだけ与えてやれよ。なっ?」

「……謝っても、許さないもん」

「いいよ、それは。ケイジの自由だ。でも、チャンスだけは与えてやればいいじゃないか」

振り向いて確かめた。ジュンは駅前ロータリーの端まで歩いていた。あいかわらず携帯電話を耳にあててお芝居をつづけている。ヤスヒロは駅の正面にたたずんで、僕とジュンを交互に、怪訝そうに見つめる。

「時間がないぞ」

僕は言った。「もし、まだ家にいるんだったら、すぐにタクシーで迎えに行くから」とつづけて、タクシー乗り場に七、八人の行列ができているのを見て顔をしかめた――そのとき、「だいじょうぶ」とケイジは言って、電話を切った。

リレーのバトンを受け渡すように、次の瞬間、ロータリーの端にいたジュンがその場に跳び上がって、通りの先の方に向かって手を振った。

「なにやってんだよ！　てめえ、バーカ、グズ！　走れよ！　時間ないんだからよお！」

甲高い声を張り上げるだけでは気がすまず、ジュンはケイジを迎えに駆けだした。

僕は携帯電話をポケットにしまって、ヤスヒロのもとに戻る。

「ケイジ、来たみたい」ヤスヒロは、ほっとした笑顔を浮かべた。「よかったね、カントク」

僕も笑い返して、指でＯＫマークをつくった。やれやれ、面倒ばかりかけやがって……と声に出さずにつぶやいて、ロータリーを並んで歩くジュンとケイジを見つめた。

6

発車時刻ぎりぎりに飛び乗った夜行バスは、首都高速都心環状線の渋滞を抜けると、三号線から東名高速に入り、順調なペースで西へ向かった。

ジュンとケイジは、まだ仲直りをしたわけではなかった。ケイジは私鉄の電車に乗り込む前に小声で僕に「どうせ許さないと思うけど」と言ったし、ジュンはジュンで、JRの電車の中でこっそり「俺が説得したから、あいつ来たんだから。自分の意志で決められねーのって、バカだよね」とお芝居をまだつづけていた。もしもケイジが、行くか行くまいか迷いながら駅前商店街のマクドナルドまで来ていなければ、ほんとうに、この見栄っ張りな少年は、お芝居の決着をどうつけるつもりだったのだろう。

それでも――バスは西へ向かってひた走る。時速百キロ近いペースで、甲子園に近づいていく。

横浜を過ぎたあたりではまだもぞもぞしていた三人も、神奈川と静岡の県境を越えた頃には寝入ってしまった。僕の隣にはジュン、その前の座席にはケイジとヤスヒロが並んでいる。ジュンの寝顔を覗《のぞ》き込んだ。起きているときにはひたすら生意気な奴だが、口をぽかんと開けた寝顔はあどけない。

バスの座席は八割ほど埋まっていた。ほとんどが大学生ふうの若者たちで、僕のような年格好の男は二、三人しかいない。僕たち一行は、他の乗客にはどんなふうに見えているのだろう。少年野球チームの監督と選手たち、とすぐに思い浮かぶひとは少ないはずだ。学校の教師と教え子？　それとも、三人兄弟と父親？　いくらなんでもそこまではないか、と苦笑して目を閉じた。


子どもの頃、僕は「もしも」の話をしょっちゅう考えていた。「もしも宇宙人が地球を侵略してきたらどうしよう」や「もしもお父さんやお母さんが交通事故で死んじゃったらどうしよう」から始まって、「もしも百万円もらって大金持ちになったらなにを買おう」「もしも遠足のバスに車酔いしたらどうしよう」「もしも片思いの美代子ちゃんに『私も好きだったの』と告白されたら、デートはどこに行こう」「もしもプロ野球選手になれたら、どこのチームで活躍しよう」「もしも友だちみんなから絶交されたらどうしよう」……わくわくしたり、どきどきしたり、不安に駆られて眠れなくなったりを繰り返していた。

ないものねだりでは、なかった。

少年時代の僕が思い浮かべる「もしも」は、ほとんどすべてが未来の話だった。どんなに夢のような「もしも」でも、それが現実になる可能性は、決してゼロというわけではなかった。

いまは違う。未来に「もしも」の入り込む隙間《すきま》はどんどん小さくなってしまい、代わりに過去を振り返ると「もしも」の分かれ道が無数にある。「もしも」を思うと、胸が高鳴るのではなく、締めつけられる。

どんなに考えても、やり直しがきかないことぐらいはわかっている。実際には選ばなかった「もしも」の道筋をたどることで、なにかの教訓を得ようとしているわけでもない。だいいち、僕は、僕の選んできた道を悔やんでなどいないのだ。

なのに――「もしも」を思う。ピッチャーの牽制《けんせい》球にひっかかるのがわかっているのに、ついふらふらと塁を離れてしまう間抜けなランナーのように、いまの僕ではない僕を考えてしまう。

子どもの頃の僕は、星新一や小松左京のＳＦ小説が大好きだった。いまは司馬遼太郎の歴史小説を会社の行き帰りに読んでいる。

もしも坂本竜馬《りょうま》に息子がいたら、日本の歴史はどう変わっていただろうか――。

眠りから覚めたとき、バスは浜名湖のサービスエリアに入るところだった。ここで十分ほど休憩をとるのだという。

外の空気を吸いたくて、バスから降りた。時刻は午前三時前だった。夜空には雲がかかっていたが、雨を心配するほどではない。あと数時間で甲子園だ。子どもの頃から憧《あこが》れていた開会式の入場行進を、生まれて初めて、じかに見られる。感動するだろうか、意外と長年の憧れのほうが強すぎて、実際に見ても「こんなものか」と拍子抜けしてしまうだけだろうか。

駐車場からサービスエリアの建物に向かって歩いていたら、後ろからヤスヒロがついて来ていることに気づいた。

足を止め、振り返って、「トイレか？」と訊いた。

ヤスヒロはあいまいにうなずいて、ためらいがちに「眠れなくて……」と言った。

「なんだ、ずっと起きてたのか」

「はい……」

「喉《のど》渇いてないか？　ジュースおごってやるから、俺のぶんも買ってきてくれ」

僕から小銭を受け取ったヤスヒロは、小走りに自動販売機に向かった。僕は手近なベンチに座る。ふう、と息をつくと、とっくに醒《さ》めたはずの酒の酔いがほんのわずか、よみがえってくる。

ヤスヒロは缶入りのスポーツドリンクを二本買ってきた。僕は栓を開けて乾杯のしぐさをしたが、ヤスヒロは照れくさそうにそれをいなして、僕の隣に座った。

「夕方、お父さんと会ったよ」

「……知ってます。お酒飲んだんでしょ？」

「ああ。軽く、だけどな」

「僕のこと……なにか言ってたでしょ」

「ゆうべ殴られちゃったんだってな。親父さんのほうが気にしてたぞ」

ヤスヒロは小さくかぶりを振る。「ビンタは、けっこうあるから」とつぶやくように付け加えた。

「厳しい親父さんだよな。でも、ヤスヒロのことをすごくかわいがってるよ。さっきお母さんにもそう言ったんだ」

「……弱い奴とか、ひきょうな奴とか、大嫌いだから」

「おまえは弱くないよ。ひきょうでもないし、ほんと、いい奴だと思うぞ、俺は」

「でも……まだ、学校のこと、言えないし……」

か細い声は、高速道路の本線を行き交う車の音にかき消されてしまいそうになる。

無理に打ち明ける必要はあるのか――と思った。中学の入学式に知らん顔をして出席して、みんなが驚いたところに「じつは俺、私立落ちたんだ」と言ってもいいんじゃないのか。「ごめんごめん、言いだすチャンスがなくてさ」と笑ってしまえば、なんとかなるような気もする。

「ジュンやケイジに、ぽろっとしゃべっちゃうっていうのも無理か？」

「わかんないです」

「言ってみようかなっていう気持ちは、あるのか？」

「それは……ずっとあるけど……」

僕はドリンクを一口飲み、さらにもう一口飲んでためらいを押しやって、言った。

「もしも、どうしてもヤスヒロが自分で言えないんだったら、俺が言ってやろうか？」

返事はなかった。ヤスヒロは口に運びかけたドリンクの缶を膝《ひざ》の上に戻して、深くうつむいてしまった。

僕はあわてて付け加える。

「おまえが嫌なんだったら、もちろん俺はなにも言わない。約束する。でもな、自分で言わなくちゃだめなんだって決めつけて、それで言えなくて、どんどん苦しい思いしちゃうぐらいなら……俺は、ひとに頼ってもいいんだと思う」

さらに胸を衝《つ》いて出てくる言葉を、僕はもう止められなかった。

「親父さんとは考え方が違うんだけど、俺は、子どもが苦しまずにすむ手だてを考えるのが、おとなの役目なんだと思う。ヤスヒロが簡単に逃げだしちゃうような子どもだったら、俺もこんなことは言わない。でも、おまえ、ほんとに苦しんで、悩んできたんだから、もういいんだよ。あとはおとなに任せればいいんだ。俺がちゃんと、うまく話してやるから、おまえは心配しなくてもいいんだよ」

返事は、やはり、なかった。

ヤスヒロは黙って立ち上がり、僕から遠ざかって何歩か進んだ。

肩が震える――と気づく間もなく、右手を大きく振りかぶり、肩から倒れ込むような深い体勢で、飲みかけのドリンクの缶を路上に叩《たた》きつけた。鈍い音とともに缶は舗道を跳ねて、こぼれたドリンクの飛沫《しぶき》を飛び散らせながら、転がっていった。

ヤスヒロはバスに駆け戻った。

転がる缶の行方を呆然《ぼうぜん》として目で追っていた僕は、我に返ってからもしばらくベンチに座ったまま動けなかった。思いどおりにならないよなあ、と声にださずにつぶやいた。ほんとうに、思いどおりにならないことばかりだ。

ほらね、と敦子の声が、どこかから聞こえてきた。僕を見つめる顔も浮かぶ。勝ち誇ったり嘲《あざわら》ったりしているのではなく、それはとても悲しそうな笑顔だった。


バスは浜名湖サービスエリアを発《た》って、大型のトラックやトレーラーを何台も追い抜きながら西へ向かった。

名古屋を過ぎて名神高速道路に入ったあたりで、少しずつ空が明るくなってきた。

浜名湖からは結局一睡もできなかった。腕組みをして目をつぶり、何度となく首をかしげ、もっと数多く、ため息をついた。

きれいごとを言ったとは思わない。僕は本音をぶつけた。もしもヤスヒロが望むなら、いますぐにでもジュンとケイジを揺り起こして、ヤスヒロが四月から同じ学校に通うんだぞと教えてやってもいい。ジュンは意外と無邪気に、バッテリー復活を喜びそうだ。

ジュンとケイジの絶交だって、そうだ。二人の間に立ってうまく話を進めてやれば、きっとまたいままでどおりの関係に戻れるはずだ。

ジュンも少しは反省するだろう。勝ち気なところを無理に消すことはない。ただ、仲間の助けがあるからこそがんばれるんだと知ってくれれば、最高のエースに成長するはずなのだ。

ケイジがどうしても野球をやりたくないのなら、残念だがしかたない、陸上でもバスケットでも、あいつが好きなスポーツで活躍できるように応援してやりたい。

なのに——どうしておまえたちは、こんなに不器用に、けつまずいてばかりなんだ？

キツくないか？

もっと楽になりたいとは思わないのか？

僕は目を開けて、隣のジュンの寝顔を見つめた。腰を浮かせ、前の席のケイジとヤスヒロの寝顔も覗き込んでみた。ジュンはあいかわらず口をぽかんと開けて、ケイジは窓の下に顔を埋めるような格好で、そしてヤスヒロはケイジの腰に頬ずりするみたいに、三人ともぐっすり眠っている。

シートに座った僕は腕組みして、その腕をすぐにほどき、もう一度深く、胸を抱き締めるように組み直した。

俺なら——。

俺があいつらぐらいの歳《とし》の頃なら——。

薄目を開け、息を詰めて笑った。見た目は大仰な手品の、意外にあっけない種明かしが終わった。

三十年近く前の僕は、いまの僕のようなことを言うおとなが大嫌いだったはずだ。ヤスヒロの父親のようなおとなのことも、大嫌いだった、と思う。

だから、しょっちゅう、つまらないことで思い悩み、どうでもいいことに不器用にけつまずいていたのだった。


バスは定刻どおりにJR大阪駅に着いた。寝ぼけまなこの三人を起こし、寝起きが悪くて「ママ、あと五分……」などと甘えたことを言うジュンの脇腹《わきばら》をくすぐってやって、バスから降ろした。

駅の喫茶店でモーニングセットの朝食を手早く食べると、歩いて阪神梅田駅に向かった。甲子園球場の開門は、開会式の日は午前七時に繰り上げられる。阪神電車はすでにスシ詰めだった。各駅停車で二十三分。甲子園の駅からは国道43号線の高架をくぐる。ふつうに歩けば数分の道のりらしいが、とにかく今日は特別の日だ。開会式の朝だ。前に進むというより、人込みの流れに身を任せるだけでせいいっぱいだった。

睡眠不足と緊張のせいか、三人の子どもたちは早くもぐったりした様子だったが、球場に近づくにつれて、僕の頰は勝手にゆるんでしまう。

憧れの甲子園だ。ここでプレイをすることは現実にはありえない夢なんだと小学生の頃からほんとうはわかっていたが、だからこそ、おとなになっても憧れを持ちつづけていられる場所だ。

空は少しかすんでいたが、小さくちぎれた雲は隅の方に押しやられて、じゅうぶんに「晴れ」だ。風が吹く。潮の香りがする。これが甲子園名物の浜風なのだろうか。勝手にそう思い込んで、潮の香りがするんだと決めつけているだけだろうか。

「カントク、なに笑ってんの?」

ジュンが訊《き》いた。ケイジも僕を見上げた。浜名湖サービスエリアを出てから僕と目を合わそうとしなかったヤスヒロも、やっと――ほんの少しだけ元気を取り戻したのか、僕を振り向いて答えを待った。

「甲子園だからな、やっぱり」と僕は言う。

「初めてなの?」とケイジが訊いた。

「ああ……初めてなんだ。甲子園で高校野球の開会式を見るの、ずっと楽しみにしてて、夢だったんだよなあ」

「自分が出ないんだったら意味ねーじゃん」

ジュンの憎まれ口を聞き流して、僕は、もっとジュンを喜ばせそうな言葉をつづけた。

「男の子が生まれたら……息子と二人で甲子園に行ってみたかったんだ」

あんのじょう、ジュンは「なにそれ、くせーっ」と笑いとばす。

「カントクんちって、男の子いないの？」とケイジが訊いた。

「ああ。一人娘だぞ、今度五年生だけど、めっちゃ美人なんだからな」

僕たちの少し前を家族連れが歩いていた。僕より少し年かさの父親と、その隣には中学生ぐらいの女の子。娘と二人で甲子園に行ったって、ちっともおかしくないんだよな、と嚙《か》みしめた。

「ねえ」ヤスヒロが初めて口を開いた。「だったら、僕ら、息子の代わり？」

ジュンはまた「うげーっ、気持ちわりーっ」とおどけ、ケイジも、やだなぁ、というふうに眉《まゆ》を寄せた。

「違うよ」

僕は言った。「おまえらは息子じゃないし、生徒でもないし、友だちでもないし、もう引退したから監督と選手でもないし……」とつづけ、ほんとうに俺たちってなんなんだろうな、と苦笑した。

答えを教えてくれたのは、ジュンだった。

「先輩と後輩でいーんじゃない？」

すぐにヤスヒロが「でも歳が離れすぎてるじゃん」と反対したが、僕は、そうだな、とうなずいた。先輩と後輩。悪くない。

入場口の前でつっかえていた人込みが、ようやく流れはじめた。

「よし、行くぞ。外野は自由席だからな、がんばっていい席取ろう」

僕は後輩三人の背中を、軽く叩いた。


開会の短いセレモニーのあと、選手の入場行進が始まった。選手たちを迎えるスタンドの拍手は、音楽に乗って手拍子に変わる。

僕たちはライトスタンドにいた。後輩三人を並んで座らせ、僕は一列後ろからグラウンドを見つめる。

ああ、これだ――初めて見る光景なのに、むしょうに懐《なつ》かしい。大会旗と前年優勝校を先頭に、北海道から順に南へ下って、代表校が行進をする。きびきびと手足の動きが揃《そろ》ったチームもあれば、見るからに緊張しきったチームもある。前を歩くチームメイトと足を踏み出す順番がずれて、あわてて足踏みをする選手もいるし、照れ隠しに隣の選手に話しかける選手もいる。懐かしい。子どもの頃からずっと、この光景を見て、甲子園への憧れをかきたてていたのだ。

だが、子どもの頃と、おとなのいまとでは、まなざしの向きが微妙に違う。

子どもの頃は行進する選手しか見ていなかったが、いまは、なぜだろう、甲子園に出られなかった連中のことを思う。行進する選手の何千倍もいる、負けた選手たちのことが気になってしかたない。胸を張って行進している選手も、たった一校の優勝校を除いてみんな、いつかは負ける。あたりまえの理屈に、いま、気づく。

どの学校だって、どの選手だって、みんな勝ちたいのに、勝つために厳しい練習をつづけてきて、勝ちたいから必死になってボールを追いかけるのに……それでも、負ける。

かわいそうだとは思わない。悔しいだろうな、とわかったようなふりもしたくない。

僕はただ、行進する選手の一人一人を食い入るように見つめる。この場にはいない何万人もの選手たちの姿を思い描く。

思いどおりにならないこと――これからもたくさんあるぞ、と言ってやりたかった。

勝て、とは言わない。負けるな、とも言えない。

それでも、僕は入場行進曲のリズムに合わせて、手拍子を打つ。途切れなく打ちつづける。

「なんか、いいね、こういうの」

ヤスヒロが言った。

「ああ……いいだろ」と僕は手拍子を休めずに応《こた》える。振り向いて見上げたケイジが、「あのひとたち、補欠だ」とつぶやくように言った。

外野スタンドの前を近畿代表の高校が行進していた。優勝候補の強豪校だ。スタンドで立ち上がって歓声をあげたのは、彼らと同じユニフォームを着た、ベンチ入りできない選手たちだった。

僕たちの視線に気づいた一人が、「イエーイ！」と親指を立てた右手を突き出した。いかにもやんちゃそうな男だ。きっと部室ではムードメーカーになっているのだろう。そして、試合のときはスタンドでヤジ将軍をつとめるのだろう。

「優勝するといいな！」

掌《てのひら》をメガホンにして声をかけてやると、ヤジ将軍は太い声で「優勝、決まりっすよ！　あったりまえじゃないっすか！　史上最強っすから！」と返した。

夏はがんばってレギュラーとれよ――心の中でもう一声かけて、僕はまた前に向き直った。ケイジやヤスヒロも、すでにグラウンドに目を戻していた。

だが、ジュンは一人で、ヤジ将軍たちを見つめていた。いつものように、補欠のくせになに盛り上がってんだよ、とは言わなかった。

僕と目が合うと、へへッと笑う。笑い返してやろうとしたのに、その前にグラウンドのほうを向いて、「長えよ、行進。もう飽きちゃったよ」と言いながら、リュックサックからグローブとボールを取り出した。

しばらく自分一人でボールをグローブにぶつけていたジュンは、行進が九州代表のチームに移った頃、左隣のケイジに声をかけた。

「やらせてやってもいいぞ」

ケイジは黙っていた。

「俺、グローブもう一個持ってきてるから、特別に使わせてやろうか」

ジュンはそう言って、もったいぶったしぐさでリュックサックから二つ目のグローブを出した。

だが、ケイジはそれをちらりと見ただけで、すぐにグラウンドに目を戻した。

一瞬途方に暮れたジュンは、僕と目が合うと、急にふてくされた怒り顔をつくる。

バカだな、おまえ、ちゃんと先に謝らないとだめなんだよ——と教える代わりに、僕は手拍子にさらに力を込めた。

「使いたかったら使えよ、しかたないから貸してやってもいいから」

ジュンはグローブをケイジの脇に置いて、また一人でボールをグローブにぶつける。

ケイジの背中が、少し丸くなった。ジュンの右隣に座るヤスヒロも、なにかをじっと考え込んでいるのか、自分の足元に目を落としていた。

不器用な後輩三人に、僕はもうなにも言わない。ただ黙って、手拍子を打ちつづける。最後のチーム、沖縄から来た高校が行進を終えて整列した。スタンドの手拍子は拍手と喚声に変わる。

僕は大きく息をついて、空を見上げた。報道のヘリコプターが飛んでいた。空の青が少し濃くなっていた。

ケイジがグローブに手を伸ばすのが、視界の端をよぎった。

ヤスヒロがジュンになにか言った。

「マジ？　マジ？　だったらアレじゃん、黄金バッテリー復活じゃーん！」

ジュンのはずんだ声が、広い青空に吸い込まれた。

僕は空を見上げたまま、音をたてずに手拍子を打った。その手拍子を自分にも向けて、今夜家に帰るときはマンションの廊下を行進してみようか——ふと思って、なんてな、と笑った。

文庫版のためのあとがき

坂道は、しばしば人生や世間の厳しさを伝えるときのたとえ話に用いられる。下り坂はたいがい転げ落ちるものだし、ひとが生きることは長い長い坂を上りつづけるようなものだとも言われる。ろくな役回りが与えられていない。ぼくたちの文化は坂道が嫌いなんだろうか、とさえ思う。

でも、建物の中はともかく、外の世界で完全に平らな場所なんてどこにある？　ぼくたちの立つすべての場所は、程度の差こそあれ、傾斜している。ぼくたちは皆、坂道にたたずんでいる。だから、重心は前後左右に微妙に揺れ動く。それでも、そのバランスの悪さをなんとか飼い慣らして、平気なふりをして立っている。体も、たぶん心も。

本書に収めた六編のお話は、どれも、急な坂道の途中にたたずむひとたちを主人公にしている。一九九九年秋から二〇〇〇年秋にかけて『サンデー毎日』に連載させてもらった十二編の短いお話から六編を選び、改稿した。いずれも初出時よりずっと分量が多くなってしまったが、加筆部分の大半は、主人公たちが立つ坂道の、その勾配《こうばい》のキツさや足場の悪さを描くことに費やした。

彼や彼女たちが、坂を下りていたのか上っていたのかは、書き手であるぼく自身にもわからない。ただ、坂の途中で立ちつくし、途方に暮れてしまった——そのときの体と心の重心の揺れ動くさまをていねいに描いていこう、と心がけたつもりだ。
おかげで、「問題がなにも解決していないじゃないか」と叱《しか》られることの多いぼくのお話の中でも、本書の六編はとりわけ「解決しなさかげん」が際立《きわだ》つものとなった。一件落着の場面がないことにご不満を抱かれたひとにはお詫《わ》びする。でも、それが、ぼくの考える生きることのリアルだ。そして、現実のキツい勾配から逃れることのできない彼や彼女たちが物語の終わりで踏み出した一歩は、坂を下るのではなく上るための一歩であってほしい——と祈りながら、書いた。頼りなげにでも足を踏み出した主人公たちの姿が、読んでくださった皆さんの胸に浮かんでくれれば、なによりの幸せである。

＊

『サンデー毎日』連載と単行本刊行にあたってお世話になった毎日新聞図書編集部の近藤浩之さん、文庫版の編集を担当してくださった新潮社出版部の藤本あさみさんをはじめ、本書ができあがるまでに力を貸してくださったすべてのひとに、心から感謝する。なかでも解説を寄せていただいた華恵さん、ほんとうにありがとうございました。自分の長女よりも歳の若い華恵さんに解説を書いてもらったことは、この題名を持つ本書にとって最高の幸せだったと思います。

二〇〇六年四月　　　重松　清

小さき者から

華恵

出会いは三年前。小学六年生の夏だった。

塾の先生から「本なんか読んでる時期じゃないんだからな。読むのはテキストだけにしろ」と言われた反動で、図書館に行くのが増えた。直行したのは、「さ行」の作家のラック。ずらりと並んだ本を前に思う。「重いんだよな。また泣く、きっと」。わかっているのに、いつものことだ。

初めて見る分厚い本があった。『小さき者へ』という少し滲《にじ》んだ文字の背表紙。ぱらぱらとめくると、真ん中あたりの短編に、「あたし」という一人称がある。多分、女の子が主人公の話だ。床に座り込んで途中まで読んだ後、貸し出しの手続きをして家に持ち帰った。

部屋にこもって最初からもう一度読み返した。そして、さっきの話に差し掛かったところで、本を閉じた。これは図書館に返そう。やっぱり自分の本が欲しい。多分、ずっとこの人たちと付き合っていくから。

一週間後、新しい本を手にして、改めて「団旗はためくもとに」を開いた。

元・応援団長のお父さんが登場する。ヤクザのようなコワモテの外見とは違って、口下手で不器用なお父さんだ。美奈子が高校をやめることに反対していたお父さんは、高校最後の日、校門から出てきた美奈子にエールをきる。団旗を持つ学ラン姿のお父さんの後輩と、大太鼓を構える背広姿のお父さんの友達もいる。その前で、大太鼓の音に合わせてお父さんが「押忍《おす》!」と吠《ほ》えて、美奈子にエールを送る。美奈子は、大太鼓が鳴り響く中、胸を張って歩いていく。

いいなあ、こういうの。私もこんなお父さんがいたら、きっと美奈子と同じように反発したりシカトしたりする。わざと。どうせ二十歳ぐらいになったらやめる、と自分でわかってるから。冷たくしても、きっとお父さんはエールをきってくれる。それで、お父さんからの「押忍」を背中に受けて、歩いていく。やってみたい、こういうの。

私にとっては、すごく現実感のある話だった。偶然、同じ塾で一番仲の良かった友達のお父さんにそっくりだったから。彼女とお父さんの関係もこんな感じだった。登場人物が実在しているような話。私の中では『小さき者へ』イコール「団旗はためくもとに」だった。ずっとそうだった。

でも、今回また読み返してみたら、お父さんの姿が少し違っていた。美奈子を応援しているだけじゃない。リストラされた部長さんの送別会の日、部長さんがひとりぼっちで改札を抜ける時、大声でエールをきるお父さんがいる。その部長さんがくも膜下出血で倒れた時、お父さんは庭に出て、雨の中、部長さんの回復を祈るエールを繰り返す。そして、その部長が亡《な》くなったことを知らせる電話がくると、お父さんはまた「押忍！」と吠えて冥福《めいふく》を祈るエールをきる。

全然カッコいいお父さんじゃない。普段から何を着ても全然キマラナイし、やることなすことカッコ悪い。でも、そんなことはどうでもいい。こういうお父さんがいい。見かけも行動も超カッコいいお父さんがいたら、私は逃げ場を失ってしまう。カッコ悪い自分を応援してくれるかどうか、不安になる。

後ろから支えてくれるのは、「三月行進曲」の監督も同じだ。少年野球の監督がメンバー三人を連れて、高校野球の開会式に行く。メンバーの中には、中学受験に失敗して、友達に「私立落ちた」と言えずにいる少年がいる。そしてその子に、監督は言う。「どんどん苦しい思いしちゃうぐらいなら……俺は、ひとに頼ってもいいんだと思う。……おまえ、ほんとに苦しんで、悩んできたんだから、もういいんだよ。あとはおとなに任せればいいんだ」

こういうの、アリなんだ……。ちょっとびっくりだ。「負ける」ということも、十分アリなんだ。

甲子園の高校野球の開会式。行進する中には補欠もいる。スタンドで立ち上がって歓声をあげているのは、ベンチ入りできない選手。それから、行進できない何万人もの選手もいる。勝つために練習してきてるのに、最後に残る優勝校を除いて、みんな負ける。そして、負けを味わう選手の何倍もの数の応援が、スタンド席を埋め尽くしている。拍手から手拍子に変わり、選手が行進する。――なんで今まで気づかなかったんだろう。私はテレビの画面に大きく映し出される選手しか見えてなかった。

応援があるから、がんばれる。

一方で、応援する側ががんばれないことも。エールを送るだけの力がないこともあるんだ。それは、今になって、なんとなくわかる。

「小さき者へ」のお父さんは、背中を丸めてノートパソコンに向かい、息子への「手紙」を書き続ける。そのファイルは溜《た》まる一方で、息子に直接届くことはない。部屋にこもりきりの息子。ガラスの割れた食器棚。母親の痣《あざ》。学校でのシカト。早期退職を迫る職場。それぞれが皆、ずたずたに傷ついている。

お父さんは、手紙の中で、自分と父親……つまり息子にとっての「おじいちゃん」とのことを書き続ける。買ってもらったレコードをカッターナイフで切りつけた時のこと。引き出しから五百円盗んだ時のこと。あの時、父親（おじいちゃん）は、「おまえが落とした物は、一緒に拾うちゃるけえ」と言い、しゃがみこんで散らばった鉛筆やクリップや小銭やレシートを拾い集めた。「それしか、ようできんけん」と悲しげに笑っていた。

おそらく、私は今、この本の中で、このお父さんとおじいちゃんが一番好きだ。二人ともすごくカッコ悪いんだけど。特に、このお父さんは、自分の父親にひどいことばかりして、いいところなんて何もないんだけど。自分の息子と面と向かうことすら出来ない、弱っちい大人なんだけど。

私は同じ経験をしたこともないし年齢も立場もちがうけれど、それでも、「お父さん、わたし、その気持ち、わかる」と言いたい。ボロボロでもいいよ。

大人って、多分、がんばりすぎている。例えば、親でいることに。夫婦でいることに。「フイッチのイッチ」のトモに「あたしんちとか田中くんちとかって、ケッソン家庭なんだって。……欠損ってのは、欠けてるっていうか壊れてるっていうか、そーゆー意味なの」なんて言わせているのは、大人だ。大人が「あるべき姿」とか、「家庭の形」とかにこだわっている。こういうことばに、「離婚ホヤホヤの親」を持つトモは、けっこう気にして傷ついている。いつも強いのに。……というよりも、田中くんのことばを借りれば、「無理して強くなっている」。まわりのイジメにもめげないし、何もかもにひとりで立ち向かっていく。すごい小学四年生。私はむしろ、「田中くん」の方に近い。親の離婚は、私の中ではほとんど解決済みの事で、ことばにすると自分の気持ちをほじくり返すようで、いろんなことがバラバラになりそうで、ちょっと息苦しい。だから、トモが「元に戻ればいいのに」と期待して、田中くんに嘘《うそ》泣きの練習をするようにけしかけるあたりでは、「こいつ、余計なことをしやがって」とさえも思った。だって、「子供のために形を戻した」なんて親に借りを作りたくないし、そんなこと最初からあり得ないと思う。でも、「あたしが本気で泣いてたら、万が一だけど、離婚しなかったかもしれないじゃん。だから、死ぬほど後悔してるの」と言うトモのことばに、ドキッとした。自分の気持ちをそのまんま正直に話している……私の苦手分野だ。結局、田中くんの親は元に戻ることはなく、思い通りにならない現実が残った。

でも、エールをきってくれるような頼もしい親がいなくても、トモにも応援団がいた。一緒に現実を見て一緒にがんばれる、田中くんという存在。

六編に出てくる人達は皆、誰かを応援している。父が娘を。父が息子を。監督が選手を。子どもが親を。友達が友達を。皆、何かを失って、負けて、がっくり肩を落として、カッコ悪い姿をさらけ出している。でも、寄り添って、応援している。

重松さんが描く女の子は、元気があってたくましい。強くて、いつもがんばっている。弱くてぐずぐずしているのは男の子だ。惨《みじ》めな姿をさらすのは、ほとんどが父親だ。女の子は、最後には颯爽《さっそう》と歩いていく姿が多い。だからこそ、読んでいると元気が出るし、がんばるぞ、と思える。でも……もし、それが出来なかったら？　トモのような女の子が中・高生になって、強がりも出来なくなって、力尽きてがんばれなくなってしまったら？「小さき者へ」の主人公の息子のように、一歩も踏み出せなくなってしまったら？

ぐしゃっと押しつぶされて、壊れて……、出口が見えないような惨めな姿になった娘を、見てくれますか。それでも応援し続けますか。そんなカッコ悪い姿になっても、ばらばらに落ちたものを、お父さんは、一緒に拾ってくれますか？

徹底的に壊れた女の子の姿を、いつか描いて欲しい。

一人の「小さき者」が、重松さんに願うことです。


（平成十八年四月、作家）

この作品は平成十四年十月毎日新聞社より刊行された。

小《ちい》さき者《もの》へ

新潮文庫　し－43－8

平成十八年七月一日発行
令和六年八月五日二十刷

著者　重《しげ》松《まつ》清《きよし》

発行者　佐藤隆信

発行所　株式会社 新潮社

郵便番号　一六二―八七一一
東京都新宿区矢来町七一
電話 編集部(〇三)三二六六―五四四〇
　　 読者係(〇三)三二六六―五一一一
https://www.shinchosha.co.jp

価格はカバーに表示してあります。

乱丁・落丁本は、ご面倒ですが小社読者係宛ご送付ください。送料小社負担にてお取替えいたします。

印刷・株式会社三秀舎　製本・株式会社植木製本所

ISBN978-4-10-134918-3 C0193